JN122967

# モノノメ

#2 目次


［紀行文］宇野常寛
観光しない京都2022 — 004

［特集］
「身体」の現在 — 030

［座談会］牛場潤一×緒方壽人×笠原俊一×田中みゆき
身体論の現在 — 032
——ケアと拡張身体のあいだで

［鼎談］遠藤謙×落合陽一×乙武洋匡
思想としての義肢 — 048
——OTOTAKE PROJECTの豊かな副産物について

［論考］藤井修平
マインドフルネスの身体技法はいかに受容されてきたか — 064
——仏教と心理学の関わりの歴史から考える

［論考］藤嶋陽子
凡庸な服は、いかに捉え得るか？ — 078
——私的な身体技法をめぐる試論的考察

［対談］飯田将茂×最上和子
「もうひとつの眼」と「もうひとつの身体」はどう出会ったか — 088

［座談会］消極性研究会
消極的な人よ、身体を解放せよ — 100
——いや、そもそも身体なんていらない？

［インタビュー］上妻世海
制作する身体をめぐって — 115
——運と誘惑と戯れながら

［ルポルタージュ］
「ムジナの庭」では何が起きているのか — 130

［特別鼎談］宇野常寛×佐渡島庸平×濱口竜介
「劇映画的な身体」をめぐって — 150
——『ドライブ・マイ・カー』から考える

［妄想企画］
水曜日は働かない——164

［マニフェスト］宇野常寛
僕たちはなぜ、水曜日は働くべきではないのか？——165

［鼎談］芦埜佑亮×高坂友理恵×辻音里
「水曜日は働かない」という提案をめぐって——166

［コラム］坂本崇博
「水曜日は働かない」ための働き方改革——175

［特別企画］井上岳一×宇野常寛×田口友子
47都道府県再編計画——176
——日本列島（再）改造試論

［エッセイ］吉田尚記
現役アナウンサーがその目で見た#TOKYO2020——196

［連載］福嶋亮大
世界文学の制作——210
——第二章 指し示すこと、物語ること

［論考］苫野一徳
社会構想のための哲学的思考——218

［創作］小川未明・作 久保田寛子・版画
眠い町——233

［連載］丸若裕俊×沖本ゆか
もののものがたり #2
自在鉤／唐津焼の器——244

［連載］おいしいものにはわけがある #2
「ジャンボ」のお好み焼きと焼きそば——252

［連載］絵本のはなしはながくなる #2
近藤那央さんの選ぶ、不思議ないきものたちに出会える本——258

［連載］ひとりあそびの（おとなの）教科書 #2
東映レトロソフビコレクションと戦後サブカルチャー的身体——266

上田唯人×高山都×宇野常寛
走るひとたち——274

クラウドファンディング刊行をご支援いただいた皆さま——295

編集後記——296


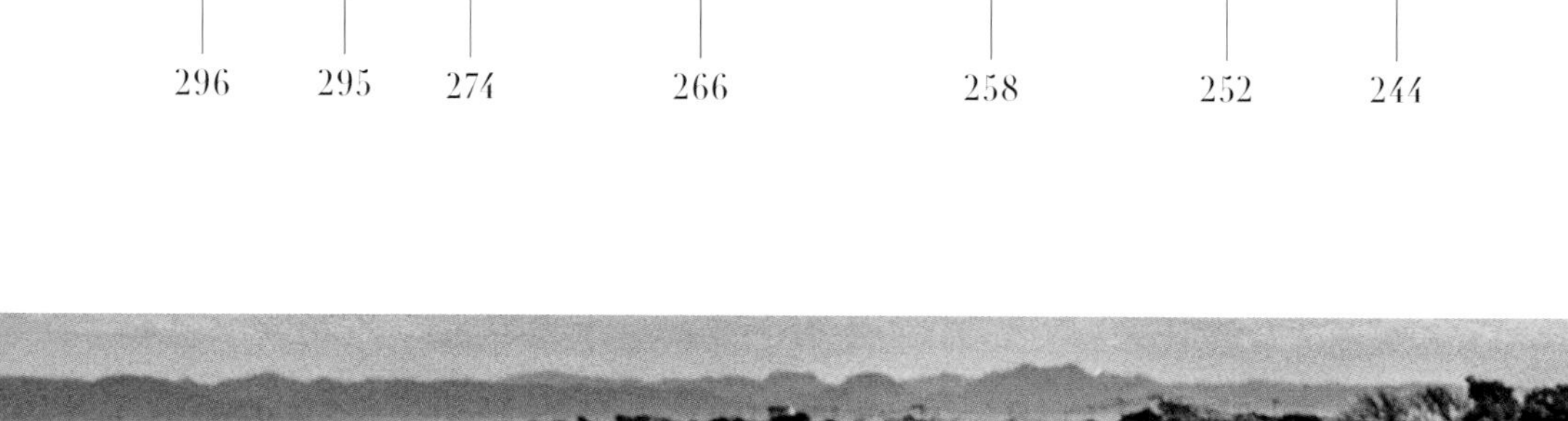

観光しない京都２０２２

世界有数の観光地「だからこそ」、
この街は「観光しない」ほうが楽しい――
かつて、この街に暮らした経験から考える暮らすような旅の提案。
普段とは異なる街で寝起きすることでちょっとだけ、
ずれた角度から世界を眺めること。
そして、古い街の日常の中で歴史に「見られる」こと。
「観光しない」京都の旅への、ささやかな誘い。

文＝宇野常寛　写真＝蜷川新・宇野常寛

## 「観光しない」ほうが京都は楽しい

そうだ京都、行こう——これは鉄道会社の有名な広告のコピーだ。

しかし、京都には観光に行くべきではない——それが僕の結論だ。

そして、観光しないほうが京都の旅は楽しい。これが僕の提案だ。

僕はかつて7年ほど、京都に住んでいた。そして数年前までは仕事で年の1/3は京都に隔週で出張していた。こうして半分外側から、そして半分は内側から京都を眺めていて、気づいたことがある。それは、この街で目にする旅行客のうちかなりの割合の人が、まるで位置情報ゲームのように限られた時間内に目当ての場所を訪ね歩く（観光）という目的にしばられてしまっていて、この京都という街の与えてくれる豊かさにあまり触れられていないということだ。僕はそんな旅をしている観光客たちの、何かに急かされていて、そして少し疲れた顔を見るたびにもったいないな、と思う。

そんなに急がなくても、この街は僕たちにたくさんのものを与えてくれる。

この京都という街は、ただそこにいるだけで——あなたが自分の街で過ごすように、朝起きて、食事をして、散歩をして、買い物して、そしてお茶を飲むだけで——たくさんのものを僕ら

に与えてくれる街だ。それができる蓄積と洗練がある街であり、そして東京や他のたいていの街よりも、とてもゆっくり時間が流れている街だ。

だからむしろ綿密な旅行計画を立て、たくさんの史跡名勝を周ることやガイドブックや観光情報サイトの薦めるお店やイベントをチェックすることで、この京都という街が本来持っているもの、僕たちに与えてくれるものを見失ってしまうこともあるのだと思う。

そこで改めて、提案したい。ときに観光しないほうが京都の旅は楽しい。

こんな提案をすると、それもひとつの観光のかたちに過ぎないとか、そもそも10年も住んだことのない人間にほんとうの京都は分からないとか、怒られてしまうかもしれない。けれど、僕は別に新しい観光論を立ち上げて注目を集めようなんて考えていないし、いわゆる京都通としてしたり顔をしたいわけでもない。

僕のような距離感でこの街と付き合っているからこそ気づくことのできた楽しみ方を、僕なりのかたちで紹介したい。そして、いまさらこんなことを言うのは少し恥ずかしいことだけど、もっと京都の魅力を知ってほしい。僕はそう考えている。そしてこの文章の「ような」視点を持つことで、あなたにも自分なりの京都を発見してほしい。

## 朝の鴨川を走る

それは冬の晴れた日のことだった。前日入りした僕は、出張のたびによく泊まる四条烏丸のビジネスホテルで目を覚ました。顔を洗って、着替えてすぐに走りに出た。僕は走ることが好きで、旅先でもよく走る。とくに京都に来たときは、朝の早めの時間に走ることが多い。理由は二つあって、まずこの時間なら観光客がいないからだ。そしてこの季節の京都の朝は、走るにはうってつけだからだ。ランナーの多くが、走ることで身体を温めながら冬の朝の澄んだ空気を思いっきり吸い込む時間を愛しているが、冬の京都の空気の清冽さはまた、格別だ。だから僕はこの季節の京都を訪れたときは、なるべく早く起きることにしている。そして、本当に起きることができたときは、それだけで楽しくなる。

まだ、人通りのほとんどない四条通りを東に走って、鴨川の西岸で降りる。そしてそこから川沿いを朝日を背にまっすぐに北に走る。この時間は、僕のようなランナーが多い（ランナーに住民と旅行客の区別はつかない）。ときおり、なにかの事情で早めに出勤する人や、夜通し呑んだくれた学生の朝帰りの自転車とすれ違う。この国の数々の歴史上の名場面――大抵は戦い

に敗れた人物が刑死した場所としてだが——になったこの鴨川沿いも、京都に暮らす人たち——特に自転車を主な移動手段にしている人たち——にとっては、信号に邪魔されず南北を高速移動できる経路なのだ。

4・5キロほど走ると、高野川と鴨川の合流点——通称「鴨川デルタ」に遭遇する。その日にしっかり仕事をしなければいけないとき、僕は朝に5キロを目安に走ることが多いので、これがちょうどいい塩梅だ。お腹が空いているときは出町柳か、百万遍あたりまで足を伸ばして、喫茶店のモーニングセットを食べる（このあたりは、古い喫茶店が多い）。最近のお気に入りはコーヒーとバタートースト、それにゆで卵またはバナナがついてくる百万遍にあるお店だ。朝にはつい、濃くて熱いコーヒーを飲みたくなるが、ここのコーヒーはまろやかで、飲みやすい。これに、うっすらとバターを引いたトーストがよく合う。パンの味がしっかりしているので、バターは強くなくていい。難点は、昔ながらの喫茶店なので喫煙客が多いこと。だから、僕はうまく早く起きることができて、店が混む前に辿り着けそうなときだけこのお店に行くことにしている。これも、寒い冬の日の早起きの自分へのご褒美だ。

## （いつものように）仕事をする

僕が京都を訪れるときは（残念ながら）仕事があって来ている場合が多い。しかし、そんなときもたいてい僕は1日余計に京都に泊まって過ごす。特にやりたいことがあるわけでも、会いたい人がいるわけでもない。ただ、単にいつものように仕事をして過ごす。僕は走るのと同じくらい歩くことも好きで、普段東京で暮らしているときも、ときどき気分転換に街のカフェをはしごしながら仕事をする。それとまったく同じことを京都でも行うのだ。だからこの日もそうすることにした。

お店にこだわりは、あるようでない。もちろん、暮らしていた頃から好きなお店はたくさんある。けれど、カフェ巡りに来ているわけではないから、目についたところに入る。大学で教えていた頃は、帰り道に北大路の「はせがわ」でAミックスランチを食べ、（もうなくなってしまったけれど）その近くのハンデルスベーゲンでジェラートを食べながら、午後いっぱい仕事するのがいつものコースだった。当時は、よく学生を連れていった。「はせがわ」のスタッフさんとも顔なじみで、アイスコーヒーをよくサービスしてくれた。最近は混みすぎていなければ、単に川が見えるという理由で三条京阪のスターバックスに籠もることも多い。どこの店に入ったときも、僕は窓際の席によく座る。通りを行き交う人たちを見ていると、飽きない。仕事に疲れたとき、いま目の前を通り過ぎていった人のことを想像する。ママチャリの前籠からネギをはみ出させていた主婦っぽい女性の、これから作るであろう夕食のメニューを想像する。だらしなく群れをなして歩く下校途中の男子中学生たちの盛り上がる、十中八九しょうもない話題を想像する。どこにでもある光景だけれど、そこにはその街のリズムがある。どのような土地にもあるそこに暮らす人々が無意識に従う行き交いのリズムが、この京都という街ではとてもはっきりしている。明らかにそれは、東京のそれよりも遅い。僕はその遅さを眺めながら仕事をする

のが好きだ。たぶん、この街に暮らしていた20年前は僕もこのリズムを踏んでいたのだと思う。けれど、今は違う。違うからこそ、それを確かめる。そして、自分はいつでもまったく異なる土地に暮らして、違うリズムに従うことができることを思い出すのだ。

**路地を歩く**

かつてこの街に暮らしていた頃は、あまり歩いた記憶がない。この街に暮らす人々――特に学生や若い人――の多くは、自転車が原チャリを足にしていることが多い。だから、京都の街を歩く楽しさを覚えたのは、むしろ仕事で訪れることが多くなってからだ。カフェをはしごしながら書き物をしているときに、500メートルから1キロくらいの距離を気分転換に歩く。このとき大きな通りではなく小さな路地を歩くのが楽しい。僕が頻繁に出張していた数年前は、オーバーツーリズムで京都の中心部はちょっとおかしくなっていた。石を投げれば、新しくできた町家カフェや和モダンのホテルに当たる……というのは少し大げさだけど、そういった狂騒に辟易とさせられながらも、たまに落ち着けそうな店に出くわすと、とても得をしたような気分になっていた。

その夜に読むものを調達するために、本屋にもよく足を運んだ。今では、仕事で関係するようになったので逆に少し構えてしまうのだけど、出町座の本屋や誠光社に、自分の本が置いてあるのを確認するのを、僕は密かに楽しみにしていた。

飲酒の習慣のない僕は、日が落ちると早めに宿に引き上げる。そして、KBS京都とかαステーションとか、地元のラジオ局の番組を流しながら、本を読んだり、仕事の続きをして過ごす。そして、朝に走るために早めに寝る。この日の夜も取材の写真をチェックした後に、いま書いている本の資料を読んで過ごした。千年以上前から続く街で、百年前のアラビアについて書かれた本を読む。誰も話しかけてこないし、こちらから話しかける相手もいない。これが僕の京都の過ごし方なのだ。

アサヒビール
山崎屋商店
WONDA

こども
110番
のいえ

ソン美容室

米・花・酒
フジワラ米穀
酒
花
花
パンまつり
着用協力
お願いします
日本の米

## 歴史に見られている

　僕がこの街に暮らしていたのは、今から20年ほど前のことだ。下宿があったのは、右京区の花園といって、映画の撮影所で有名な太秦の隣の地区だ。京都と言っても右京区は、世の中の多くの人がイメージする京都とはだいぶ異なっている。そもそも「京都らしい」京都は、京都市の中心部から鴨川の流れる左京区、東山区の一部にしかない。それ以外の京都は、京阪神の製造業地帯の一角を担う昭和後期の匂いが残る、悪い意味で古い街だ（あまり知られていないが、京都市の主要産業は観光業でも文化産業でもなく、製造業だ）。特に僕の暮らしていた右京区は、平安京の造営からしばらく経っても開発がうまく進まず、長く田園が広がっていた地帯に当たる。そして21世紀の今日では、観光地らしい観光地もなく（全国区的に有名なのは嵐山と映画村くらいだと思う）、単に寂れている。そのほとんどはありふれた地方の住宅地で、市民生活の中心は五条西小路のイオンモールだ。しかしそれでも、1000年以上人間が暮らしている土地には、否が応でも歴史が生まれてくる。

　たとえば当時僕の暮らしていた下宿は、双ヶ丘（ならびがおか）という吉田兼好の庵があったちいさな森と、妙心寺というとても大きな（臨済宗のものすごく有名な、そして古い建物には応仁の乱の矢傷が残っている）寺のあいだにあった。そしてどちらの場所も僕の、近隣の住人たちの生活道路だった。僕は近所のディスカウントストアに買い物に行くために双ヶ丘の中を、学校やお好み焼き屋や、友人の家に行くために妙心寺の境内を自転車で通り抜けていた。特に妙心寺の境内は、1年のうち150日か200日くらいの割合で通り抜けていた。妙心寺の境内には保育園があって、自転車で通るときはいつもとても気をつけていた。時代劇のロケにもよく使われていて、僕はこの境内で渡辺謙にも柄本明にも竹中直人にも遭遇している（竹中さんにはサインも貰った）。お盆には、全国からお坊さんが集まってお堂でお経を大合唱する。ものすごい迫力で、弱めの妖怪なら近づいただけで消滅しそうな迫力がある。

　このような場所に何年も暮らしていると、だんだんと感覚が変わってくる。それは、日々の暮らしの中で、いつの間にか、自分の人生なんかよりもとても大きな、途方もないくらい大きな時間の流れが世界には存在しているのだということが、言葉の上でのものではなく、もっと深い、総合的で身体的な実感として伝わってくるのだ。言ってみれば、僕はこのときはじめて、「歴史」というものの存在を実感したのだと思う。僕は子供の頃から歴史の本を読むのが好きだった。資料館や博物館の類にも熱心に足を運んできたし、長崎に暮らしていた頃は、小学校の授業の一

環としてて被爆者の体験を生で聞かされてきた。しかし、そういった読書や学習は言葉の上での理解としてしか、僕に歴史の存在を示してくれなかった。対してこの街での暮らしはまったく異なる次元で、それも自分でも気づかないうちに、僕に歴史の存在を実感させてくれたのだ。それは言ってみれば「歴史に見られている」という感覚だ。

人間は小賢しい生き物で、ものごとを見るときに、つい自分の見たいものだけを見てしまう(現代の情報技術は、その欲望の追求を支援している)。しかし、暮らしの中でその土地の歴史に見られるときは違う。僕たちがどこの誰で、何を欲望して何を避けたいと感じているかなんて関係なく、ただそこに存在しているだけでいつの間にか、僕たちの身体の中に歴史が入り込んでくる。この歴史とは具体的な国家や民族の物語ではなく、自分の人生という尺度で世界を考えてしまうことを相対化する途方もない「長さ」の存在感だ。そしてこれは、観光客が絵葉書と同じアングルでセルフィーを撮ることでは絶対に得られない体験だ。僕が京都は観光しないほうがいいと思う理由の一つがここにある。人間は、自分から見

に行ったものからは実はあまり受け取るものがないのだ。これが好きだ、これが欲しいとはっきり自覚しているものを得たときに、人間は安心するけれど実はワクワクしない。そして、自分は何も変わらない。けれど、日々の暮らしの中で「見られる」ことで人間はいつの間にかたくさんのものを受け取っている。そして知らない間に変えられてしまっている。

　右京区には中京区や左京区のような、おしゃれな観光地はほとんどない。しかし右京区では、その大半がただの住宅地だからこそ、歴史が日常の中に入り込んでいる。そこにあるのは、僕たちが普段暮らしている街とあまり変わらない、ありふれた景色だ。しかし、だからこそそこに暮らすことで僕たちは意識することもなく歴史に見られることになるのだと思う。

　ちなみに、僕が旅先で走るのが好きなのは、走っているこの時間だけは住人と旅人の差がなくなるからだ。走っているときだけ、僕たちはその街に暮らす人と同じようにその土地に接する。そして僕たちは走ることそのものを目的にしているからこそ、このとき歴史に「見られる」ことができるのだ。

RANDEN
624

んでもない、ただの川の土手だ。もちろん、北（上流）を向けばそこに嵐山が小さく、静かに佇んでいる。ただ、流れに沿って南に向かっていくと本当にただの川が流れているだけなのだ。土手の両岸（特に東側）には緑地が広がっていて、そこは最低限の整備だけがされた運動場になっていて、少年野球のチームや草野球好きのおじさんたちが身体を動かしている。橋の袂では、休日になるとバーベキューをする家族がちらほら現れる。ここ数年は野犬の増殖が問題になっていて、地域住民は昼間はともかく夜間はこれを恐れて、遠ざかっている。これが桂川だ。おそらく、日本中の街の何割かには、こういう川はあるはずだ。僕は京都を訪れるとときどき、無性にこのどこにでもあるような川の、どこにでもあるような土手を歩きたくなり、久世橋から川を眺めたくなる。そして、実際にそうするのだ。

　このあいだも、桂川を西京極から久世橋まで歩いた。コロナ禍のせいか、バーベキューを楽しむ家族連れは見かけなかったけれど、どこかの少年野球チームはのびのびと練習をしていた。ときどき、近所の人が自転車で通りかかったり、ランナーやサイクリストとすれ違ったが、ただ無目的にこの場所を歩いているのは僕だけだった。僕は考えた。自分はどうして、このなんでもない川や、そこにかかる橋が好きなのだろう、と。もちろん、若い頃の思い出がそうさせているのだろうけど、なぜ、あの頃ブラブラしていた場所のなかでもここだけに、あれから20年近く経っても来たくなるのかは、長い間自分でもよく分からなかった。生活道路として毎日のように通り抜けていた寺の境内にも、行きつけの定食屋にも、このような感情を抱いたことはない。でも、僕は京都に来るたびにこの川と橋を見たくなるのだ。そしてそれがなぜなのか、このとき不意に、分かったのだ。

　そのとき僕は久世橋から、南の下流のほうを眺めていた。この先に、桂川はあの鴨川と、そして木津川というもうひとつの別の川と合流して流れていく。そして最終的には淀川に合流して、大阪湾に注ぐ。阪急電鉄で京都から大阪に向かうと、十三（じゅうそう）のあたりで淀川を渡ることになる。僕はそのたびに、あの桂川がここまで流れて続いてきているのだなと当たり前のことに感心していた。橋の上でそのことを僕は思い出して、そしてふと見上げると、そこには標識があって、それはこの道（国道171号線）が大阪や、神戸といった他の街に続いていることを示していた。反対側の上流、つまり北側には嵐

山が遠くに見えることは説明したとおりだけれど、久世橋からはその手前に京都と大阪方面を結ぶ鉄道がたくさん見える。阪急京都線の、JR京都線の、そして東海道新幹線の線路がそこにはあって、この橋を目指して土手を歩いていると猛スピードで行き交うこれらの線路を走る列車を何度も、何度も目撃することになる。そう、この久世橋とその付近は京都と阪神を結ぶ交通の要衝なのだ。そしてこの場所は僕にいつも、自分はここからどこにでも行けるのだと思わせてくれた。遠く離れた他の街にも、広い海にもここは——自分の下宿から毎日のように訪れているここは——確実につながっている。そう、思わせてくれたのだ。それが僕にとっての久世橋という場所だった。僕はそのことに、20年かけてようやく気がついた。

そして僕は思った。自分が雑誌とかメールマガジンとか、メディアを作り続けている理由は、この感覚を自分の手で再現して、読者と共有したいと考えてるからだ、と。ここからどこにでも行くことができる。ここからどんな場所にも、物事にもつながっていく。そう思えるメディアをつくりたいと自分は思っていたのだとこのとき気がついたのだ。僕にとってメディアを作る

ことは、この久世橋のような場所をつくることなのだ、と。

　あのブックオフはまだあるはずだけれど、Amazonのマーケットプレイスのヘビーユーザーに堕落した僕はもはやほとんどこの種の古本屋に足を運ぶこと自体がなくなった。あの古本屋兼中古ゲームソフト屋兼中古玩具店はもう、だいぶ前になくなってしまった。それでも、僕はときどきこの久世橋を訪れている。川の東側をずっと歩いて、久世橋を渡る。土手には日光を遮るものがないので、夏場は橋を渡りきったあとに汗がびっしょりになっていることが多い。そんなとき僕はあのブックオフの向かい側にある古い神社（綾戸国中神社）で休む。当時は知らなかったけれど、この神社は古い神社が二つ合流してできたもので、古い方の創建は521年（古墳時代）だという。つまり京都（平安京）よりずっと古い。こうしたものが、モータリゼーションに対応した大型店舗のひしめく郊外のロードサイドにひっそりと佇んでいる。ここが、僕が20代のころにいちばん「自由」を感じさせて、そしてここからならどこにでも行けるのだと思わせてくれた場所なのだ。

特集

# 「身体」の現在

宇野常寛

二度目の東京オリンピックが、巨大な茶番としてやり遂げられてしまったとき、僕たちは大きな疑問を抱いた。一つは、あれは誰のためのオリンピックだったのかという疑問だ。もう一つは、そもそもオリンピックはこの世界に、今の時代に、本当に必要なのかという疑問だ。さらに言えば、競技スポーツという制度そのものへの疑問だ。そしてこの特集は後者の疑問から始まっている。併置されたパラリンピックの受容が示唆するように、あるいは競技スポーツの鑑賞からライフスタイルスポーツ（ランニング、ヨガなど）の実践への現役世代の嗜好の変化が示すように、「正当な」身体への接近とその性能をナショナリズムを掲げて競うことそのもののもつ弊害と退屈さに、人びとは気づき始めている。ナチズムにすら接近し得る五体満足主義の呪縛に、若く、強靭で、そして男性の「正当な」身体を基準に人間の肉体をとらえていた時代の不自由さに、僕たちはもはや戻れない（そもそもSNS上の社会的身体の使役が日常化し、分身ロボットがケアの現場に導入されつつある今日は、明らかに身体そのものの定義を拡大しているはずだ）。

ナチズムに対する反省から出発した20世紀後半は、正当な身体というとらえかたそのもののもつ暴力性を、社会が克服するための智慧を絞ってきた半世紀でもあった。そして現在において、一方では身体ではなく社会の強さを求めるケアの思想が、もう一方では身体を強化するのではなく多様化するための工学的なアプローチ（サイボーグ）の思想が、その運動の前線を拡大しつつある。たとえばケアの現場ではもはや、障害をもつのは人間ではなく社会の側であると考える。そしてサイボーグ技術者たちの多くが、機械による身体拡張の夢を強さや速さではなく、より多様で、アナーキーで、ニッチなニーズの発見と実現に求め始めている（エンジンを備えた鋼鉄の身体を獲得し、その強大な力を制御する卓越を得ることを成熟の証だと考えた時代は過去のものになりつつあるのだ）。これらの身体にまつわる潮流の前線に何が起きているのかを位置づけること、それがこの特集の第一の課題だ。

そしてもう一つの課題は、こうした現代的な身体感と社会との、そして文化との関係だ。

これらの思想が説くように、僕たちの（多様な）身体に社会の側が合わせてくるとき、あるいは道具の側が合わせてくるとき、僕たち人間にとって身体とはどう捉えられるのか。僕たちは自身の身体を、環境に対応させるために、他の人間に顕示させるために、必死に変化させてきた。しかし今日の身体をめぐる思想は、僕たちにその必要はないと囁いている。僕たちの身体が、ありのままでいられるその自由を手にしたとき、身体にまつわる社会と文化はどのように変化していくのか。都市は、宗教は、コミュニティは、どう変化するのか。被服は、舞踏は、スポーツはどう変化していくのか。それがこの特集のもう一つの課題だ。

撮影：小野啓

身体とは「存在してしまう」ものだ。否応なく、僕たちが抱え込んでいるものだ。社会的な身体が何度キャンセルされても、存在し続けるものだ。そしてそれは情報ネットワークの外部に存在し得るものの一つだ。こうして僕たちが紙の雑誌の出版に回帰して、読者に分厚い冊子を手に取ってもらっているのは、そうすることで人間とモノとの強い関係を生み、（情報技術に支援され、強化されすぎた）人間間の関係を相対化する試みでもある。だから、しばらく一緒に、この重みをその手に感じながら一緒に、ゆっくりと考えてほしい。

僕たちが望むと望まざるとにかかわらず手放すことの許されないこの「身体」のことを。

座談会

# ケアと拡張身体のあいだで

## 身体論の現在——

牛場潤一×緒方壽人×笠原俊一×田中みゆき

近代的な五体満足主義から
多様な身体の擁護へ——
現代の身体はケアの現場を通じて、
あるいは工学的な身体拡張を通じて、
その多様性を確保しようとしている。
そして、この多様に変化し得る身体を基準に
私たちの社会を眺め直したとき、
どのような問題に突き当たるのか？
医療や生活の実践からアートや
テクノロジーの研究開発まで、
それぞれの現場からの知恵を持ち寄りながら、
「身体」をめぐる現代的な論点を洗い出す。

司会＝宇野常寛　構成＝杉本健太郎・中川大地

注釈＝佐藤賢二・中川大地

写真提供：日本空港ビルデング株式会社

## 身体をめぐる「ケア」と「拡張」のグラデーション

——この座談会では、特集の基礎固めとして、既存の身体に対する知的なアプローチ、身体論の現在を確認することから始めたいと考えています。特に、ここで中心に置きたいのは、「政治的に正しい」「多様な」身体の問題です。現代の潮流としてまず障害者や難病を患った人々へのケアの実践を通じて「健常者」中心の社会を批判し、そのことを通じて多様性に開かれた社会を模索するという方向があります。その一方で、サイボーグ的なテクノロジーの開発によって人体の限界を克服し、人間の身体機能そのものを拡張することで多様化していこうという方向もあります。この両者は、社会の改良と人間の拡張とアプローチは真逆なところがあるのだけれど、実は仮想敵は同じナチス的な優生思想にもつながる五体満足主義です。同じ仮想敵を持ち、同じ価値を擁護しているにもかかわらず、両者は没交渉気味であり、もっと言ってしまえば「敬せず」遠ざけてしまっているところすらあるように思います。

なのでこの座談会では、そうした**ケア**［**01**］的なものから**サイボーグ**［**02**］的なものを架橋することで現代的な身体論の見取り図を描きつつ、そこで発生している諸問題を炙り出すような議論ができればと思っています。そこで、この両者を包摂する論点について刺激的な議論ができる人選にしたいと考え、まず田中みゆきさんに相談し、皆さんに来ていただきました。まずは田中さんからお一人ずつ、自己紹介を兼ねた皆さんの活動やご関心についてお話しいただけますでしょうか。

**田中**　私は障害を起点とした展覧会や、障害がある人と一緒にパフォーマンスやゲーム開発を行う表現活動をしています。障害に興味を持ったきっかけは山中俊治さんがディレクションされた「骨」展（２００９年）に携わり義足を扱ったことなのですが、他にも10分間のダンスを音声ガイドで目が見えない人と見える人が一緒に鑑賞して、互いに何を見ていたのかを共有する取り組み「音で観るダンスのワークインプログレス」を２０１７年から行っています。音声ガイドは複数あり、ダンサーが自分の体を解説するものや、神の目線で解説するものなど、複数の視点を持つことで、目が見える人にも見えない人にも、それぞれに新たな発見があるんですね。あるいは全盲の監督が目の見えるスタッフと一緒に映画をつくる過程を追ったドキュメンタリー映画『**ナイトクルージング**』［**03**］（２０１９年）のプロデュースをしたときには、絵コンテの代わりに音コンテをつくったり、レゴで現場を表現したり、作り方から作ることが多いです。

最近では、やはり目が見える人と見えない人が一緒に、映像は一切なく音からプレイ空間を想像し空間や敵とインタラクションするゲームを作る「**AUDIO GAME CENTER**」［**04**］（２０１７年〜）を立ち上げたり、マイノリティの人々特有のルール構築のプロセスに着目した作品を含む

**田中みゆき（たなか・みゆき）**
「障害は世界を捉え直す視点」をテーマにカテゴリーにとらわれないプロジェクトを企画。表現の見方や捉え方を障害当事者を含む鑑賞者とともに再考する。「ルール?展」（21_21 DESIGN SIGHT、2021年）、展覧会「語りの複数性」（東京都渋谷公園通りギャラリー、2021年）、「音で観るダンスのワークインプログレス」（2017年〜）、「オーディオゲームセンター」（2017年〜）など。

**笠原俊一（かさはら・しゅんいち）**
コンピュータ技術を用いた人間の知覚や認知の拡張・変容を通じて、人間とコンピュータが融合したときの「自分」がどのように形成されうるのかを研究。株式会社ソニーコンピュータサイエンス研究所リサーチャー・Superception プロジェクトリーダー。主なプロジェクトに身体駆動装置と主体感研究「Preemptive Action」や自己顔変容装置「Morphing Identity」など。

**緒方壽人（おがた・ひさと）**
ソフトウェア、ハードウェアを問わず、デザイン、エンジニアリング、アート、サイエンスまで幅広く領域横断的な活動を行うデザインエンジニア。東京大学工学部卒業後、国際情報科学芸術アカデミー（IAMAS）、LEADING EDGE DESIGN を経て、ディレクターとして Takram に参加。近著に『コンヴィヴィアル・テクノロジー』。

**牛場潤一（うしば・じゅんいち）**
脳と機械を接続するブレイン・マシン・インターフェース（BMI）の研究を通じて、脳の仕組み、運動障害の治療、文化・文明が形成される仕組みを探求している。慶應義塾大学理工学部生命情報学科教授（2022年4月より）。BMI 技術を使った医療機器の事業化を目指した研究成果活用企業 Connect 株式会社の代表取締役社長を兼務。ムーンショット型研究開発事業サブ・プロジェクトマネージャー。

「**ルール？展**」［05］（２０２１年）や、異なる感覚特性を持つ人々の世界の受け取り方を通して他者とともに生きることを考える「語りの複数性」（同年）といった展覧会を手掛けたりもしています。

　こうした活動を通じて私が興味を持っているのは、作品未満の状態で表現を受容する身体的なプロセスを共有することです。つまり、「作品」になってしまうとそこで完結してしまうものを少し手前で止めて、多様な人が解釈を持ち寄る場を設けたり、違う常識を持った他分野の人と協働したり、まだ評価や認識の枠組みが定まってないものを開くことによって、作家だけでなく鑑賞者が主体となって体感したり考えたりできるような機会を創出する、それによって表現を更新するということを目指して活動しています。

**緒方**　僕はTakramというデザイン・イノベーション・ファームでデザインエンジニアをしています。たとえば、これから車が自動運転に移行していくときに、運転者に与える情報をどういうインタラクション、インターフェイスにすればいいのかということを自動車メーカーと開発していたり、身体やケアに関連するものでは21_21 DESIGN SIGHTでの「**アスリート展**」［06］（２０１７年）や福祉機器の展覧会「超福祉展」（２０１６年）のディレクションをやったりしています。

　昨年『**コンヴィヴィアル・テクノロジー　人間とテクノロジーが共に生きる社会へ**』［07］という本を出版しました。イヴァン・イリイチが１９７０年代に出した『コンヴィヴィアリティのための道具』という本があるのですが、コンヴィヴィアリティ＝自立共生というコンセプトを軸に、「ちょうどいい道具」について論じているんです。道具は人間の能力を拡張するものでもあると同時に、行き過ぎると道具に依存してしまうことにもつながる。つまり、行き過ぎたテクノロジーと足りないテクノロジーの間に収まるちょうどいいバランスを探るという試みです。この本が書かれた70年代のテクノロジーは速く移動できるといった物理的な拡張だったと思うんですけど、僕の本では現代の情報テクノロジーも含めた「ちょうどいいテクノロジー」というのはどんなものなのか、どこまで行くと行き過ぎなのかということを考えてみました。

　今日の議論のテーマにつなげると、身体拡張がどこまでいくと行き過ぎになってしまうのか、どこまでが「コンヴィヴィアル（自立共生的）」と言えるのか、そのあたりのバランスの模索が自分のテーマということになるでしょうか。

**牛場**　僕は慶應義塾大学理工学部で教授（２０２２年４月より）をしながら、Connect株式会社というスタートアップの代表をしていて、そこでウェアラブルの**ブレイン・マシン・インターフェイス（ＢＭＩ）**［08］を使ったリハビリテーション医療機器の研究開発をしています。

　僕の研究のメッセージとしては、「ＢＭＩを使って脳は治せる」ということだけでなく、「文化、

KEYWORD 01

## 「ケア」をめぐる動向

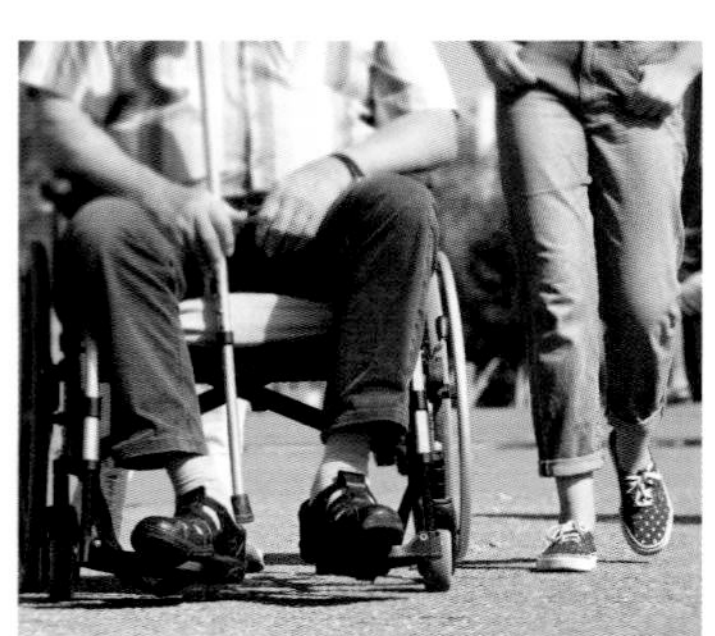

育児や高齢者の介護といった、人をケアする営みは、一般的なビジネスパーソンが家庭外での労働に従事する反面で、長らく家庭内の問題と見なされ軽視されていた。しかし、21世紀に入って以降、ケアを労働として認識し、その方法論を考える傾向が高まっている。医学書院は、２０００年から「ケアをひらく」シリーズを刊行、東京大学先端科学技術研究センター准教授を務める熊谷晋一郎の『リハビリの夜』など、介護や障害者問題の当事者研究などを取りあげてきた。

　とりわけコロナ禍の到来によって、在宅勤務者や自宅療養を余儀なくされる者が増えた２０２０年以降は、ロンドンを拠点に活動する研究者・活動家のグループであるケア・コレクティヴが上梓した『ケア宣言：相互依存の政治へ』や小川公代『ケアの倫理とエンパワメント』といった著作を皮切りに、「ケア」の概念は社会思想的なムーヴメントとしても発展。２０２２年１月には雑誌「世界」が特集「ケア――人を支え、社会を変える」を、「美術手帖」が田中みゆきも携わった特集「ケアの思想とアート」を組むなど、幅広い領域にインパクトを与えている。

文明が紡がれていく仕組みを、BMIを使って理解することができる」ということにあります。工芸もスポーツも音楽演奏も身体芸術も、すべては超絶技巧的な身体の使い方を脳が習得し、それをうまく他人や次の世代に伝承できているからこそ、何百年も続く文化として成立しています。情報の伝達を行うのは脳なので、BMIを使って脳の学習の仕組みがわかれば、文化、文明ができていく過程を自然科学的に理解できるのではないかと思っています。

**笠原**　僕はソニーコンピュータサイエンス研究所で研究員をしているのですが、今は「**スーパーセプションプロジェクト**」[09]という部署を作ってリーダーをしています。スーパーセプションという言葉は「スーパー」と「パーセプション」を合わせた造語です。で、基本的には人間が持つパーセプション（知覚、広くは認識）をいかにコンピューター技術によって拡張するかという問題意識で研究しています。人間拡張工学の第一人者として知られる東大の稲見昌彦先生との共同研究にも参画していたつながりで、昨年そのプロジェクトをまとめた『**自在化身体論　超感覚・超身体・変身・分身・合体が織りなす人類の未来**』[10]という本にも笠原の研究をまとめた「柔軟な人間と機械との融合」という章を執筆しています。そんな経緯から、コンピューターと人間が融合していくとき、我々はどこまでが「自分」なんだろう、ということが僕の根本的な興味になってきています。

ですので、僕はどちらかと言うと、牛場先生よりもさらに身体拡張側にいるということになるのかなと思います。ただ、ケア的なものと身体拡張ははっきりと分かれているものではなく、グラデーション的なものだと思っています。同じように障害と健常もグラデーションではないでしょうか。身体拡張の研究をしていると、自然とその技術はリハビリに使えませんかという話になってくるんですね。もちろん、それはそう簡単なことではありませんが、僕は、ケアと身体拡張が分断して別物として捉えられるのではなく、グラデーションであってほしいと思って研究しています。

## テクノロジーに対するスタンスの違いをめぐって

**田中**　ありがとうございます。皆さんに一通りお話しいただきましたが、今の笠原さんがおっしゃったケアと身体拡張のグラデーションで言うなら、私は比較的、障害のある方と一緒にものづくりをする機会が多いという意味で、ケアの現場寄りの活動に軸足がある立場になると思います。今日お声がけした皆さんは、対話が成り立つくらいには離れすぎない立ち位置にいると思うのですが、やはり身体へのテクノロジーの導入の仕方について、異なるスペクトラムからの関わり方をしていると思います。

なので、そのテクノロジーに対するスタンスの違いを掘り下げてみたいと思うんですが、特に牛場さんのBMI研究の立ち位置は、実際に医療と

KEYWORD 02

### 「サイボーグ」をめぐる動向

サイボーグという用語は、生物と機械装置の結合体（cybernetic organism）を意味し、従来は人工臓器による身体器官の置き換えが一般的なイメージだった。だが、視覚や聴覚を補助・拡張したり、手足の延長のような遠隔操作式の機器を身体に装着したりすることもサイボーグの一種と言える。東京大学先端科学技術研究センター教授の稲見昌彦らは、こうした人間の知覚や機能をテクノロジーによって拡張する人間拡張工学を進めている。

また、一般社団法人超人スポーツ協会は、五感や筋力を補助する機器を利用した新しいスポーツを研究・開発している。国際的な取り組みとしては、身体障害者が筋力補助機能を持つ義手や義足、自走式車椅子などを活用してスポーツ競技を行うサイバスロン大会が、２０１６年から開催されている。これは、２０２０年パラリンピック東京大会と並行して、従来の障害者の身体のみを使うパラリンピックとは異なるアプローチとして注目を集めた。

「超人スポーツ協会」イメージビジュアルより

いう領域で患者さんと触れあうケア側の現場から身体拡張の側に近づいていく方向なのかなと感じたのですが、いかがでしょうか？

**牛場**　はい。実は僕はもともとBMIをやりたくなかったんです。体が正常に働かなくなったら、機械の腕をつければいい、脳にチップを付けて制御すればいいという生命観が当初は嫌でした。ただ、学生がどうしてもBMIを研究したいと言うので、彼らの教育のためにやろうと考えたときにたどり着いたのが、今のBMIの在りかたでした。

　考えてみると、いま「障害」と言われる状態も不当な理由でそうなっていると思うんです。たとえば脳卒中で手が動かない人がいるとする。その患者さんは医者に、「もう脳が壊れているから、あなたの手は動きません」と言われて、患者さんも偉い医者が言うならそうなんだろうと信じて諦めてしまう。でも、自然科学的に考えれば、本当は治る可能性があるものなんです。医者も研究者も患者さんもみんな諦めているから、不当に悪い状態に据え置かれてしまっている。僕はテクノロジーやサイエンスが、そういった迷妄を吹き飛ばして、人類を本来あるべき形にしてくれると思っています。だから、「なんだ脳卒中って治るじゃん！」という姿をBMIによって見せていきたいですね。

**田中**　つまり、近年のパラリンピックで垣間見える、健常者を超える記録を出せるようなアスリート用の義肢装具の開発とか、テクノロジーを駆使したサイバスロンのように「生身の身体より速く強く」みたいな方向ではなくて、あくまで本来あった身体機能を取り戻すことを目指されていると解釈しました。

**牛場**　そうですね。本人が望むささやかな幸せとか、日常をお手伝いするようなものが作れたらいいなと思っています。サイバスロン的な身体拡張の方向は、僕の感覚には合わないのでやっていません。ただ、彼らには彼らの論理があって、イメージとしてはF1のスーパーカーの開発に近い。スーパーカーは日常では使わないけど、ああいうものを作ることで、技術が発展していく。結果技術レベルが底上げされて、日常で使うものもその恩恵を受けるということですね。それはアプローチとしてはあるのでしょうが、僕は人間をスーパーマンにするような技術を作りたいとは思わない。あくまで人として本来得られるはずの状態を手にできる社会を作るのが理想です。

　それと、スタンダード以外は劣っているというような差別意識を解消したい。患者さんを見ていても、手に麻痺が残っている人がペットボトルを持てるようになっただけで、ものすごく自尊心が回復して、涙を流して喜んだりしている。そういう、ささやかかもしれないけど、満たされる瞬間が増えることが、その人にとっての幸せでしょう。それは手が動く僕からしたら、ささやかかもしれないけど、その人にとってはものすごくハッピーなことなんですよ。だから、ハッピーの種類や質は違っていいし、目指すところも違っていいと思うんです。

KEYWORD 03

## ナイトクルージング

2019年3月に公開された映画『ナイトクルージング』は、映画監督の佐々木誠が、全盲のミュージシャン加藤秀幸の映画制作を追ったドキュメンタリー映画。視覚がない加藤が、近未来の宇宙を舞台にした短編SF映画『ゴーストヴィジョン』を監督し、その過程で、視覚によって世界を認識しているスタッフとの間でイメージを共有していく姿を描いている。本作で田中みゆきは、音声ガイド脚本制作を担当、『ナイトクルージング』および『ゴーストヴィジョン』のプロデューサー・制作を務めている。

　加藤が監督する映画内映画『ゴーストヴィジョン』には、『シン・ゴジラ』『バイオハザード』シリーズのプリビズやCGの制作チーム、『ファイナルファンタジーXV』の開発チーム、美術家の金氏徹平など、幅広い分野のクリエイターが協力。見えない者と見える者とが協働しながら、ドキュメントとフィクションの二つの世界に漂う〝ゴースト〟を捕らえようとする試みがスリリングに展開する。

映画『ナイトクルージング』（監督：佐々木誠、主演：加藤秀幸）

**緒方** そういう意味では、笠原さんはこれまで超人スポーツや人間拡張研究を推進されてきた稲見さんや暦本純一さんとも一緒に研究されていますが、その立場からだと今の論点はどう感じられていますか？

**笠原** 僕なりに、身体拡張とかヒューマン・コンピューター・インタラクションの研究をしてきた中での現在の解が、「あるべき自分にどう近づくか」です。それはケアと拡張のグラデーションの両極に通底する、研究開発の基本的な共通基盤になるのかなと思っています。その本質についての理解さえ成立していれば、もしかしたら、ケアと拡張のそれぞれのテクノロジーに対する姿勢は、取り立てて区別する必要はないのではないでしょうか。

たとえば、ディスアビリティのある人が元々の状態に戻るというのは、それはディスアビリティのある自分が、ノーマルな自分に戻るためのテクノロジーや施策です。一方で、ノーマルな自分がスーパーマンになるために拡張する技術の動機としては、「自分らしいあるべき自分」が、スーパーマンになっているということ。結局、どちらも自分というものをどのように作っていくか、というセルフイメージの問題です。ディスアビリティがある状態というのは、実際の自分と、こうあってほしいと思う自分に乖離がある状態であると言えるのではないでしょうか。

つまり、障害者の人が「動ける自分」こそが本当の自分だと思っているとするならば、そこにBMIを投入して動けるようにすることと、身体拡張して超人的なものを目指すことの間に、本質的な違いはないのではないのだと思います。

**牛場** ただ、僕が目指したい方向としては、体が麻痺した人が考える、「体が自由に動いていた頃に戻りたい」という自然な感情ですね。昔の自分を懐かしく思う、ふるさとに戻りたい、あの頃に戻りたい、といった誰しも共感可能な気持ちです。

それとスーパーマンとかアイアンマンみたいなスーパーヒーローになりたいという欲望のあり方は、僕はあまり自然な感情だとは思わないし、業が深いなと思います。たとえば、猿は、脳卒中になっても体が麻痺している自分をケロッと受け入れて、普通に暮らしているそうです。スーパーモンキーになりたいなんて考えずに……。

つまり、人間が登場する以前の動物たちには、自己のボディイメージやそれへの執着は現在の人類ほどはなかったはずなんです。障害の有無も含めて、自分の身体をありのまま受け入れて、豊かに幸せに生きていた。今のように、障害のある人は諦めの方向に行くべきだ、健康な人はより強く、より速くなるべきだ、といったベクトルにみんな束縛されてなかったんだと思うんです。そういう方向から優生思想みたいなものも生まれてきたのかもしれません。

結局そういった思想に呪縛されて、みんな苦しくなっている。より強くあるべき、速くあるべきといった「べき論」から解き放たれると、みんなもっと幸せになれると思います。

KEYWORD 04

## AUDIO GAME CENTER

映像情報が欠かせないビデオゲームに対し、音だけを頼りに遊ぶことのできる「オーディオゲーム」を開発する一連のプロジェクト。2017年に全盲のゲームクリエイター・野澤幸男を中心に制作された、音を立てながら迫りくる敵を殴り倒すアクションゲーム『Screaming Strike』を皮切りに、頭の周りを飛び回る蚊をスプレーで撃退する『モスキートが来る（モスクル）』など、さまざまなタイトルが開発されている。

2021年6〜7月には、Ginza Sony Park（東京都中央区）での企画展「AUDIO GAME CENTER +」が開催。かつて友人だった女の幽霊に導かれながら音で記憶を辿っていくストーリーテリング・ホラーゲーム『幽霊のいるところ』、プレイヤーの進むべき方向を示す「ガイドメロディ」を頼りにレーシングカーを走らせるレーシングゲーム『大爆走！オーディオレーシング』など、ソニーの360立体音響技術群のテクノロジーを用いてより進化を遂げた3つの新作が展示された。

Photo: Ginza Sony Park Project

## 「横」への身体拡張はありうるか

――ここで重要なのはこれが「本来の自分を知り戻す」という自然な感情を尊重し、20世紀的な工業社会の技術観に基づく身体拡張への行き過ぎた欲望を批判すればよいという構図には収まりきらない問題だということだと思います。五体満足主義にその人が捉われているとむしろ「本来の自分」への欲望こそがそれを強化するその一方で、そこから身体拡張の欲望に目覚めることで、はじめて多様性が志向される、という逆からの見方も十分可能なので……。なので、ちょっと発想を変えて、大なり小なり身体の能力を「向上」するという「縦」の方向に動機づけられたものではなく、「横」の方向に考えてみてもよいかもしれません。

人間にはマイナーなものかもしれないけれど、虫の複眼で世界を見てみたいとか、牛の舌で草を食んでみたいとか、まったく別の身体を手に入れてみたいという欲望も持ち得ると思うんですね。これはサブカルチャー的に言えば、巨大な拡張身体としての自動車やオートバイ、そしてガンダムのような巨大ロボットを「操縦」するのではなく、虫や動物など人外のモチーフに擬した仮面ライダーのような異質な身体に「変身」するという方向です。20世紀はモータリゼーションの時代だったので、どうしても身体拡張は機械による能力の強化といった「縦」への欲望と結びつきやすいのですが、フィクションの世界では同時にこういった「横」への身体拡張への欲望も吐き出されていた。ここにこそ、むしろ五体満足主義や超人思想を解体できる可能性があると思うのですが、いかがでしょうか?

**牛場**　同意します。たとえば、最近の子供は複数のSNSアカウントを使い分けて、それぞれ違う人格の自分を楽しんでいる。男性が女性のアバターを使って楽しんでいるというのは、牛の目で世界を見る話に近いですよね。自分が女性だという設定で世の中を見たとき、人とコミュニケーションをとったときに、どんな世界が見えるのか。そういう方向の拡張もある。「それぞれがそれでいいのだ」という意識が社会的にも受容されてきているから、唯一無二の規範みたいなものに、みんなが囚われなくなってきている。障害に対する理解も進んで、生き方や目指す身体の方向にはバリエーションがあっていい、画一的なゴールに向かわなくなっていいということで、拡張の方向性も多様になっているなと。「身体はこうあるべき」という呪縛から解き放たれる素地はだいぶ整ってきているんじゃないでしょうか。「女性は細くあるべき」という過剰にダイエットを煽る風潮を見直そうという動きも出ていますよね。「**プラスサイズモデル**」[11]という言葉も生まれて、それがありのままの価値なんだということが受け入れられる時代になっている。時代がいい方向に変わってきていると思います。

**笠原**　すべてを画一化して、一直線にした縦の身体拡張の捉え方は優生思想に結びつきやすいです

KEYWORD 03

### ルール?展

21_21 DESIGN SIGHTギャラリー1&2(東京都港区)で2021年7~11月に催された「ルール?展」は、法律や契約、規則、マナー、習慣といった社会に存在するさまざまな「ルール」を題材とする展覧会。弁護士の水野祐と多摩美術大学統合デザイン学科准教授を務める菅俊一、田中みゆきによるディレクションで、国内外のデザイナーやアーティストが参加し、「鑑賞のルール」「行列のルール」「規制によって生まれる形」「群れを生むルール」などの展示を行った。

本展のために制作された作品『あなたでなければ、誰が?』は、最大14名が同時参加可能な約14分間の体験型インスタレーションで、参加者は「民主主義/経済/人新世/超越(死生観)/平等」の5つのテーマにもとづいた質問に対して主に「はい」「いいえ」に分かれて立つ。それぞれの回答直後には、それまでの来場者の回答結果(および日本で近年行われた調査結果)が表示され、自分が多数派なのか少数派なのかを知らされる。こうした体験を通じて、多数決のルールで運営される社会基盤の危うさなどが改めて問い直された。

ダニエル・ヴェッツェル(リミニ・プロトコル)田中みゆき　小林恵吾(NoRA)×植村 遥　萩原俊矢× N sketch Inc.『あなたでなければ、誰が?』(撮影:吉村昌也)

よね。たとえば、みんながどんどん整形した結果、みんな同じような顔になっているみたいな笑えないことは実際に起きうるわけです。はたして本当にその顔は美しいと言えるのか。強いことが、沢山あることが素敵だからといって、阿修羅像みたいに腕を6本に増やすのが幸せなのか。効率を求める人は指が20本くらいあるとタイピングが速くなって便利だと思うのかもしれないですけど。

そうすると、はたして拡張とは何だろうと改めて考えてしまいますね。自分がやりたいのは本当に拡張なのか。ここまでの話を聞いて思ったのは、拡張という言葉が軸やディメンションを想定した言葉だとしたら、おそらく軸を増やすことみたいなことが本来表現したかったことなのではないかなと。横方向への拡張というのは軸を増やすことではないか。

**緒方** 今の縦に向かう拡張というのは、「自分」というものが真ん中にあって、その自分の能力を拡張していくみたいなイメージですよね。一方で、僕が関心のあるコンヴィヴィアルという言葉には、「共に生きる」という意味があるので、他者とどのように同じ場所や時間を一緒に過ごすかというニュアンスがある言葉だと思います。サポートする、されるの関係から、そうじゃない関係にどうしたら変わるのか。「横への拡張」という議論をケア側の文脈に引き寄せるなら、そうした他者との関係に介入するテクノロジーを追求することになるのではないかと思いました。

**田中** 最近注目を集めるケアの考え方は、私たち誰もが相互依存関係にあるという前提で社会構造を見直すことでもあり、民主主義への政治的問いかけであるとも言われています。特にコロナは、行き過ぎた自己責任論が蔓延する社会の問題と、私たちがどれだけ他者との関わりの中で生きてこられたのかを多くの人が実感する機会になりました。そういった意味でも、横方向へ拡張する時代に入ってきたと言えるのではないでしょうか。

## 「OriHime」という問題提起

**田中** 「横」への拡張や宇野さんの言われた「変身」を実現するテクノロジーの可能性として、**分身ロボット「OriHime」**[12]についても触れておきたいです。OriHimeは遠隔操作のロボットで、障害者の物理的なアバターとして使われています。私はOriHimeにディスプレイがついていないことがいいなと思っているんです。それによって、ただただ一緒にいるという存在感がある。ディスプレイがついていて、操作している人が見えてしまうと、どうしても見る－見られるの対称関係が生まれると思うんです。それがないことが潔くていいなと思いました。

**緒方** ディスプレイがないことで、障害者がむしろケアする側、サービスを提供する側に回れるところがいいですよね。そこで自分の存在価値が感じられる。ケアされる、受け取るんじゃなくて、自分がそこで何かすることで価値を生んでいる。

**田中** 障害が最もハンデになるのは、新しい物事

KEYWORD 06

### アスリート展

21_21 DESIGN SIGHTギャラリー1&2で、2017年2〜4月に開催された「アスリート展」は、スポーツに従事するアスリートの身体を映像や写真で紹介するとともに、身体や心理をコントロールする知覚、競技の戦術における情報解析の先端技術や、身体拡張を支えるスポーツギアなどの体感型の展示を行った。緒方壽人、菅俊一、元陸上選手で一般社団法人アスリートソサエティの代表理事を務める為末大がディレクターを担当。

6競技のアスリートの動きをモーションキャプチャーデータから可視化した「アスリートダイナミズム」、来場者のシルエットがさまざまな競技のアスリートの体型に変化して表示される「アスリートの体型特性」、競技者が対戦相手をどう見ているかを再現した「アスリートの眼」、アシックス、ブリヂストンサイクル、ミズノほかのスポーツメーカーの協力による「身体拡張のギア」などが展示された。

「アスリート展」会場風景（写真：木奥恵三）

を始めたり、新しく人に会ったりするときのスタートの段階だと思うんですよね。そこでフラットに存在できることで関係性を反転させているところが良いですよね。

**笠原**　OriHime の何が革新的なのかというと、物理的な現実社会に作用しているところかなと思いました。身体の拡張を考えた時に、「自動運転車」から発想して「自動運転者」という考え方があり得ると思うのです。OriHime のやっている仕事で言うと、配膳を全自動でやってもいいんじゃないかという話になるわけです。でも、それはたぶん OriHime の制作者である吉藤オリィさんがやりたいことではない。全自動でいいよねっていうのと、自分でやりますっていうオリィさんとの違いは何なのかと言うと、たぶん自分が作業している、自分が世界に関与して、そのフィードバックがあって、社会とつながっているという感覚かなと。

そう思うと、それはたぶん我々にも起きるような気がしていて。つまり、運転に関しても仕事に関してもどんどん自動化していくと、その果てに人間は発狂するような気がするんです。つまり、世界と遮断され、干渉できず、アクションできず、リフレクションもない。そんな世界ではたして人間は自己というものを保てるのか。だからこそ、主観性というか、自分が世界に作用している体験をロボットで実現しているのはすごく面白いですよね。

**田中**　一方、操作者の身体が見えていないことには課題もあります。大きなメリットとしては、サービスを受ける側の抵抗感や心理的障壁がなくなり、提供する側も偏見に晒されることなく役割をまっとうできる。テクノロジーを媒介することでコミュニケーションがしやすくなっているという利点はありつつ、それでいいのかなという複雑な気持ちにもなります。それをそのまま現実世界での受容と捉えていいものか……。

**牛場**　OriHime を使うことで、身体的、空間的な制約を超えて世界とつながって、就労支援にまで至ったというのは本当に素晴らしいと思うんですが、僕はディスプレイがついていないことは気になります。そこには障害で顔や手が動かないみたいなことに対するアノマリーな姿、状態に対して、本人も嫌悪というか、恥ずかしさがあったり、人にその姿を見られることに対して恐れを感じたりする社会的な意識があるのかなと。

結局、そういった優生思想的なくびきからは社会は完全に解き放たれていない。そこに手を入れるとややこしくなるから、ディスプレイはつけないということで、とりあえず横に置いたみたいなところもあるかもしれないですね。僕はそこが気になって、今の社会を気持ちよく全面肯定はできない。多様なあり方があっていいという価値観が見えてきつつはあるんだけど、やっぱりまだそういう感覚のくびきからは解放されていないという表れなのかもしれないです。

**緒方**　多様なディメンションがあるという世界に誘いたいんだけど、そうじゃない人もまだたくさ

KEYWORD 07

## コンヴィヴィアル・テクノロジー

2021年5月に刊行された緒方壽人の著書。コンヴィヴィアル・テクノロジーという表題は、社会学者のイヴァン・イリイチが提唱した「コンヴィヴィアリティ（自立共生）」という概念を踏まえている。イリイチは『脱学校の社会』『脱病院化社会』ほかの著作で、近代的な教育機関や医療福祉などの社会制度が、かえって人間の思考や行動を支配してしまっていることを批判した。本書は同じように、テクノロジーが飛躍的に発展した状況下で、人間が道具に使われてしまっているのではないかという視点に立ち、人新世やAI時代といった最新の事情を意識しながら、テクノロジーと人間の適切な関係を探る。

本書の後半では、IoT、エネルギー、アクチュエーション、ファブリケーションといった幅広い領域で研究開発を進めるERATO川原万有情報網プロジェクトの各研究領域のリーダーとの対談や、その研究成果も収録。

緒方壽人『コンヴィヴィアル・テクノロジー　人間とテクノロジーが共に生きる社会へ』（BNN出版　2021年）

んいる。それを変えていくためのアプローチとして、そういう抵抗があるところはいったん脇に置いたところからスタートして、世の中にリーチできるのか。そのアプローチではむしろ分断が進んでしまうのではないか。答えのない問いですね。

**田中**　テクノロジーを介することで、役割や機能に特化させることには成功しているけれど、生身の身体が持つ圧倒的な情報量は幅が狭まっているため、ノイズがなくなっているとも言える。テクノロジーを使って複雑なものを複雑なまま届けるという方向にはなかなか行かないですね。

**緒方**　ネガティブケイパビリティみたいな話になりますけど、複雑なものを複雑なまま受け取れるか、楽しめるのか。そこに対してのアプローチはやっぱり難しい。そういう世界に近づくためにはどうしたらいいんだろうということは現場ですごく悩みます。

## 環境世界のデコボコを均すことの功罪

**牛場**　もうひとつ別の具体的なテクノロジーの実装例を検討するなら、最近、羽田空港で自動走行の電動車椅子「WHILL」[13]に乗ったんですが、すごくいいなと思いました。ボタンをポチッと押したら、遊覧船みたいに、勝手に目的地まで連れていってくれる。しかもちゃんと障害物や人は避けてくれるから、よそ見しているうちに着いちゃう。これは障害のない僕も楽しかったし、障害のある人にも便利だろうなと。このテクノロジーがあれば、障害者も健常者も同じフレームで共存できるなと感じました。物理世界におけるモビリティが確保できることで、インフラにおけるデコボコもだいぶ解消され始めてはいるかなと。テクノロジーで少しずつ社会のデコボコを減らして、多くの人たちがインピーダンスなくコミュニケーションできるフレームができつつある香りをWHILLに乗って感じましたね。

**笠原**　デコボコの話で言うと、コロナ禍の1〜2年間で、Zoom等を用いたオンラインミーティングが普及したこともデコボコの解消に役立ったのではないかなと。コロナ前は会社に出勤するのがすごくめんどうくさかったんですけど、Zoomを使ってリモートワークができるようになったことで、ものすごく楽になった。すごいパラダイムシフトですよね。もちろん業務を全部オンラインにするのは大変だったんだけど、その価値はあった。もちろん実在性とかリアルタイム性などの課題は残るものの、在宅勤務が当たり前になったことで、移動に不便を感じたり、難しさを感じたりする人のデコボコがかなり消えたんですよね。車椅子の人でも苦労して電車に乗らなくても、簡単に自宅からミーティングに出られますし。

　むしろ、何を運べば人を運んだことになるんだろうということを考えてしまいました。全身の触覚と3Dデータ、体の固有感覚や映像・音声を転送して、全部感覚値で設定できたら運べたことになるのか。それともやっぱり生身がないとダメなのか。さっきのWHILLとか、UberEatsも、いろんなデコボコを解消していると。それが市場と

KEYWORD **08**

### ブレイン・マシン・インターフェイス（BMI）

脳波によって電子機器を動作させる人機一体化の技術で、外科手術によって電極やチップを体内に埋め込むタイプと、ヘルメット型やイヤホン型などの端末を身体の外部に装着するタイプがある。たとえば、手足が動かせなくても脳波によって電動車椅子を動かしたり、タブレット端末に文字を表示することで相手に意志を伝えることができる。とくに、ウェアラブルセンサーを通じて脳波を計測する技術は、脳卒中による麻痺の運動機能回復にも効果を挙げている。

牛場潤一が代表を務める研究成果活用企業Connectは、BMIを応用して脳の自発的な「治る力（可塑性）」を引き出し、脳卒中による麻痺の改善をうながす治療装置を開発した。頭部と麻痺した手指の両方にデバイスを装着し、脳の活動を検出すると同時に手指に装着したロボットを動かすことによって、脳と手指の間の神経回路の再構築をうながす。患者はBMIを外した状態でも再び手指を自分で動かすことが可能になる。

Connectが事業化を進めるBMI治療装置

して成り立つようになってきた。それをうまく利用して、ケアと拡張のグラデーションを阻んでいるものを解消できないかなと期待しています。

**牛場**　さらに言うと、**メタバース**［14］が発達して、セカンドライフ的なテクノロジーがどんどん便利になった世界が遠からず実現するでしょう。その中ではコミュニケーションもできるし、ものも買えるし、注文すればご飯だって家に届く。実生活がほぼインターネット上でできるようになると、そこでは身体的な障害とか、精神的な障害とか、生きるうえでのデコボコがBMIとインターネットによって吸収される。もっと簡単にみんながつながって生きられる社会がくる。むしろいま健常者と呼ばれる人より障害があってもBMIネイティブな患者さんのほうが活き活きと暮らせるかもしれない。これまでは社会のデコボコによって、障害と呼ばれる概念があり、差別されてきたけど、デコボコがネット上で均質化すれば、そういった概念自体が消えるかもしれない。みんなそれぞれ違っていて、みんなそれぞれ楽しくやれる。そういう世界が理想ですね。僕は「優しいテクノロジー」と呼んでいますが、本気で障害という概念を消そうと思って研究しています。

**田中**　テクノロジーによって環境にアクセスできるチャンネルの選択肢を増やすことで、障害者だけでなく、意外な人が救われることがあるんです。たとえば、字幕をつけることによって、実は文字が見えていたほうが理解しやすいことに気づく人が出てきたりする。一口に健常者と言っても、その中にもグラデーションがあって、多様性があったのに、そこに蓋をしてきたんですよね。車椅子の話だと、車椅子がただ体を運ぶ移動手段としてもっと気軽に使われるようになったら、「あっ、この道のデコボコはダメだな」と気づく人が増えるし、それはすごくいいことじゃないかと言う当事者もいる。車椅子を使うのは障害者だけ、という思い込みがあっただけなんです。使えるツールは誰でも使うことで、ニーズや改善の余地が見出されたりする。当事者だけだとマーケットが小さいからなかなか機能が向上しないという福祉機器は他にもたくさんあります。「福祉機器だから健常者には関係ない」など対象をセグメント化してしまうのではなく、何をするのをアシストするテクノロジーなのかから柔軟に考えれば、異なる使い方が見つかり、可能性が広がることもあると思います。

**牛場**　障害は環境が規定しているって言われますよね。たとえば、横断歩道は赤になるまでに渡り切ることができれば問題ないんだけれど、歩いているうちに赤になっちゃったら、それは脚が不自由ということだと本人も認識するし、周りも認識するわけです。でも実はそこは社会インフラの設計の問題かもしれない。信号が青の時間は適切なのか、横断歩道の位置は適切なのか、自動で動く床があったら問題なかったんじゃないか、そもそも自分の脚で横断歩道を歩かなくてもいいようにしておけばよかったのではないか。

自分のパラメーターと社会のインフラが求めて

KEYWORD 09

## スーパーセプションプロジェクト

コンピューター技術を用いて人間の感覚に介入したり、人間の知覚や認知を拡張したり変容させたりすることを目指す、ソニーCSL笠原俊一研究員の主導による一連の研究の枠組み。たとえば身体駆動装置における主体感研究「Preemptive Action」では、外部からの筋電気刺激で身体を駆動したとしてもそれが自らの行為であると感じる現象を通じて、人間と機械の境界領域を模索している。

２０２１年５〜６月には、東京シティビュー（東京都港区）で開催された「Media Ambition Tokyo 2021」で「Morphing Identity」を展示。これは別々に撮影された2人の人物の映像がしだいに融合していく体験型の作品で、計算的に作り出された知覚的に滑らかな映像合成により、自分の顔が他人の顔へと変容を遂げる。こうしたプロセスを通じて、自分自身が思う自分と他者が思う自分がどのように変容し得るのかの自他境界を問うものとなっている。

自己顔変容装置「Morphing Identity」

いるパラメーターにギャップがあるときに、それが障害だという概念を生むのであれば、その間に介在するWHILLだったり、BMIだったり、インターネットだったりといった、テクノロジーが社会のデコボコをなだらかにしてくれる。みんなが同じ地平でつながれるようになるんです。その先には、障害という概念自体も消えてなくなる未来が待っていると思います。それぞれの人がそれぞれの在り方で生きることができるという世の中が実現ができるといいなと感じました。

**笠原**　ただ、今の牛場さんの話を聞いていて思ったのは、全部「多様性」でくくっちゃうのって本当にいいのかなと。「全部ツルツルでフラットな世界っていいの?」という議論にもなるんじゃないかと思いました。世界がどんどんツルツルになって、球体になって、それ以上変化しませんという世界は本当に良い世界なんだろうか。ちょっとぐらいノイズがあって、デコボコがないと、それこそ多様性の系を閉じていることになるんじゃないかなと思いました。摩擦や抵抗があるから、生き物は形を変えて進化する。形を変えていかないのは、進化の可能性を閉じることではないか。たとえば、目が見えない人は、聴覚的な感覚が発達するという話もある。それってデコボコですよね。その人は視覚的には人より劣っているかもしれないけど、聴覚的には優れている。それはどちらが良くてどちらが悪いという話ではない。そういう個性をなくすという方向で世界をツルツルにしてはいけないと思います。

**緒方**　さっきのZoomの話で言うと、じゃあ、全部Zoom会議にしましょうという方向でフラットにしたときにこぼれ落ちるものはあるわけですよね。

## 「バリアフリー」から異なる経験のあり方を豊かにするためのテクノロジーへ

——バリアフリーの次の段階を考えるべきなのかもしれませんね。もちろん、できない人ができるようになる、そのためには「まだこれが足りていない」という視点は重要だけれど、その次の段階として「余計なことができる」という発想も重要なのではないでしょうか。たとえばSNSのアカウントのような相互評価のゲームに最適化された社会的身体には仕様を逸脱した余計なことや、変なことはできない。それが今日の情報社会の息苦しさを生んでいる。だから僕は身体に余計なことをさせる、変態性を擁護する技術が必要なのかなと思います。

**田中**　生まれつき目が見えない人と映画を作ったときに、3Dプリンターでその人の姿を記録して、フィギュアにしたんです。そのフィギュアに触れたときに、その人がものすごく衝撃を受けていたんです。自分がどんな体形だったか初めて知ったわけですから。「これは目が見える人が初めて鏡を見るのと同じ感覚かもしれない」と感慨深く話していました。別に見える世界と同じ方法でなくても、違う方向から自分をアイデンティファイできる方法があった。それに彼が触れた瞬間がすご

KEYWORD 10

### 自在化身体論

2021年2月に刊行された、稲見昌彦らの研究プロジェクトの成果をまとめた共著。テクノロジーによって既存の肉体の制約を超えて拡張された能力を、人が自らの身体のように自在に扱えるようにすることを追求する「自在化」をテーマとしている。

全8章からなり、笠原俊一は第7章「柔軟な人間と機械との融合」を執筆。ほかの章では、「変身・分身・合体まで自在化身体が作る人類の未来」（東京大学・先端科学技術研究センター身体情報学分野教授　稲見昌彦）、「拡張身体の内部表現を通して脳に潜む謎を暴きたい」（電気通信大学大学院・情報理工学研究科機械知能システム学教授　宮脇陽一）、「バーチャル環境を活用した身体自在化とその限界を探る」（慶應義塾大学・理工学部情報工学科教授　杉本麻樹）といった内容が取りあげられている。

稲見は本書をめぐる吉藤オリィ、宇野常寛との対話の中で、意識のフォーカスによってで自在にコントロールできる範囲こそが、新しい意味での「身体」の定義になると述べている。

稲見昌彦ほか『自在化身体論　超感覚・超身体・変身・分身・合体が織りなす人類の未来』（エヌ・ティー・エス　2021年）

く面白かった。
情報保障の観点から、耳が聞こえない人や目が見えない人が健常者と同じように情報を共有できるようにすると、そこでできるものってツルツルしたものなんですよ。ザラッとしてると、それは情報保障にはならないから。でもそれは、結局すべての体験をある種の鋳型にはめることにもなってしまう。だって、見えているはず、聞こえているはずのものでも、健常者がみんなそれらを認知しているわけではないし、最初から種明かししないことはあるじゃないですか。受け手が自ら発見する喜びを確保する場合もある。なのに、情報保障として考えると、その種明かしまでお膳立てすべきと考える人もいる。社会がざらざらを許さなくなっている部分もあると思いました。身体特性が異なる人が健常者の疑似体験をするといったことは必ずしも目指さなくていいと思うんです。

**笠原**　僕も同じようなことを感じます。最近 Netflix でドラマを見るときに日本語音声でも字幕を出すようにしているんですよ。そのほうがセリフの聞き漏らしがないからです。でも、それって本当に良かったんだっけ？ といま話を聞いていて不安になりました。
表現者のほうは、聞こえるか聞こえないかわからないような微妙な音の表現もしたかったんじゃないかなと思うんです。でも、そういう思いは字幕テキストを出す時点でフラットな情報になって消えてしまう。個々のモーダルが持つ揺らぎみたいなものを画一化しちゃうんですね。

**牛場**　なるほど。言葉にされてない行間に豊かさを感じるとか愛おしさを感じるとか、そういった体験が消えてしまうと。歳をとったせいか、年々そういうアナログ的なものがすごく愛おしくなってくるんですけど。たとえば、社会の不合理とか、苦しみとかに直面して、「くそー！」と悔しがっているような感情ですね。「不公平だ」とか「差別だ」みたいな負の体験が蓄積されているからこそ、ピュアなものとか自然なものみたいな、反対側のものにすごく心が動く。人の不完全な心の動きに触れるほど、愛おしいなと感じる。全部をフラットにしたときに、行間の豊かさを感じる心が育たなくなる土壌になっていたら嫌だなと思います。

**緒方**　確かに。僕も昨年の3月に長野に移住して、米を作ったり、野菜を作ったりしている中で身体性を取り戻してる感がすごいんですよ。この前、棚田の石垣を修復していたんですけど、情報量が圧倒的に違う。朝露で濡れてて滑るとか、それを一緒に運ぶとか。畑にはまだまだ身体をサポートしてくれるテクノロジーは入る余地があるし、情報テクノロジーも入り込む余地がある。そういう部分も身体拡張の中にもっとあってもいいのかなと思いました。
いま、身体サポートと言っても、多くは室内環境のなかでできることに限られますよね。一歩外に出たときに、まだ太刀打ちできていないというか。自然と人間との関係のなかでの身体拡張ももっとあってもいい。

KEYWORD 11

## プラスサイズモデル

ファッションモデルはスマートな体型を追求される場合が多かったが、2010年前後から世界的に、標準より肥満した体型のプラスサイズモデルも積極的に活躍するようになってきた。アメリカ出身でテレビ司会者も務めるアシュリー・グラハム、イタリア版「VOGUE」の表紙を飾ったキャンディス・ハフィンらが有名。SNSでプラスサイズなりの着こなしを発信するインフルエンサーや、豊満なプラスサイズ消費者のための衣料ブランドを手がける者もいる。
プラスサイズモデルが広がった背景として、2006年以降、欧米ではモデルの摂食障害による急死や健康問題が大きく報道されることが相次ぎ、痩せすぎのモデルを見直す傾向が高まっている点がある。アメリカファッションデザイナー評議会はモデルの体型に関するガイドラインを発表し、体格指数（BMI値）が標準体型を下回る18・5以下のモデルを使用しないルールを定める国が増えている。

プラスサイズモデルのテス・ホリデーが表紙を飾った2018年10月の「COSMOPOLITAN」誌

**田中**　そういうときのテクノロジーの使われ方も、今は完全に視覚優位ですもんね。アバターを介して代わりにその景色を見せてもらうとか。視覚以外の体感的な要素がまだまだないですよね。

**緒方**　そうなんですよね。そこで物理的な身体って言ったときも、まだ都市などの人工的な環境の中での身体に留まっている。WHILLは畑では動かないですよね。

**牛場**　社会インフラはマスの数とかスピードでスケールするようになっていますから。どうしても情報保障的に標準化して、たくさんの人がリーチできるようにツルツルにならざるを得ないような社会構造になっているのだと思います。大量消費してもらうためには、規模が大きくなるように設計しなければいけませんから。

　でも、それだけでは生きる喜びとか、気持ち良さとか、幸せは感じられない。プラクティカルなインフラという話とは別のところにも価値はある。難しさとか、ざらざらとか、大変だからこそ感じる美しさとか、愛おしさもいっぱいある。みんなプラクティカルな基準にとらわれて、そうあるべきだとはき違えちゃうと、幸せになれないですよね。そこに気づいていないから、生きづらさを感じる人もいるのかなと思います。

**笠原**　現在のＳＮＳ環境などに典型的ですが、感動とか経済性みたいなものを圧縮して効率を求めていく流れの中で、身体に紐づく物理的性質をコストとして捉える風潮がすごく進んでいるような気がしました。それを許容するZ世代がいるんだなと。

　時間というものの物理性質を考えた場合、さっきの緒方さんの話を受けて気になっていることがあるんです。たとえば動画サイトでの「ファスト映画」や本の要約動画で、2時間の映画や250ページの本を10分で説明します……という話題が物議を醸しました。僕はそんなので感動できるわけないじゃんって一瞬思ったんですよ。でも、ちょっと待てよと。もしかしてそれを見て感動している人はいるんじゃないかと気になったんです。つまり、ファスト映画に適応する人間はいる。映画というのは、たとえば人生をぎゅっと2時間に圧縮したものだと。それをさらに10分に圧縮しましたというのは、単にタイムスケールのグラデーションの話になるのか、それともやっぱりどこかで質的な変化が起きているのか。

　もしそれがグラデーションだとしたら、2時間の映画を10分に短縮したものを見て、同じ感動を得られましたって言ったときに、何が起きるんだろうか。たとえば畑で野菜を育てることで得られる体験もそういうことになる可能性があるのかどうかがすごく気になりました。もしそれができうるのだとしたら、ちょっと自分の考え方を変えないといけないのかもしれない。それともできっこないのか。そこがまだ自分の中で答えが出ていません。

――ちょっとこれは僕の領域の話なので補足すると、多様な物理的身体に対して、ＳＮＳ上の社会的身体はプラットフォームによって画一化されて

KEYWORD 12

## 分身ロボット「OriHime」

オリィ研究所が開発した「OriHime」は、全高23センチのボディにカメラ・マイク・スピーカーが搭載されており、インターネットを通して操作が可能。自宅にいながら、学校や会社、あるいは遠く離れた地域の実家に設置すれば、周囲を見回したり、その場での会話に反応したり、自分の分身として、現地に自分がいるようなコミュニケーションが可能となる。たとえば、長期の入院や身体上の障害で通学できない児童がOriHimeを出席させることでクラスメートと一緒に授業を受けたり、家庭内での育児や介護などのため通勤が困難な人が、職場にOriHimeを置いてテレワークを行うなどの活用法がある。

　また、情報伝達用のツールである「OriHime eye + Switch」を活用すれば、眼や指先しか動かせない重度肢体不自由患者であっても、デジタル化された文字盤の言葉を表示することで周囲の人々に意志を伝えたり、パソコンの操作が行える。

いるわけです。そしてYouTube上の「時短映画」はそれぞれの映画の持つ固有の時間の流れを破壊して、ただ情報の束になっている。3時間半の映画の中で、ただ砂漠を歩くシーンが5分あって、物語上の役割はほとんどないけれど、その5分間がその映画を観るという体験を決定的に方向づける、なんてことはままあるわけです。それを、「時短映画」は物語の中で起きたことだけを情報の束にして提示する。これは、単に効率化しているというよりは、他人の作り出した独自の時間に身を任せる、という快楽が忘れられているという問題だと思います。流行りの映画の内容を効率的に把握して、会話のネタを仕入れる、つまり相互評価のゲームをプレイする快楽に、他人の作り出した時間に自分を合わせる快楽が負けてしまっている。ただ、僕はテクノロジーが後者の快楽を擁護することもできるとは思っています。

**牛場**　eラーニングの授業も「気持ちいい」「わかりやすい」という授業ほど受講生徒の成績が悪く、「大変だ」と不評だった授業は受講生徒の成績が良かったそうです。SNSのサイズ、スピードに同期して易きに流れることで全体としてダメな感じになるのが心配です。SNSのまとめなどを見ていると、やはり短期的快楽に偏っている。これは脳の仕組みなんでしょうが、長期にはざらざらも許容していった方が、後で得だと言えるでしょうね。

僕個人としては、ざらざらしているのは好きなんです。いびつだったり、不完全だったり、猥雑だったりするところに人間らしさや愛おしさを感じます。僕は全然それでいいし、むしろそれを求めている。理性や論理にはまらない、ぶっ飛んだもののほうが、魅力的だし好きなんですよ。学者として、どこまで脳の仕組みを機械論的に、計算論的に解き明かせるのか追求していくほど、つかめない何かが残る。やっぱり機械的なものでは置き換えられない何かが見えてくるんです。その輪郭を見たいから研究しているみたいな自分もいるんですよ。科学を突き詰めてもわからない何かを見たいし、やっぱりそれこそ大切なんだというところに辿り着きたいみたいなところがあるんです。笠原さんの研究がすごく面白いのは、科学計算的に知覚や仕組みを解き明かそうとしていく中で、人間性とかアナログ性みたいなものがどんどん見えてくるところですね。科学を突き詰めた果てに人間というものの愛おしさを逆説的に感じるところに感動します。

**笠原**　今世紀で一番うれしいコメントです。ありがとうございます（笑）。

**緒方**　笠原さんの研究は、科学技術による身体拡張のギリギリを追いかければ追いかけるほど、「自分」というものが残るのかどうか、わからなくなってくるということですよね。

**笠原**　そうなんです。僕としては、身体を拡張し続けることで、逆に自分がいなくなるんじゃないかと思っていたので、それをちゃんとつなぎとめるテクノロジーを作りたいと思ってるんです。研究をしていて思ったのが、人間というのは、自分

KEYWORD 13

## 近距離モビリティ「WHILL」

2012年設立のWHILL株式会社（東京都品川区）が開発した、免許不要で歩行領域・屋内を走行できる四輪式の近距離モビリティシステム。2020年9月に発売された現行モデル「WHILL Model C2」は約52kgで、特殊な前輪オムニホイールが特徴。5cmの段差乗り越えや悪路・凸凹道などの走行も可能なほか、分解による持ち運びができる。2021年11月からは、折りたたみ可能でバスや電車にも持ち運び可能な「WHILL Model F」も発売されている。

また、羽田空港の国内線ターミナルでは、WHILL自動運転モビリティサービスが2021年6月から導入され、空港の保安検査場から搭乗ゲートまで、自動運転で移動できる。空港における人搬送用の自動運転パーソナルモビリティ（一人用の乗り物）の実用化は世界初で、安全のため速度は徒歩より少し遅い時速2・5キロメートルとなっている。

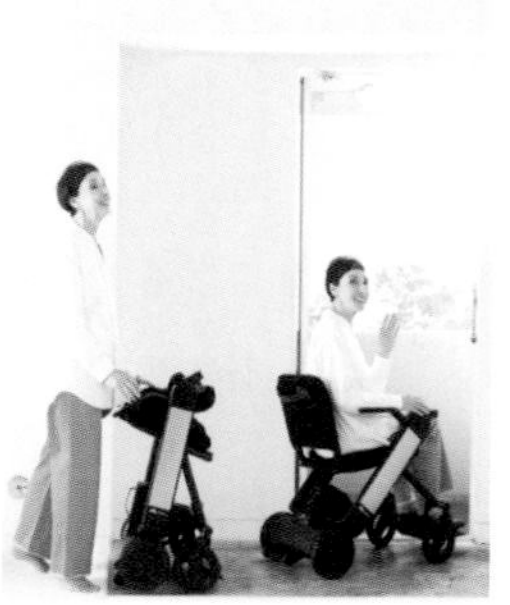

WHILL Model C2（左）と WHILL Model F（右）（写真提供：WHILL 株式会社）

をつかみ取ろうとするんだなと。いろんな実験をしていても、自分を探しにいくというところは共通している。

たとえば、最近あるプロジェクトで自分の顔がだんだん他人の顔になっていく実験をしているんですけど、自分の顔がちょっと変わっただけで、「あっ、僕じゃなくなった」という反応になるんです。逆に他人の顔が自分にだんだん変わっていくようにすると、ちょっとでも自分が入り始めると、「あっ、僕がいた」っていうふうになるんですよ。なぜか必死になって自分を探している(笑)。それが個人的に愛おしかったんですね。みんな自分が自分たらしめるものを探しながら生きているのかなと思うと、とても愛おしいなと思った。だとしたら、ケアにしても拡張にしても、「自分らしさ」を担保してあげるという方向で考えれば、そこの観点では単純にグラデーショナルな地続きの関係とは言えないのかなと思いました。

**田中**　先ほどの宇野さんの問題提起も受けてつなげると、ケアと身体拡張の質的な違いって、やっぱり「時間」の扱い方なんじゃないかなと思うんです。それは、人が見慣れないものに出会ったときに、そもそもそんなに即座に反応できるものではないという身体的な制約というか。それこそ遺伝子的に組み込まれた機能の問題がある。そこをショートカットして拡張させる方向なのか、その遅さに寄り添う方向なのかで取り組み方の姿勢が分かれているような気がしますね。

**緒方**　そのあたりは宇野さんの「遅いインターネット」のコンセプトにもつながるのかもしれませんが、僕の本の中でも「遅いテクノロジー」とか「弱いテクノロジー」みたいな問題提起をしています。つまり、人間が不得意なところをサポートしつつ、その人ごとに異なるいろいろなリズムにうまく適応するテクノロジーはありえないのか。そういう拡張のしかたはあってもいいのかなという気がします。

そういう意味では、牛場さんの研究も時間軸が長いというか、患者さんがBMIをつけてすぐに思ったような動き方ができる結果にだけ価値があるのではなくて、だんだんできるようになる過程に伴う喜びこそが大事だというところに、つながってるのかもしれないですね。

**田中**　そうですね。単に結果として誰もが同じことをできるようにするためではなく、それぞれの身体のあり方ごとに異なる個別の経験の豊かさを拡張するためにこそ、きめ細かくテクノロジーを導入していくということ。そういう方向性への合意ができれば、ケアと身体拡張のフィールドが本格的に接続していくという未来も想像できますね。そのためには、テクノロジーを推し進めるだけでなく、受容する側や社会全体における身体のあり方に対する固定観念をほぐしたり、セグメントを超えた横方向のつながりを作る取り組みも必要だと、今日皆さんとお話しして感じました。

KEYWORD 14

## メタバース

「meta(超越した)」と「universe(世界)」の合成語で、オンライン上で構築される仮想空間の総称。リンデン・ラボ社が2003年から提供している「セカンドライフ」が代表例で、仮想空間内ではリンデン・ドルという架空の通貨が使用され、ユーザーはそれぞれに分身となるアバターを操作し、ほかのユーザーと交流したり、自分の所有地に建物を建てたりすることができる。2020年代に入って以降は、スマートフォンやヘッドマウントディスプレイなどの機器を利用したVR(仮想現実)、AR(拡張現実)技術の向上もあり、メタと改名したフェイスブックをはじめ、多くの企業がメタバースに参入している。

架空のゲーム世界を舞台にユーザーが自分のアバターを活躍させるオンラインゲームもメタバースの一種と解釈することが可能で、任天堂の『あつまれ どうぶつの森』やエピックゲームズの『フォートナイト』も、ゲーム発のメタバースとして紹介されることが多い。

フェイスブック社のカンファレンスにてメタバース内での自分のアバターを紹介するマーク・ザッカーバーグ

鼎談

# 思想としての義肢

——OTOTAKE PROJECTの豊かな副産物について

遠藤謙×落合陽一×乙武洋匡

「乙武洋匡を歩かせたい」——落合陽一、遠藤謙らが結集したロボット義足プロジェクトは、単に「五体不満足」な個人を歩かせる技術実験を超え、身体そのものを捉え直す多くの知見を産み落としている。3人のクリエイターが辿った創発の軌跡とは?

司会=宇野常寛
構成=佐藤賢二・中川大地
写真=遠藤謙・小野啓

## 健常者の歩行の枠に納まらない「乙武式直立」の発見

——まず、2018年にソニーコンピュータサイエンス研究所(CSL)の主導で「OTOTAKE PROJECT」がスタートしたときの問題意識を伺えますか。

**遠藤** 発想は単純に「誰がこの義足を履いたら、みんながびっくりするだろう?」ということですね。テクノロジーによる生産と販売のプロセスでは、通常の周知活動はCMを打つくらいしかプロモーション手段がない。あるいは、多くの人にとって自分に関係ない義足というものに興味を持ってくれる機会としては、やはりパラリンピックくらいしか考えられない。そんな中で、ロボット義足を使って何かが歩く姿を見て、みんながそれにびっくりしたり、共感する流れがあると良いと思いました。それで、たまたま楽天イーグルスの始球式を見て、「乙武さん(足のつけ根の筋肉を使って)歩けるじゃん」と思ったんです。乙武さんは車椅子のイメージが強いですが、それは日本特有の話で、四肢欠損の人のイメージを壊せるアプローチができるんじゃないか、という悪ノリから始めました。

**落合** 僕自身は、本プロジェクトを含む「xDiversity[クロス・ダイバーシティ]」を統括する立場なのですが、JST(科学技術振興機構)のCREST(戦略的創造研究推進事業)に採択されて正式に研究プロジェクトが始まることになったのが2017年4月ごろです。最初に本多達也さんと菅野裕介さんを誘い、もう一人、身体に関係する分野の人がいいと思って遠藤さんに

**乙武洋匡(おとたけ・ひろただ)**
1976年生まれ。東京都出身。早稲田大学在学中に出版した『五体不満足』が600万部を超すベストセラーに。卒業後はスポーツライターとして活躍。その後、小学校教諭、東京都教育委員など歴任。近著に「家族とは何か」「ふつうとは何か」を問いかける小説『ヒゲとナプキン』(小学館)がある。

**落合陽一(おちあい・よういち)**
1987年生まれ。筑波大学デジタルネイチャー開発研究センターセンター長、准教授・JST CREST xDiversityプロジェクト研究代表。「物化する計算機自然と対峙し、質量と映像の間にある憧憬や情念を反芻する」をステートメントに、研究や芸術活動の枠を自由に越境し、探求と表現を継続している。

**遠藤謙(えんどう・けん)**
1978年生まれ。静岡県出身。株式会社Xiborg代表取締役。慶應義塾大学修士課程修了後、渡米。MITメディアラボバイオメカトロニクスグループにて博士取得。現在、ソニーコンピュータサイエンス研究所研究員。ロボット技術を用いた身体能力の拡張に関する研究や途上国向けの義肢開発に携わる。

声をかけました。xDiversityは「計算機によって多様性を実現する社会に向けた超AI基盤に基づく空間視聴触覚技術の社会実装」という趣旨で、機械学習などを活用することで障害者支援などを目指す複合研究プロジェクトなのですが、必ずしもテック一辺倒ではなく身体を自分で学ぶとか、周囲の人たちがより理解するとか、相互理解のためのテクノロジーという考え方が強いんですね。たとえば、耳が聞こえない人はどういう気持ちなのか、目が見えない人はどういうアプローチを考えるか、こうしたことをシステムを通じて見ると興味深い。少子高齢社会なので、そういう研究を始めたんですね。

それで、ミーティングで遠藤さんに「誰に歩いてもらおうか」と言ったら、「乙武さんはどうかな」「え、乙武さんが歩いてくれるの?」という話になり、二人で乙武さんに会いに行ったんです。そこで乙武さんの車椅子が伸び縮みすることに興味を惹かれました。普通は身体が伸び縮みすることはないので、アジャスタブルな身体性というのは面白いと思ったんです。義足プロジェクトの本質的な意味は、もちろん人が歩けるようにすることですが、身体の多様性をどう知るか、健常者と障害のある人が、相互をどう理解するかが、けっこう重要なファクターを占めているんです。今の世の中のインフラを突き詰めていけば、車輪で走行できる世界は広がっていくでしょう。だけど、歩くのはそれだけでも楽しいし、スポーツするのとはまた違った相互理解を生むので、それが面白いと思ったのが発想の底流にあります。

**乙武**　というわけで、初めて遠藤さんと落合さんからご指名を受けたのは2017年の秋ですね。この時期の私はスキャンダルの直後で何も活動していない状態で、スケジュールも真っ白で余裕がありました。それまで私は、言論で社会の役に立とうとしていたつもりですけど、それが一切できなくなったので、今度は何か身体を使って、誰かの役に立つことができるなら、それは新たなチャレンジになるなという思いで引き受けました。

当初イメージしていたのは、2、3ヶ月に一度、モニター的に義足を装着して使い心地を報告して、遠藤さんが改善していく感じでした。しかし、いざ2018年4月にプロジェクトがスタートしたら、我が家のリビングに平行棒が持ち込まれ、週1回のペースで練習することになり、「あれ?　思ってたのと違う」と思いましたよ（笑）。

**落合**　初期は真面目に、乙武さんを歩けるようにすればその義足でみんなハッピーになると思っていたんですが、2019年に入ると、どちらかと言えば乙武さんに合わせてチューニングして、当事者研究的に一人の人に特化していく方がより興味深い着地点を見出せると思うようになってきました。CRESTでは一般的でマイルドな研究より、独自な進化に着地した研究の方が意味があると思えるケースが非常に多いんです。そういうものを束ねたところが理想だと思います。

**乙武**　落合さんがおっしゃった「独自の進化」に舵を切ったきっかけが一つあります。義足で歩くための練習を始めたとき、右足は体重が乗るので左足は出しすいけど、左足はなぜか体重がなかなか乗らないので、ほとんど右足が出せなかったんです。そこで2018年の秋ごろ、MRIを撮ったんですよ。そうしたら、私の身体は左右のバランスが悪くて、左股関節が脱臼してることが判明したんですね。生まれつきなのかはわからないんですけど、大腿骨がついているはずの場所から外れていて、ずれた場所にくっついていたんですね、偽関節と言うらしいんです。これがわかったときはチーム一同衝撃でした。

だから、車椅子を中心とした日常生活を送る分には問題がなかったんですけど、股関節が脱臼したままでは、いわゆる人類が獲得している二足歩行を私の身体で獲得するのは難しいことがわかったわけです。それまでは、なるべく街に溶け込むように、人が二足歩行する姿に寄せていこうとしていました。もちろん、今もベースはそこにあると思っているんですが。とはいえ、脱臼している状態ではまったく同じようにはできないから、もう乙武の身体なりに二足歩行を進めていくしかないという判断になりました。そこがターニングポイントになりましたね。

**遠藤**　これはびっくりしましたね。二足歩行にもいろんな方法があるにも関わらず、我々は一般的な健常者の歩行方法が一番いいと思ってしまっていて、まずはそこに近づけることで他の人が共感するストーリーを想定していたんです。しかし、乙武さんの身体がそれに向いてない、一般的な二足歩行に近づけることへの違和感が生まれて、「乙武さんなりの歩行って何だろう？」と模索するようになりました。

**乙武**　プロジェクトを始めてみると、

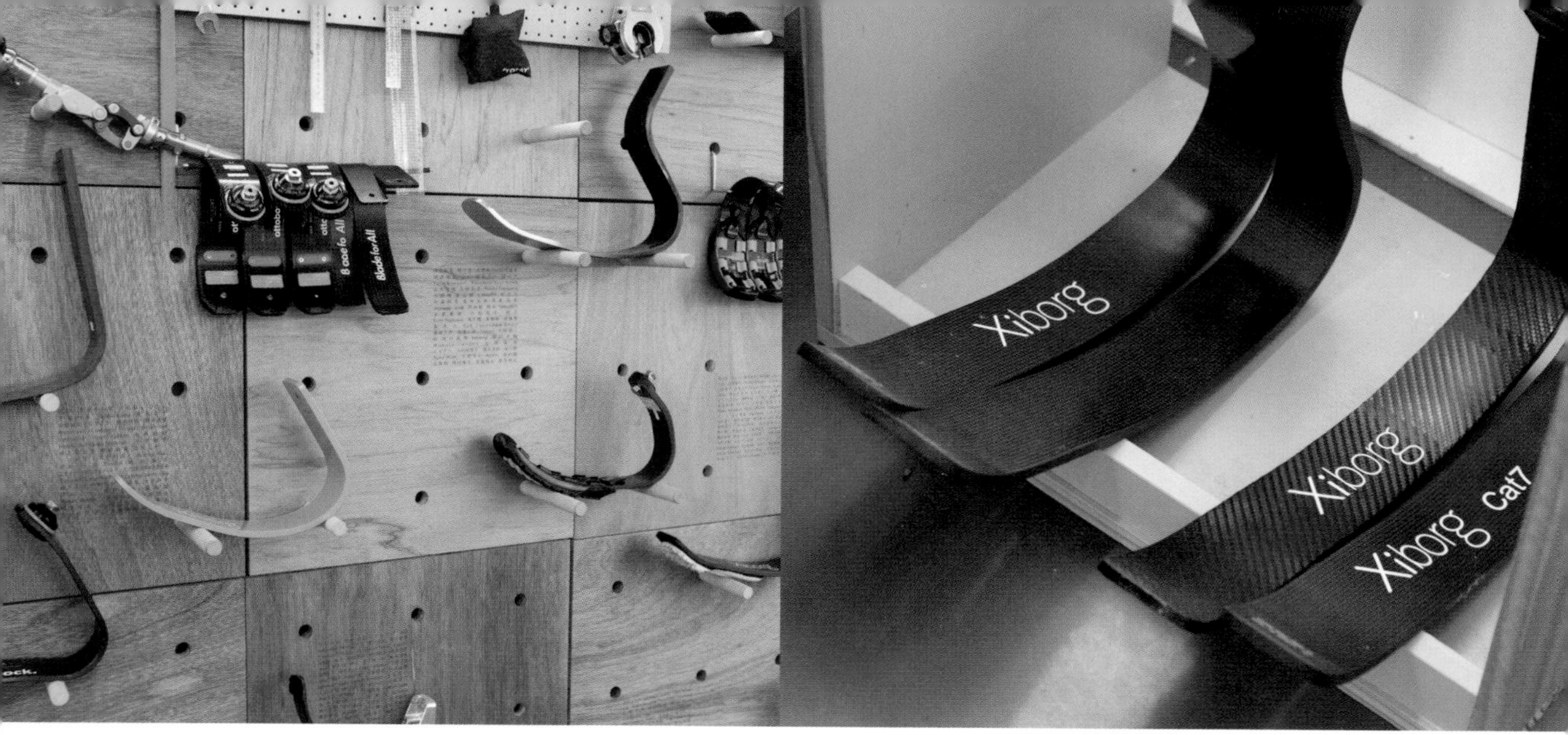


想定外の私個人の身体の特性が次々と露見してきたんです。左右の足のバランスだけでなく、常に車椅子に座った状態で生活してるので、身体がLの字のような形に凝り固まってしまってるんですね。なので、二足歩行をするため立ち上がっても、歩き出すと自然にL字型の姿勢に戻ろうとして、だんだん前傾姿勢になってしまう。最初はその矯正で苦労しましたね。

**遠藤**　義足のデザインも、直立したときの横からのシルエットに違和感がないように、ふつうの人と比較すると、前脛骨筋の部分が盛り上がってるんです。直立した姿の違和感は、一般的な健常者との差から生まれる場合が多いんですけど、見た目の違和感がないデザインを考えながらやりました。これが〝乙武さんの直立〟なので。

**落合**　たとえば、義足の小学生を50人並べて、その子たちを走らせたときに工学的に一番効率よい結果を発見するといったプロジェクトも重要ですけど、乙武さんのプロジェクトの場合はそっちじゃない。それはそれで興味深い事例でした。義足のデザインは、2018年12月から理学療法士（PT）の内田直生さんが参加してくれた影響がすごく強いです。ハードウェア的になんともならない、アクチュエーターで解決できない問題は、コミュニケーションと身体の使い方で改善するというアプローチですね。これはけっこう普遍的だと思います。当たり前ですけど、テクノロジーより人間の身体の方が使い勝手がいい。その前提で考えると、ラストワンマイルは機械を使うなどのテクノロジーによる解決にも意味があるけど、その起点が人によって全然違う。だから、我々が作ろうと思っているのは対話の方式だったり、デザインの仕方であったりと、最終成果物も大事ですが、考え方の方が重要なんです。今回は非常に珍しい事例が見つかってよかったと思いました。

**乙武**　デザイナーなども含めれば多くのプロジェクトメンバーがいるんですけど、コアになるのは、PTの内田さんと、モーターを開発した遠藤さん、太ももを包み込むソケット（生身の脚部と義足の接合部）を作っている義肢装具士の沖野敦郎さん、そして私の4人。自然と遠藤さん、沖野さんがテックチーム、内田さんと私がフィジカルチームという感じになりました。それがこの3年間、毎週練習の成果を見ながら「ここをもう少し軽量化してみます」とか「ちょっと足が太くなってき

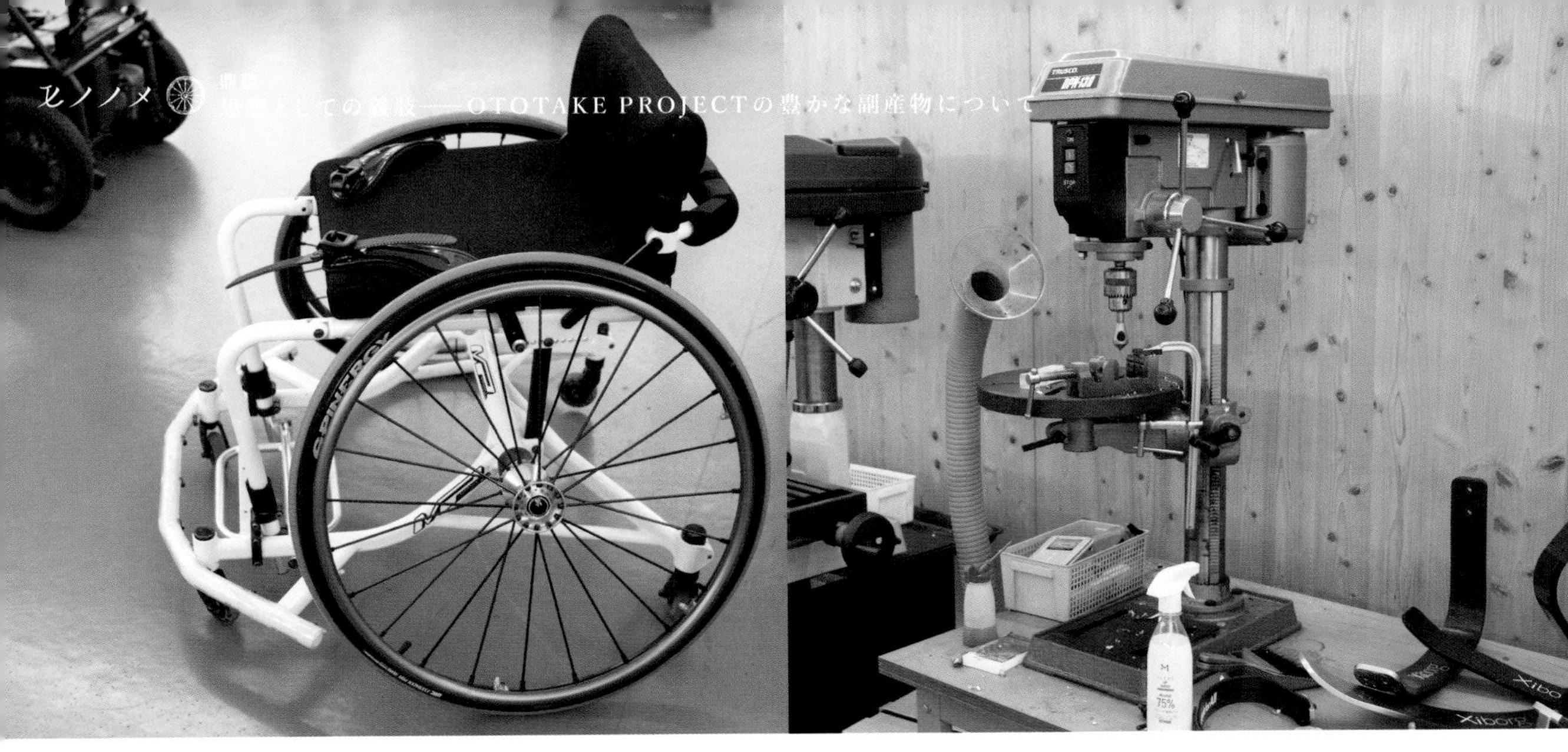

たからソケット作り変えましょうね」とか「もう少しこういうトレーニングを取り入れてください」といった対話をしながら、ちょっとずつ軌道修正を重ねてきたという気がします。

## 身体とテクノロジーの共同作業

——テックチームと身体側からのアプローチという、分野が異なる混成チームによる対話なのは面白いですね。この複合チーム感によって、皆さんが気付いたことや考えたことはありますでしょうか。

**遠藤**　何をやるにしても、自分の専門外の知識が必要なときはその専門家を巻き込んで一緒にやるのは自然だと思うんです。ただ、もっとその分野の人たちの顔が前に出て「こういうことをやっている」と知られて、その分野も盛り上がるようにしたいと考えてました。理学療法士や義肢装具士という仕事を聞いたことがない人も多いと思うんです。だから、こういう場でも、プロジェクトリーダーとして僕が前に出るだけでなく、内田さんのような理学療法士や沖野さんのような義肢装具士といった、目立たないけれど素晴らしい仕事をしている人たちに日の目が当たるようにと考えてます。

**乙武**　ある日、遠藤さんが「こんな大変だと思ってませんでした」とおっしゃったんですよ。つまり、テクノロジーのプロフェッショナルとして「理論上これで歩けるはずだ」と考えて、私にオファーをくださったと思うんです。ところが実際は想定外の問題が出てきたというところが、身体の難しさと面白さですよね。だから、遠藤さんがどういう部分が想定外で苦戦したかを語っていただき、そこを私と内田さんがどう乗り越えようとしてきたかを説明すると面白いと思います。

**遠藤**　「五体満足」という語句に近い意味の英語で、「bodily integrity」という言葉があります。和訳すると「身体の完全性」、生理的機能の最低限の部分ですね。完全性の中身は、「これを侵したらこの人に失礼ですよ」という精神的なバリアーの部分だと思うんです。そのバリアーの位置が人によって違うから、障害についての感覚の違いが生まれると思ってます。僕が先入観で、人の身体の完全性として「こういうものを持っているに違いない」と思っていたのが最初の誤算でした。先ほど話した通り、乙武さんは関節の位置も違うし、可動域も筋量も少なかったので、僕が思っているよりもすごく小さい部分が乙武さんの身体完全性だと感じたのは想定外でした。乙武さんの身体には、部位が少なくても、同じ部位に同じ量の筋肉が付いていると思ってたし、歩行に関しての意識も、健常者の目線で「こうしたら便利だろう」という感覚を持っていたんですが、それは完全に一致していなかった。この気付きの面白さが、プロジェクトの後半で生まれてきた。

**乙武**　私の障害の名前は「先天性四肢欠損」と言います。身体に欠けている部分があるという意味なので、遠藤さんがお話ししてくださったように捉えたのも当然で、健常者と比べて欠けている部分があるから、その部分をテクノロジーで補えば歩けるようになると考えるのは、ごく自然なことだと思うんですよ。ところが、私も40年かけて、この身体なりにバランスのいい動かし方を獲得しているので、バランスの認識がずれていたと思うんですよね。だから、欠けている部分を義足で補うのではなく、いったんこの身体で完結しているところに、新たなものを付属させてどう歩くか、ということが本当の課題だったんです。ここが、このプロジェクトでの最初のつまづきというか混乱だったと、今の遠藤さんのお話を聞いて、初めて言語化できました。

**遠藤**　昨日も義足の歩き方を教える作業をやっていたんです。ＰＴもいて、健常者と比較すると義足にはできない動きがあるので、代わりにこう動かすという練習をするとき、ＰＴさんは自分には本来の動きができている前提で、欠けている部分の動きを教える。リハビリテーションで教える立場だと、逆に自分は五体満足ということが前提で話が進みがちですが、実際には健常者でも股関節伸展の動きができる人は恐らく半分以下で、ＰＴさんもできているとは限らない。僕もいま思うと、乙武さんに関して心のどこかでそういう健常者目線を持っていたし、今も持っているんじゃないかという疑いを抱くようになったと言えるかな。

**乙武**　今の話って、先天性か後天性かが大きいということだと思うんです。僕は先天性だから、手足がある状態を知らないので、あまり欠けていると感じたことがないし、この身体なりにバランスを取ってきたんですね。ところが、事故や病気で後天的に腕や脚を失った方は、手足がある状態がベースで、そこから欠けていると感じるようなのです。なので、やはり義足などで補いたいと思うし、実際に補えば当時の感覚を取り戻して比較的に歩行を再獲得しやすいんですね。僕の場合は二足歩行していた経験がないので、ゼロからの獲得でしたし、小さい丸になっていたものに新たなものを加えるイメージになったのが、先天性と後天性の大きな違いという気がしますね。

**落合**　先天性と後天性の話はxDiversityの他のプロジェクトでもよく出てくる話題で、聴覚障害は先天性だと小さい頃に人工内耳を入れる人もいればあとで外しちゃう人もいますし、視覚障害は網膜剥離や緑内障などの後天性の人と先天性の人では考え方も能力も大きく違う印象です。たとえば視覚を失ってから点字を読むのは難しく、読める人口が少ないです。障害手帳を受給している視覚障害者の方は31万人ほどいらっしゃるそうですが、手帳を持っておらず後天的に弱視の困難を抱えている人は１００万人以上いると言われています。

**遠藤**　義手義足は若い人では先天性と事故などの後天性が半々くらい、高齢になると糖尿病とか後天的なのが圧倒的に増えてきます。

**落合**　総じて先天性の障害と後天性の障害ではプロジェクトの言語が全然違いますね。後天性の人の言語は、今までの習慣にどう慣らしていくかという話が比較的、多くなります。視覚障害の場合、新しく点字を習得するなど新たな能力を開発するのは大変なので、触覚でコミュニケーションを取るより、耳の方をもっと使いましょうといった話も増えます。聴覚障害の場合も補聴器を付けましょうという議論になることが多い印象です。他にも、先天性の聴覚障害で手話がうまい人は、視覚能力がめちゃくちゃ高かったりするんです。だから、ビデオ会議でも画面全部に字幕を出せば、意外とコミュニケーションできたりもする。その場合、音声をどうするかじゃなくて、コミュニケーションを多重化することが重要だったりするんですね。

２０１８年の末から19年の頭には、義足を開発しても乙武さんはそんなにうまく歩けないのではないかということがわかってきたんですね。そのとき、普通の研究プロジェクトなら、他のどういったテクノロジーを使えば歩けるかを探究するか、テクノロジーと目的に合わせて他の人を探すじゃないですか。だけど、このプロジェクトで一番面白かったのは、あえて乙武さんで突き進んで、どうなるかを見てみようとなったところです。普通のテックのプ

Xiborg
TORAY

ロモーションなら、今ある技術にぴったりな身体の人をキャスティングして終わりで、それならお互いの負担がすごく少なくて済む。でも、キャスティングするだけで研究にはならない。

そこでどう動いていくのか見ていくと、内田さんが参加してからバランスを取るための腕がくっついてて、不思議な歩き方なんだけど歩行距離が伸びて、その様子を見ている人たちも参加するようになって、クラウドファンディングでお金を集めたり、メディアで発信したりするうちに興味を持つ人が増えていった。多分、遠藤さんが作ったパーフェクトな義足にはまった人がスラスラ歩くよりも、はるかに独特な動き方をしていったのが個人的には非常に面白くて、楽しいプロジェクトになったと思います。でも、こういうことは一般的な国の研究プロジェクトだけではできない。また、受託で納品物を仕上げるというタイプの製品開発プロジェクトでもだめですね。民間であるソニーCSLとJST CRESTの共同でやっているからこそできる話だと思います。つまり全員が自分たちでゴールを決めて走れる人たちの集まりなんです。だからいろんな転がし方があるし、それはそれでよかったと思う。

今回のプロジェクトは、アクチュエーターの精度と、重さをインナーマッスルで克服するのが課題でした。これは大変だけど重要で、インナーマッスルは鍛えれば増えるけど、モチベーションコントロールと義足開発がセットになってるのはすごく独特です。でも、人間側に寄せた方が効率的なことも多い。40代なら筋量はトレーニングで増えますけど、僕だったら乙武さん筋トレしろとは頼めない。それをなし遂げているのが内田さんのコミュニケーション能力なんですよ。

**遠藤**　めっちゃ筋トレしましたからね。階段1万段、年内1万フロアを達成しました。

**落合**　しかも、このプロジェクト以外で使わない筋肉なのが面白い。このプロジェクトは一見するとテクノロジーの勝利に見えるけど、実は乙武インナーマッスルの勝利なんですよ。

**乙武**　まあ、やってる側の正直な実感としては、ある動きに慣れても2、3ヶ月おきにそれを壊して、また新しいものに慣れなきゃいけないので、心が折れそうになった時期もありました。内田さんは褒め上手で、私の操縦術を心得ているので、それに助けられていた部分は大きいですね。

**遠藤**　内田さんと乙武さんの相性がすごくよかったのは隠れた功績でしたね。乙武さんが強いモチベーションを持ってくれたこともまた、内田さんの貢献だと思います。研究開発にとって合理的なことをやろうとしても、人間の感情として正論は反発されるじゃないですか。内田さんは、それを押し通すんじゃなく、人間くさい部分でコミュニケーションを取っていくことによって大きな成果を出すことをしてくれたと感じてます。僕だったら多分できなかったと思います。

**乙武**　そうですね、私は齢45歳にして今も褒められて伸びるタイプなんで（笑）。

**遠藤**　ただ、そういう内田さんが乙武さんは乗せられたら伸びることをうまく利用してちゃんとプロジェクトを継続させたという属人的な要素は、なかなか研究プロジェクトの学術的な成果としてはカウントしづらい部分なんですね。もし人間が介入しないピュアな環境での物理実験であれば、再現性のある普遍的な成果が成り立つけど、人が介入した途端に複雑系的なものが入ってきて、ピュアな実験環境は用意できないので、「今回の乙武さんの場合はこうでした」という個別の事例紹介にしかならない。それを他の四肢欠損の人に応用できるかというと、ちゃんと練習メニューをメソッド化したりしたらある程度は成果が出るでしょうけど、それだけではうまくいかない。これは他の技術にも当てはまることなので、我々の研究に足りていない部分だと思うんです。

では、このプロジェクトで論文になりやすい普遍的な成果が何だったのかをかいつまんで言うと、「9ヶ月間介入して、こんな練習メニューをし歩行距離が何メートル伸びました」とか「可動域が伸びるマッサージをしたら、人が押すときの可動域が何度広がりました」とかいった内容ですね。ただ、いま内田さんとも一緒に論文を書いてるんですけど、そういう「こういうことをしたらこうなりました」という普遍的なものを抽出するだけでは、まったくこのプロジェクトの本質は伝わらないし面白くないんですよ。だからこそ今回のプロジェクトは、そういう学術的な成果以外の知見をちゃんと発信できるようにしようと考えたんです。

## 人間の身体のもつ豊かさの可能性とイメージをめぐって

——そういう、論文にまとめられない

気付きや面白さとしては、具体的にはどんなことがあったのでしょうか。

**乙武**　先ほど話したように、いったん慣れたものを壊して新しい要素を入れた例が義手なんです。最初の１年間は、義手を装着せずにやってたんですよね。でも、やっぱり義手を付けた方がバランスが取れるんじゃないかという話になって、何かを掴んだりする本来の手としての機能はない、バランスを取るだけの棒状の義手が付いたんです。先ほどお話しした通り、私は四肢欠損ながらバランスを取ってきた人間なので、新たに腕を付ける意味が全然わからなかったんですよ。それまで腕がない形での二足歩行に一生懸命フィットしてきたので、義手を付けたことでバランスが崩れて、はじめの何週かは歩けなかった。ところが、しばらく義手を付けた形での練習を続けていくと、自然と腕を振るようになったんですね。腕を振ると、自然と上半身にひねりが生まれ、するとひねったのと逆方向の足が自然に前に出るようになったんですよ。そこで初めて私が「歩行ってこうなってるんだ！」と気付いて驚くと、周りの人は私がそのメカニズムすら知らなかったんだ、ということに驚いて、お互いに気付きがあったのはすごく面白かったんですよね。

　このプロジェクトの前、２０１５年に遠藤さんと対談させていただいたとき、印象的なお話がありました。今のテクノロジーならば、たとえば走るとか、階段を上がるとか、それぞれの機能に特化した義足は用意できる。ただ、人間の肉体がすごいのは、ギアやモーターを取り換えることなく、あらゆる動作を一本の足でできるところで、そういう意味では今のテクノロジーはまだ人体に追いつけていないというお話です。私は義手を付けて上半身をひねると歩行しやすくなったことに感動したときに、遠藤さんが言ってた人間の身体のすごさってこういうことなんだなと初めて実感できたんですね。

**遠藤**　乙武さんとしては、初めて義手を付けて義手で本来の機能にはない「拍手をする」という行為をしてみたとき、身体というもののすごさを発見すると同時に、これまで自分の身体に損失があったんじゃないかと気付きつつ、ひとまず考えるのをやめたとおっしゃってましたね。

**乙武**　はい。義手を付けると、ただ棒状のものが数十センチ伸びただけで、床を叩いたりカチカチと拍手ができて面白かった。その延長線上にドラムも叩けそうだし、指の機能を付けたらギターを弾いたり、包丁を持って料理できたりするのかと、いろいろ想像が広がって、ここまでは純粋な楽しさで、プラスの感情だったんですよ。でもしばらくして、みんなはそれをできていて、自分はできていない人生だったんだなあと痛感したんです。「そんなことも気付いてなかったの」って言われるかもしれないけど、自分の中で人生の機会損失みたいなものが大波のように襲ってきて、負の感情に飲み込まれそうになって、あわててパンドラの箱にしまって鍵を掛けたんですね。でも、本当にただの棒状の腕を付けただけで、こんなに可能性の広がりみたいなものを感じるとは思わなかったし、逆にこの身体の不便さ、損失みたいなものにも気付きそうになったのは、ちょっと怖かったですけどね。

**落合**　ただ、僕の個人的な印象を言うと、プロジェクトの初期段階で乙武さんが短い義足を付けてトコトコ歩いている姿の動画が公開されたときには、すごく「かわいい」と感じたんですね。あの姿が大衆を惹きつけたと思う。それが、次のステップでもうすこし細長い義足になったときには、いわゆる戦後の傷痍軍人が使うような義足のように、歩くというよりケガした姿のように見えた。その後、かっこいいロボット義足が付いたときに、いよいよサイボーグに近づいてきた感じがしました。そこにさらに、今の話で出てきた細い腕が付いて、だいぶフォームチェンジしてきたなと思った。フェーズごとに身体のフォームが変わり、それがプロジェクトの印象も変化させる、というのが面白い。

　この義手は、ただの棒状の「お気持ち腕」と言うべきものですが、よく腕がないランナーの人が付けてるようなアスリート向けの軽量のカーボン製で、デザイン的にもいい感じなんです。このへんの「お気持ち」の話は、まさに論文には書かれないものです。でも、こうした大衆が歴史的に蓄積してきた多彩な人体イメージの変遷みたいなものを、乙武さんというアイコンを通じてキャッチーに示せた点もまた、このプロジェクトを明らかに味わい深いものにしている要素なんじゃないかと思いますね。

――ここでもう一度、身体にまつわる表象の問題を、しっかり考えても面白いかもしれませんね。まだまだ、大衆的には健常者の五体満足な身体こそ美しい、かっこいいと見なす傾向が支配

的だけど、それを一番相対化する可能性があるのは、そこから外れた身体を尊重しようという「正しさ」ではなく今の「かわいい」という見方なのかもしれません。つまり、「かわいい」という価値観は、一般的には幼児性として実社会から切り離されたものと見なされているけれど、大人がかわいくてもいいという価値観を肯定することが、社会を楽しく、豊かにするように思うんですよね。

**落合**　しかも、こうした人体に関わる義肢や補装具のデザインは、単純な機能美に回収することもできない。パラアスリートのような一点もののスポーツ義肢などであれば、流線形で生命を模したアルゴリズミックなデザインやトポロジカルなデザインみたいな方向に行くこともあるのかもしれませんが、そういう話ともちょっと違う。最近、身体のダイバーシティをテーマにしたファッションショーを手がけて、いろんな身体の人が出演してくれたんですが、低身長の小人症の人の動きが「ずるい」と思うくらいに佇まいがよかった。多様な身体への印象も含めて、異なる価値基軸をテックデザインの世界に環流していくことも、我々の使命の一つかなと考えています。

**遠藤**　最初は乙武さんが歩く姿を「かわいい」とは言いづらいと思いましたけどね。でも、本多さんは単純にかわいいっていつも言うんです。それで「かわいいと思う感情はいいんだ」という流れを作ってくれたと感じてます。もやもやしたイメージに「かわいい」という印象が生まれると、その人を形作るアイデンティティの一部になる。

　身体とアイデンティティの話に結びつけると、歩きたいと思っている人が歩けるようになることで自分のなりたいものになることが、自分に自信を持てたり他人に優しくできたりすることにつながる要素の一つだと思うんです。そういうアイデンティティ形成の要素に歩行や足の有無や外見などがあって、歩行したい人は義足で歩けばいいし、義足が必要なければ車椅子でもいい。そういう選択肢の一つとして今回のプロジェクトがあればいいなと。

**乙武**　私はワインが好きで、グラスを短い腕に引っ掛けるようにして自分で飲むんですよ。遠藤さんや落合さんは、「へえ、乙武さんそうやって飲むんだ」とか物怖じせず直接的に言ってくるタイプなんですけど、多くのほとんどの人は見たらびっくりするし、何も言わないのが配慮だと思ってる。別にそれを批判するつもりはないけど、言わないことが配慮だと考えるのは、多くの人と違う飲み方はマイナスポイントと感じているから、そのマイナスに着目していることを伝えるのは良くないと思っているのでしょう。でも、私はこの身体なりに完結してるから何らマイナスではないし、ただ多くの皆さんとの違いなだけなんですよね。その「健常者との違い＝マイナス」という価値観を変えていきたい。多くの人と違う体をマイナスだと捉えるのは悪いことだという感情さえ払拭してしまえば、率直に小人症の人をかわいいと言う表現が出てくるようになるのかな。

## 身体にまつわる真のダイバーシティとは

**遠藤**　アスリートの身体の動かし方も、体型・体格と関係してそれぞれ違いがあるんですね。カール・ルイスは、すごく足を開いてストライドを大きくして走るタイプだった。その走り方から進化して、より速く走るためにはもっと回転数を上げなければいけないわけで、すると足を開いてたら間に合わないから、マイク・パウエルみたいに、あまり開かないでなおかつ地面を

強く蹴ることによってストライドを伸ばすのが流行ったんです。そして、だいたい身長が180センチ前半ぐらいの選手でこういう走り方をしたら速いという理論ができたんです。ランナー人口は多いから、その中の試行錯誤で科学的に解析して生まれた理論だと思うんですね。

でも、ここからはウサイン・ボルトは出てこないんですよ。ボルトは身長2メートルぐらいあって、大きな体を振り回して走る。ストライドもゴール前では3メートルぐらいあるんです。あの走り方は、従来の理論ではなく、違う価値観からしか生まれないと思うんです。今回の乙武プロジェクトは、理論から生まれる従来のサイエンスのアプローチもやりつつ、個人に特化することで今までの科学では取りこぼされてきたような側面が生まれるという、新しい科学のアウトプット先になるんじゃないかなと思うんです。

**乙武**　僕はこのプロジェクトを通じて、結果的にダイバーシティというものを体現できたのではと思ってますね。このプロジェクトには良質な批判もあって、その一つが「なぜ電動車椅子で生活できている乙武さんを無理やり二足歩行をさせるんですか」という意見です。確かに、私は先天性の障害で、当初はとくに二足歩行をしたい思いはなかったんですが、後天的障害の方を中心に義足を付けて自力で歩きたい方もいるから、健常者と同じような質の歩行を獲得して街中に溶け込めるようになることが当初の目標で、そのニーズに応えるモチベーションもありました。でも、それがこれまで自分たちが言ってきたダイバーシティと反するという意見は確かに一理あると、私も遠藤さんも思ってたんです。

ところが、私はずっと座って生活していたので体がL字型になっているとか、左股関節が脱臼していて左右のバランスがずれているとか、腕を付けた方がバランスは取れるけど、重いと困るから棒状の腕を付けるなど、実際には健常者に寄せていくよりも、乙武独自の歩き方に特化していった。それはそれで皆さんから「かっこいいね」とかプラスの評価をいただくようになったわけです。つまり、「ダイバーシティに逆行するプロジェクトになってませんか」という批判に対して、論文に現れない部分だけど、いろいろ試行錯誤した結果、オリジナルな歩き方になった。それが大衆から「それはそれでありじゃない」という評価を得たのは、一周回って結果的にダイバーシティにつながったのかなという気がします。

——では、このプロジェクトのゴール設定としては、どこへ向かっていくのでしょうか。

**乙武**　それが、決まってなくて困ってるんですよ。本当は2021年の9月末に科学未来館で、50メートル歩いてグランドフィナーレを飾るはずだったんです。それがそこで予定を大幅に超えて66メートル歩けたんで、めでたしめでたしで終わるつもりだったんですけど、その後のセッションでも「次の課題は何ですか?」と質問されたんですね。正直まだまだ歩行距離は伸びてるんですよ。やればやるほど伸びてるし速度も上がっているので、ここでやめちゃうのはもったいないという気持ちがプロジェクトメンバー全員にありますね。だから、具体的な目標というより、これ以上やったらもう伸びないというところまでやりたい感じになってますね。気持ちの問題です(笑)。

**遠藤**　個人的には、もっと義肢装具士や理学療法士みたいな仕事を世に広げたいですし、学術的なアウトプットも出さないといけないと思うんです。僕の根本的な関心としては「人間そのものって何だろう?」という問題、心身

二元論から唯心論、心はどこに宿るのかというメカニズムにすごく興味があったんですね。身体を分割していったらどこから人間じゃなくなるか。

それにプラスして多様性の問題ですね。先ほど話した「bodily integrity」という人間の完全体、自分の中でどこからが自分かという感覚が実は人によって違うということは、重要なことなんじゃないか。

たとえば、髪の毛は生理的機能には入らないので、昔は公立中学校の男子はみんな丸坊主だったり、身体的な完全体の中に入らなかった。でも、今は高校野球で坊主にすることにも反発する人が多い。それは、みんな髪の毛も人間として重要な要素だと思い始めたからだと思うんですよね。そういう、人間の身体の範囲が広がっていって、一方で乙武さんみたいに手足は関係ないというような価値観も生まれたり、人によって身体性の感覚が違うことが大事なんです。そうして今まで価値観が同じ人が集まって生きてきた状況から、多様性が生まれてさまざまな人たちと共存する難しさをどうするかですね。そういった多様性との共存を実現する社会づくりにつながる知見が生まれたらいいなと思ってます。

——最後に、乙武さんの身体と向き合い続けたことによって、改めて得られたものを整理すると何でしょうか？

**遠藤**　このプロジェクトでの気付きは、本当にたくさんあります。たとえば乙武さんはいわば身体がアイコンになってるけど、Clubhouseを使って話したとき、乙武さんの顔だけがイメージされて、身体が思い浮かばなかったんですね。物理的に会っていれば身体が見えて、身体がコミュニケーションの導入になってしまうけれど、人の存在感は身体に依存しないと感じました。むしろ、今までの他者のアイデンティティイメージが、物理的な身体に依存しすぎていたのかなということに気づかされたことがあります。

その一方で、僕自身が足のない人をずっと見てきたので、障害者のことを理解している、多様性を体現しているという奢りがあったと思うんですよ。けれども、そこから降りて、ダイバーシティと言っていたものが全然できてなかったんだ、という目線を獲得できたことが大事だと思いました。やっぱり、容易に理解し合えない人は絶対いると思うんです。だから戦争もなくならない。でも、そうした人たちとの共存をどう考えればいいのかという課題

を改めて持ち帰れたことが、一番大きなことでしょうか。

**乙武**　髪の毛を丸刈りにされるとアイデンティティを失う人もいるかもしれないという話の延長線上で考えると、たとえば遠藤さんや落合さんが事故か何かで私のような身体になっても、不便にはなるでしょうが、一般的なレベルからするとそんなにショックを受けない気がするんですよ。お二人は私のことも見ているし、日頃から足が欠けても楽しそうに生きてる人と接してるし、何なら「よし、俺のテクノロジーで欠けた部分に何を埋めてやろうか?」と考えるぐらいの人たちだと思うんですよ。

　ところが、たとえば大谷翔平さんのような一流アスリートが腕や足を一本失えば、本当にアイデンティティを失うかもしれないですよね。だから、腕や脚が欠けても、代替できるものがいくらでもあるという社会にしておくことは、すごく大事だと思うんです。足を失って歩けなくなっても、「乙武プロジェクトの義足みたいなのをつければ、自分もまた歩けるかも知れない」と考えれば、ショックを和らげられるんじゃないか。身体があればそれはそれで便利だろうけど、なくてもそんなにマイナスじゃない社会にしておくことがダイバーシティにつながると思うし、それこそがこのプロジェクトの真骨頂なんじゃないかな。このプロジェクトで得られたものが広く伝われば、そう感じられる人を増やしていくことにもなると思うんですよ。

**落合**　確かに。僕はこのプロジェクトをやっていて、標準身体という考え方がすっかり頭の中からなくなってしまいましたね。このプロジェクトをやってよかったのは、スタッフは全員が技術ドリブンが強いテクノロジーマッチョだったんですけど、もっと文化的な軽いテクノロジースケーターサーファーみたいな感じになったことですね。やれる最適解を選ぶのにこだわりを捨てて、コミュニケーションや文化の重要性を理解していった。それは人間の身体の奥深さとか、立場によるカルチャーの衝突を乗り越えて、テクノロジーファーストでありつつ、それだけに収まらない要素を常に意識しながらデザインするようになってきたからでしょう。

　そういう意識を社会に拡散させていくことこそが、このプロジェクトの本当の価値になっていくんじゃないかと思います。

論考

# マインドフルネスの身体技法はいかに受容されてきたか

## ——仏教と心理学の関わりの歴史から考える

藤井修平

### はじめに

近年、「身体」に関する学術的な注目はますます高まっている。その理由について考えてみると、第一には神経科学（脳科学）の発展により、人間の心に対しても身体的・物理的基盤が存在することが明らかとなってきたことが挙げられるだろう。神経科学者のアントニオ・ダマシオは『デカルトの誤り』において心身二元論を批判し、身体と心は決して分離できないと述べている。

こうしたトピックは心身問題と呼ばれ、心と身体、とりわけ心と神経科学で観察できる脳の状態とがどのように相互作用するのかについて、激しい議論が交わされている。ある論者は感覚質と訳される「クオリア」の概念を提唱し、これは物理的な脳状態とは全く異なる水準に「創発」したものので、脳状態からクオリアは説明できないとする。また別の論者は、心やクオリアは脳状態に付随して変化しているのみであり、前者から後者に影響を与えることはできないとする。さらにポール・チャーチランドなどは心に関する概念は神経科学における説明との整合性が取れないため、そうした概念の存在そのものが不要であるという「消去主義」を主張するに至っている。このいずれの説が正解かどうかは未だ決着に至ってはいないが、心身問題は現在重要なトピックの一つとなっている。

身体に関するまた別の着目は、テクノロジーの領域からやってきている。ノーバート・ウィーナーのサイバネティックスに端を発する生物と機械の関係論は、両者の間の差異をなくし、機械によって人間の身体が拡張されるという「人間拡張の原理」となってますます発展している。その行き着

**藤井修平（ふじい・しゅうへい）**
1986年生まれ。東京家政大学講師。博士（文学）。認知科学・進化生物学の観点に基づく宗教研究の手法を検討するとともに、「現代日本における仏教と科学の関わり」「マインドフルネスの由来と展開」「西洋における禅の広がりの様相」「瞑想の科学の過去と現在」「ニューサイエンスの時代の宗教・心理学・宗教学」等の論文で仏教と科学、とりわけ心理学との関係を論じてきた。

く先がトランスヒューマニズムである。これは洗練されたテクノロジーの使用によって、人間の身体的ないし知的能力を拡張することを積極的に肯定するものである。その論理を追ってみるならば、まず鉛筆は手の拡張であり、自動車は足の拡張である。このように機械や技術の使用によって、人間は新たな存在へと変容を遂げている。そして人間と機械の一体化がますます進むことによって、人は能力を向上させ、病気や老化といった限界を超え、新たな存在へと「進化」できるとする。ただしトランスヒューマニズムには反対に身体の徹底的な否定の側面も存在しており、人間の意識をコンピューターにアップロードすることで、精神のみで永遠に生き続けられると考える人もいる。シンギュラリティを予言するレイ・カーツワイルのように、トランスヒューマニストは近い未来に人類に決定的な変革が訪れ、死もまた超越されると考える傾向があるため、それはキリスト教の千年王国説と似た新たな時代の宗教ではないかという指摘もある。

　トランスヒューマニズムに関する議論は、常に人間の能力の増強や拡張と結びついている。これはつまるところ、いかにして健康な身体を手に入れるかということで、その極致として不死が目指されているのである。身体の問題が健康と関わってくるのは自明のことであり、身体を扱う医学はもちろんのこと、精神医学においても生理的要素が心に影響するゆえに投薬が行われるのであるし、臨床心理学の行動療法では、身体の操作により心の問題を解決することが意図されている。ゆえにこうした議論では、身体の状態の変化がいかに身体的・精神的健康と関わっており、それらを得るために身体をいかに操作すべきかという問題が論じられていると言える。心身問題が哲学的な視点であれば、こちらは実践的な視点だと言えるだろう。

　他方で、私の専門である宗教学においても身体への着目はしばしばなされてきた。その理由は、何よりもさまざまな宗教的伝統が、身体的訓練を含む技法を有しているためである。とりわけ東洋においては、ヒンドゥー教のヨーガやタントリズム、密教や禅、修験道など枚挙に暇がないし、明確に宗教と言えるものの外にも、拳法や弓道、合気道などの形で多数の身体技法が存在している。

　宗教における身体技法への着目は、臨床心理学におけるそれとは視点が異なっている。というのも医学的な観点は常に健康の改善と増進を目的としているのに対し、宗教においては悟りや解脱、神との合一といった宗教的な目的が存在するためである。ゆえに宗教的身体技法に目を向けることは、医学的な視点のみでは見えてこない身体の活用の側面に光を当てることといえる。

　そしてこの健康と宗教的身体技法という主題の双方と関わっているのが、マインドフルネスである。マインドフルネスは最新の認知行動療法として登場し、多くの関心を集めているが、その誕生の背後には東洋と西洋、宗教と心理学の長い関わりの歴史が存在している。それゆえ、本稿では身体論について幅広い視点から考えるために、マインドフルネスが生まれるに至る歴史を、関係する宗教や心理療法の発展の面から記述してみたい。

## マインドフルネスの概要

その歴史を探る前に、まずはマインドフルネスについて簡単に解説しよう。マインドフルネスという言葉はしばしば瞑想のような実践を指すものとして使われるが、それらはいずれも「マインドフルな状態」を目指しているからそう呼ばれるのであって、根底にはマインドフルネスという心構えないし考え方がある。マインドフルネスとは、上座部仏教で用いられるパーリ語のsatiを英訳したもので、日本語ではこれまで「念」と訳されてきた。これは仏教の八正道の一つ「正念」の念であって、その意味では馴染みのある概念といえる。この概念は、「現在の瞬間に注意を払うこと」を意味し、上座部仏教ではとりわけ重要視されている。

こうした上座部仏教由来の概念と実践を心理療法として取り入れているのが、「マインドフルネスストレス低減法（ＭＢＳＲ）」および「マインドフルネス認知療法（ＭＢＣＴ）」であり、この二種が現在の多くのマインドフルネスの大元といえる。いずれもうつ病などに苦しむ人を対象としたもので、マインドフルな心構えに至ることを目指して、瞑想等が行われる。例としてＭＢＳＲの八週間のプログラムでは、週六日、「静座瞑想」「ボディー・スキャン」「ヨーガ」などを行う。いずれも現在の瞬間に注意を払うことが強調され、一歩一歩を意識しながら歩く歩行瞑想や、五感を使ってゆっくり意識しながら食事を行う食べる瞑想も日常で行うことが推奨されている。[*1]こうした心理療法が効果を上げたことが、マインドフルネスブームの出発点となっている。

ただし、マインドフルネスがここまで広がったのは、単なる医療行為の枠に留まらずに展開していったゆえである。詳細は後に触れるが、もう一つの大きな側面がビジネス領域における能力開発としてのマインドフルネスである。これは、二〇一四年に米『タイム』誌で「マインドフル革命」の特集が組まれたことが転機とされる。グーグル、ゼネラル・ミルズ、ゴールドマン・サックス、アップルなどの企業でマインドフルネスが導入されたことが伝えられ、その知名度はますます高まった。ビジネス領域では、マインドフルネスの実践によって集中力が強化される、ストレス下で平静を維持できる、記憶力が向上する、チームワークが良くなるなどの効果が得られ、生産性の向上に繋がると言われている。

こうした能力開発としてのマインドフルネスは、時期を区切って集中的に行うよりも、日常生活の細かな場面で実践するものである。たとえば『ハーバード・ビジネス・レビュー』のある記事では、目が覚めたら横になったままで二分間自分の呼吸を意識する、出社したら自分の席で十分間目を閉じて意識を呼吸に集中させる、会議の最初の二分間、全員で呼吸への集中を行う、午後は一時間おきに一分間の瞑想をする、帰宅中に十分間呼吸に意識を集中する、などの実践を勧めている。[*2]

## マインドフルネス普及の背景

現在では、このようなマインドフルネスの実践法やその効果については至るところで語られており、心理学の学会においても毎年多くの発表が見られるほどとなっている。他方で、そうしたマインドフルネスがどのようにして誕生したのか、これまで多数存在した瞑想法とは何が違うのかという点は、落ち着いて見直されることはほぼなかった。マインドフルネスの誕生と普及には、とりわけ米国の社会と宗教、そして心理学が複雑に関わりあっているのである。そこで本稿では、マインドフルネスの誕生に至る米国社会の変化を、とりわけ宗教の面に着目して記述していきたい。

## 一九五〇－六〇年代：アメリカ仏教の形成と禅ブーム

マインドフルネス普及の根底にあるのは、「アメリカ仏教」の発展である。マインドフルネスの流行を研究したジェフ・ウィルソンも、「マインドフルネス運動は仏教の表現と、アメリカ的な形而上学的宗教の表現の双方によるものである。すなわち、アメリカ仏教的・形而上学的宗教である」[*3]と述べている。米国で仏教が広がっていると聞いて驚かれるかもしれないが、ケネス・タナカの『アメリカ仏教』によると、米国には約三百万人の仏教徒がおり、なおかつ仏教に何らかの重要な影響を受けたというアメリカ人は約二千五百万人にも及ぶという。書店には「tricycle」「Buddhadharma」など仏教系の雑誌が並び、仏教の教えを学べる本も多数出版されている。寺院や禅センターを訪れる人もいるが、その何倍もの人が書籍によって仏教に触れており、就寝前にこうした本を読んでいることから「ナイトスタンド・ブッディスト」と呼ばれている。[*4]

西洋の仏教研究では、米国をはじめとする西洋諸国に仏教が伝わる道筋は「輸出」「輸入」「手荷物」の三種類あるとされる。「輸出」は、一般にイメージするような宣教師（開教師）がその国に赴き、仏教を伝える過程である。特徴的なのが残り二つで、「輸入」は西洋人自らが他国から仏教を取り入れることで、「手荷物」は仏教徒である移民がその国に移住する際に、自らの宗教を持ち込むことである。マインドフルネスと関わりの深い上座部仏教も、主にこの手荷物の過程によって米国に広まった。一九六〇年代以降、上座部仏教圏であるスリランカ、ビルマ（現ミャンマー）、タイなどからも米国に移民が行われるようになり、同時に彼らの仏教も持ち込まれた。さらにベトナム戦争やカンボジアのポル・ポト政権樹立により生まれた多数の難民も、西洋諸国に受け入れられた。

こうしてアジアの仏教が米国やヨーロッパに根

＊1 ジョン・カバットジン著、春木豊訳『生命力がよみがえる瞑想健康法』実務教育出版、1993年。

＊2 ラスムス・フーガード、ジャクリーン・カーター「朝起きて、通勤、会議前……すきま時間の活用法」、ハーバード・ビジネス・レビュー編集部編、DIAMONDハーバード・ビジネス・レビュー編集部訳『マインドフルネス』ダイヤモンド社、2019年、77-84頁。

＊3 Jeff Wilson, *Mindful America: The Mutual Transformation of Buddhist Meditation and American Culture*, Oxford University Press, 2014, p.192.

＊4 ケネス・タナカ『アメリカ仏教：仏教も変わる、アメリカも変わる』武蔵野大学出版会、2010年。

付いていったが、それに対し西洋人が関心を示したため、仏教は民族的な枠を超えて広がった。前述の「輸入」の過程である。その最初の表れが、一九五〇－六〇年代の「禅ブーム」である。[*5] その担い手として著名な鈴木大拙は戦前から米国を訪れ、仏教の著作の翻訳などを行っていたが、一九四九年に再び米国に赴き、コロンビア大学などで講義を行う傍ら、英語の著作を多数著した。その読者や彼の講義を聞いた学生、とりわけ米国で支配的なキリスト教的価値観に反発していた「ビート世代」は強く共鳴し、西洋的なものとは対照的な「東洋の神秘」として禅の教えを称えた。

そうして禅への関心が大いに高まったところに、実践を指導する人物が現れた。曹洞宗の鈴木俊隆である。彼は一九五九年の渡米後にサンフランシスコ禅センターやタサハラ禅マウンテンセンターを開設し、多くの西洋人に坐禅の指導を行った。同様にヨーロッパにおいても弟子丸泰仙が一九六七年にフランスに渡り、独力で禅を広めた。

これらの人物の活動により、西洋において禅は一大ブームとなった。彼らの教えを受けた人物は各地で次々と「禅センター」を開設し、現在では米国、フランス、ドイツ、スペインをはじめとして五百を超える数が存在している。また、社会に十分に浸透したために「Ｚｅｎ」は仏教的な枠を超え、日常的な概念として定着するに至った。そこでのこの言葉は平穏な、調和的な、シンプルな、リラックスしたなどを意味しており、化粧品メーカーのロレアルが「Ｚｅｎ」と名の付く商品を販売しているかと思えば、紅茶メーカーのタゾには「Ｚｅｎ」という緑茶のブレンドがある。ＡＳＵＳの「ZenFone」にもこうした意味合いが込められている。後述するように、マインドフルネスの普及はこの禅ブームの過程をなぞっており、同様の水準で米国社会に浸透しているのである。

## 一九七〇年代：心理学における宗教への着目

マインドフルネスの誕生に至るもう一つの流れは、米国の心理学における宗教的身体技法への着目にある。心理学と宗教というのは、一方は学問でありもう一方は組織的な実践であるため、一見して別のもののように思われる。ところが、とりわけ米国においては、宗教と心理学の発展は大いに関わり合ってきたのである。

その接点は主に、応用の領域である臨床心理学に存在している。日本の臨床心理学にも大きな影響を与えているカール・ロジャーズは自己実現という言葉で人間の成長の可能性を説いたが、彼が目指していた人格は、ニューエイジ的な要素が多分に含まれていることが指摘されている。[*6]

同じく著名なアブラハム・マズローもまた自己実現を論じたが、彼は後にさらなる成長の目標として「自己超越」を掲げるようになる。この言葉は、アイデンティティや自己の感覚が個人を超えて広がり、人類や生命そのもの、ないし宇宙と結びつく体験を指しており、ここから自己超越を目指すトランスパーソナル心理学が生まれた。この分野では何よりこの自己超越を体験することが目指されるわけであるが、ここではそのような体験として、すでに具体的なものが想定されている。それが坐禅や瞑想による宗教的体験である。同分野を日本に紹介した吉福伸逸は、この点について率直に語っている。

> トランスパーソナル心理学というのは最終的には悟りの心理学であって、今まで、宗教とか神秘主義というような言葉で括られてきて、非常に特殊なものとされていた、特定の意識状態を、日常的な正常といわれている意識状態の延長線上に据えて、それほど特殊ではないというところにきちんと理論的に置いていくものだと思うんです。[*7]

これは換言すれば、宗教的体験を積極的に得ようとする心理学ということであって、「トランスパーソナル心理学は科学というより宗教や哲学に近い」[*8]と述べられているように、宗教とほとんど区別できないものといえる。

このような展開は、ヒューマン・ポテンシャル・ムーブメントと呼ばれる。それはマズローやロジャーズを出発点とし、カリフォルニアのエサレン研究所を中心に多数の心理療法や、潜在能力開発法が生み出されてきた。ここでは例として、精神科医スタニスラフ・グロフが開発したホロトロピック・セラピーを挙げてみよう。これは通常、豊かな自然の中で合宿形式で行われ、ヨーガを参考にした「ホロトロピック呼吸法」を中心に、音楽に合わせて体を動かすボディワーク、直感的に絵を描くマンダラ・ドローイングなどが実践される。こうしたワークの中で、しばしばスピリチュアルな体験が得られ、それが心身の解放に繋がるとされる。ある男性の体験はこう記述されている。

> エネルギーを解放したセッションの間、彼は、娘の存在を感じた。それまで彼は、娘の死により、深い悲しみと痛みのなかにいた。「心の中では廃人」同様だった。今回、「娘の励ましで、心が満たされ、癒された」のである。彼は、深い安らぎの状態を体験し、自他の境界がなくなり、ひとつになった感じがした。この幸福な状態にいる時、彼は自分に話しかける声のメッセージを受け取った。その声は、この平和と喜びの感覚、「暖かい励ましと癒し」を、苦しんでいる人たちと分かち合ってください、というのだった。[*9]

ここでは自他の境界がなくなるという自己超越の感覚や、何者かのメッセージを受け取るという超自然的な体験が語られる。こうした体験はスピリチュアルあるいは宗教的とみなすのに十分であろう。

心理療法の中に宗教的要素が含まれる一方で、東洋の宗教的身体技法も注目され、とりわけマハ

＊5 西洋の禅ブームに関しては拙論「西洋における禅の広がりの様相」、宗教情報リサーチセンター編『海外における日本宗教の展開：21世紀の状況を中心に』宗教情報リサーチセンター、2019年、50‐73頁を参照。

＊6 斎藤環『心理学化する社会：癒したいのは「トラウマ」か「脳」か』河出書房新社、2009年。

＊7 吉福伸逸『トランスパーソナルとは何か』春秋社、1987年、28頁。

＊8 渡辺恒夫「トランスパーソナル心理学」、伊藤隆二、松本恒之編著『現代心理学25章』八千代出版、1995年、296‐297頁

＊9 ティム・マクリーン、高岡よし子「ホロトロピック・ブレスワーク」、諸富祥彦編著『トランスパーソナル心理療法入門』日本評論社、2001年、125頁。

リシ・マヘッシュ・ヨーギーによる超越瞑想は大いに実践や研究が行われた。そうしてこのような宗教と心理学との関わりの中で、マインドフルネスの源流になったインサイト・メディテーションもまた生まれたのである。

## 一九八〇－九〇年代：マインドフルネスの誕生と展開

インサイト・メディテーション協会はジャック・コーンフィルドとジョゼフ・ゴールドスティーンによって設立された。彼らはタイやビルマで学び、上座部仏教のヴィパッサナー瞑想を西洋的にアレンジし、宗教性を薄めてより受け入れられやすいものとした。そして彼らのもとで学んだのが、MBSRの開発者ジョン・カバットジンである。彼はマサチューセッツ工科大学に通う傍ら、インサイト・メディテーションをはじめとしてベトナムのティク・ナット・ハンや日本で禅を修行したフィリップ・カプロー、韓国系の観音禅に学び、それらの技法を取り入れたものとしてMBSRを作り上げた。その手法は、一九九〇年に刊行された『Full Catastrophe Living』によって広く一般に知られることになった。同じく九〇年代にMBCTを開発したジョン・ティーズデールも、カバットジンの手法を参考にしただけではなく、超越瞑想やチベット仏教、英国で上座部仏教を実践しているガイア・ハウスに学んでいる。

このように記述すると、マインドフルネスもまた、禅ブームやニューエイジ、トランスパーソナル心理学の系譜に属することが理解されるであろう。米国ではここまで一貫して東洋的な身体技法への注目が存在していたのだ。しかし現在では、超越瞑想やトランスパーソナル心理療法などとマインドフルネスの立ち位置は大いに違って見える。ではその違いはどこにあるのだろうか。

前述のウィルソンの分析によると、それは脱文脈化と脱宗教化のゆえである。脱文脈化とは、東洋的な要素を取り除くことだと言える。仏教が「アメリカ仏教」になり、上座部仏教からインサイト・メディテーションとマインドフルネスが生まれる際には、仏教文化が「東洋の神秘」から、西洋的・アメリカ的なものに変化する過程が存在している。この過程で、涅槃を目的とする来世志向的側面は取り除かれて健康を目指す現世志向的なものとなり、師匠と弟子の絶対的関係や、女性の立場の低さは批判された。こうして、よりアメリカ的に見えるものが作り出されたのである。

瞑想が東洋的なものではなくなった末に、それは仏教でもなくなる。これが脱宗教化である。この点に関しては、カバットジンは意図的にマインドフルネスの仏教性を秘匿していたことがわかっている。彼は「マインドフルネスストレス低減法（MBSR）は仏法をどうにかして主流の環境に持ち込むための多数の方便の一つとして発展した」[*10]と述べているように元来は仏教的な技法を広めたいという目的があったが、プログラムを作り上げる際に仏教性を隠し、非宗教的な実践に見えるようにした。

　こうした仕掛けが功を奏し、マインドフルネスは米国で爆発的な広がりを見せた。宗教性を排除したゆえに、それは企業が従業員に勧めても問題ないものとなり、宗教教育が禁止される公立学校でも実践されうるものとなった。さらに「Ｚｅｎ」という言葉が辿ったのと同様、「Mindful」も日常語となり、マインドフルな食品や化粧品が販売されることとなった。

　試しにウォルマートの通販サイトでこの言葉を検索してみると、まず多数の本がヒットする。瞑想に関するものに加え、マインドフルな食事、人間関係、仕事、運動、子育てなど人生のあらゆる場面に対するガイドがあり、『マインドフルな出費』や『マインドフルなキリスト教徒』などというタイトルの本もある。後者は、マインドフルネスの考え方は宗教的なものではなく、他宗教とも両立が可能だということを示している。続いて多いのが健康・美容関係の商品で、マインドフルなスキンケア用品や、化粧品などが売られている。さらにインテリアや手芸用品もあり、「マインドフルなエプロン」「マインドフルな座布団」なども見つかる。こうした書籍以外の商品には、健康的、エコ、優しいなどのイメージがついていることがわかる。[*11]

## 日本におけるマインドフルネスの広がり

　この波はしばらくして日本にも到達した。興味深いことに、前述のカバットジンの著書は一九九三年に『生命力がよみがえる瞑想健康法』として刊行されていたが、その際にはさほど注目されず、同書は二〇〇七年に『マインドフルネスストレス低減法』に改題されて復刊している。それでもこの時期にはまだ、一般社会への浸透はなされていなかった。丹羽宣子の調査によると、日本の新聞・雑誌記事では二〇〇〇年に米国のマインドフルネスに言及するものがあるが、その後十数年間は増加の傾向は見られない。風向きが変わるのが二〇一五年で、この年から新聞や雑誌でも積極的に取り上げられるようになる。[*12] 学界の動向はこれに数年先行している。日本心理学会ではカバットジンの著作の翻訳者である春木豊らが二〇〇七年にワークショップを開いており、二〇一〇年代からは日本心理学会、日本行動療法学会などで毎年いくつもの発表が見られるようになる。また二〇一〇年に日本マインドフルライフ協会が、二〇一三年に日本マインドフルネス学会が設立されたことも、その普及を示しているといえるだろう。

　こうした日本での広がりに際しても、カバットジンらの仕掛け、すなわち脱文脈化と脱宗教化は効果的に働いたように思われる。前者に関しては、「念」ではなくマインドフルネスと呼ばれ、グーグルなどでの導入が強調されることによって、それは東洋的ではなく「アメリカ的」なものとして受け入れられたといえる。また後者については、とりわけ日本ではオウム真理教による一連の事件

＊10　Jon Kabat-Zinn, "Some Reflections on the Origins of MBSR, Skillful Means, and the Trouble with Maps", *Contemporary Buddhism*, Vol. 12, No. 1, 2011, p.281.

＊11　https://www.walmart.com/（2022年1月29日閲覧）

＊12　丹羽宣子「マインドフルネスの流行と日本仏教界」、宗教情報リサーチセンター編『日本における外来宗教の広がり：21世紀の展開を中心に』宗教情報リサーチセンター、2019年、155-164頁。

により、瞑想ひいては宗教一般に対して警戒心が広がっていたが、「『瞑想』と言うと日本では敬遠する人がいるけど、『マインドフルネス』という言葉になると、なんとなくいい感じがするのではないでしょうか」[*13]と言われているように、宗教性の秘匿によってそうした警戒を回避できたのである。

## マインドフルネスへの批判的見解

ここまで拡大を続けているマインドフルネスであるが、この風潮に対しては批判的な見方も存在する。以下ではマインドフルネスの功罪を考えるにあたってまず、それらの批判を見ていこう。

第一の指摘は、マインドフルネスの商品化に関するものである。前述のウィルソンはマインドフルの名を冠した商品の登場だけではなく、プログラムの商標化やブランド化が進んでいると指摘し、マインドフルネスは「根本的に、人々にお金を消費させ、他の手段では購入されないような製品を消費させるための道具」[*14]となっていると述べている。これに対しチベット仏教僧のチョギャム・トゥルンパは「スピリチュアルな物質主義」という言葉で批判し、エゴから脱するための実践が、かえってエゴを強化することになっていると述べている。[*16]また日本で活動する僧侶のネルケ無方も、「マクマインドフルネス」という言葉を取り上げ、マインドフルネスが人々の欲望を喚起する役割を果たしていると指摘する。[*16]

こうした指摘はアメリカ的な消費主義社会への批判でもあり、ある面では米国固有の問題ともいえるが、別の観点からの批判も持ち上がっている。米国でマインドフルネスの実践に携わっている大谷彰は、マインドフルネスには「ピュア・マインドフルネス」「臨床マインドフルネス」の二つのパラダイムが存在すると指摘している。[*17]前者は仏教的な視点であり、マインドフルネスも悟りに至るための教えの一つとみなしている。後者は実利的な視点であり、治療もしくは健康増進を目的としている。そしてこの二つは、必然的に衝突するものと言える。というのも、前者から後者を見ると、それは「現世利益」を求めて宗教的な修行を行っていることになるからである。上座部仏教の教えを論じた魚川祐司は「瞑想は役に立たない」とし、瞑想の「『効能』を説き、それが得られないとすれば瞑想のやり方が悪いのだと、あたかも瞑想が万能の処方箋であるかのようなことを言う人」[*18]は瞑想を誤解していると批判している。また曹洞宗僧侶の藤田一照は、仏教の八正道のうち「念」のみを重視するマインドフルネスに対して、現在の瞬間のことのみを重視し念の記憶的側面に触れないマインドフルネス概念は一面的であるうえ、倫理的な側面が考慮されていない点が問題だとして、念だけを独立して取り上げることのない新しいマインドフルネスを構築しなければならないと述べている。[*19]

ここでは二つの問題が指摘されている。前者は現世利益の問題であり、禅は「無功徳」だと言われているように、効能を求めて行うのは本来の実践ではないという視点が見られる。また後者は、宗教的実践から一部分のみを取り出すことが問題視されていると言える。藤田は倫理的側面が無視されていると指摘していたが、同様に米国でもマインドフルネスが個人の癒しや意識の改善のみを追求していることに対し批判が行われている。そこでは他者にも気を配るために社会全体のマインドフル化を目指さねばならないとされており、人種差別の撤廃やフェミニズム、環境保護といったリベラルな運動と結びついている。

これらの点には、ピュア・マインドフルネスと臨床マインドフルネスの姿勢の対立が表れている。前者は後者が効能を求めていることを批判するが、心理療法としては効能がなかったら治療にならないのであり、功徳なしとすることはできないだろう。さらにマインドフルネスは宗教性を取り除くことで広まったのだが、倫理的な側面への指摘では、再び集団化・宗教化しなければならないと言われているのである。大谷は「マインドフルネスは手段か、それとも人間としてのあり方か？」[*20]という問いを立てているが、それぞれの立場の目指すものが異なる以上、答えの出ない論争であろう。

## 宗教的身体技法とビジネスの関わり

こうした批判に加え、議論すべき点をさらに一つ取り上げたい。それはマインドフルネスとビジネスとの関わりから浮き彫りになるものである。そもそもマインドフルネスは、なぜそこまでビジネスの領域で注目されるのだろう。

その答えの一つは歴史的なものである。マインドフルネスを含めたアメリカ仏教の展開を振り返ってみると、それは常にアメリカ西海岸、とりわけカリフォルニアを中心に起こっていた。カリフォルニアはもっともアジア系の移民が多い州で、日系移民のための寺院が存在するゆえに、前述の鈴木俊隆も同地で活動していたのであった。上座部仏教についても同様である。同時に、ヒッピー文化やニューエイジもまさにサンフランシスコが中心であり、トランスパーソナル心理学の拠点も存在していた。そして周知のように、ハイテク企業が集まるシリコンバレーもカリフォルニアにあり、アップルやグーグルも創立当初から同州に本社を構えている。つまりこうした企業と、仏教やニューエイジは常に隣り合わせだったのである。カリフォルニア生まれのスティーブ・ジョブズの経歴はその典型と言え、彼がアップルを興しPCやスマートフォンを開発するとともに、インドへ旅し、禅僧の教えを受けたことは二つの要素の接点を如実に表している。他方でインサイト・メディテーション協会やカバットジンはマサチューセッツ州が拠点であるが、彼がMITで学んでいたように、やはり最先端の技術と瞑想が結びついている。

このように、とりわけ米国のIT企業と仏教やニューエイジとの繋がりが深いことがわかるが、

＊13 香山リカ『マインドフルネス最前線：瞑想する哲学者、仏教僧、宗教人類学者、医師を訪ねて探る、マインドフルネスとは何か?』サンガ、２０１５年、１０１頁。

＊14 Jeff Wilson, *Mindful America*, p.156.

＊15 Chögyam Trungpa, *Cutting through Spiritual Materialism*, Shambhala, 2002.

＊16 ネルケ無方「禅の立場から指摘する『マクマインドフルネス』の問題点」、蓑輪顕量監修『別冊サンガジャパン 3 マインドフルネス：仏教瞑想と近代科学が生み出す、心の科学の現在形』サンガ、２０１６年、３４２-３５５頁。

＊17 大谷彰「アメリカにおけるマインドフルネスの現状とその実践」、『精神療法』金剛出版、第42巻4号、２０１６年、31-38頁。

＊18 魚川祐司『仏教思想のゼロポイント：「悟り」とは何か』新潮社、２０１５年、67-68頁。

＊19 藤田一照「『日本のマインドフルネス』へ向かって」、『人間福祉学研究』関西学院大学人間福祉学部研究会、第7巻1号、２０１４年、13-27頁。

＊20 大谷彰「マインドフルネスの進化と真価：臨床パラダイムの知見から」、飯塚まり編著『進化するマインドフルネス：ウェルビーイングへと続く道』創元社、２０１８年、29頁。

ビジネスの領域全体に、より本質的に宗教的身体技法との結びつきがあることを次に指摘したい。話は一九六〇年代の日本に遡る。精神科医の平井富雄や心理学者の佐藤幸治はこの時期に「禅心理学」を提唱し、世界的に見ても先駆的な坐禅中の脳波測定を行った。佐藤はその成果を元に、禅には心理療法としての効果があるとして「禅の十徳」を説いたが、その中には意志が強くなる、能率が上がる、頭がよくなる、人格が整ってくるなどの効能が含まれている。彼は「禅における身心の調整が作業能率を高め、事故を減少させることも、むしろ当然である」[*21]として、経営者に対し企業での坐禅の導入を勧めている。

さらに時代は進んで一九八〇年代から九〇年代、バブル景気を背景に、企業では研修として社員の自己啓発セミナーの受講を推進していた。自己啓発セミナーは宗教とは異なると思われるかもしれないが、その源流はトランスパーソナル心理学と同様、ロジャーズらの人間性心理学およびヒューマン・ポテンシャル・ムーブメントにある。そこから生まれた「エンカウンター・グループ」と、ネットワークビジネスの販売員向けの研修が組み合わさって「ライフダイナミックス」などのセミナー会社が生まれた。そうした自己啓発セミナーに、コミュニケーション・対人能力、やる気の向上などの効果を期待して、企業から社員が送られていたのである。

こうした歴史を踏まえると、禅心理学、自己啓発セミナー、マインドフルネスはいずれも、宗教的身体技法を会社員に実践させることによって、能率の向上が図られていたことがわかる。そしてその問題点もまた共通である。ブライアン・ヴィクトリアは『禅と戦争』において、戦時中に挙国一致体制に沿うように行われていた皇道禅の手法が、戦後の企業において「規律、服従、上位者への忠誠という伝統的価値観を回復させるための手段」[*22]として用いられていたと指摘している。自己啓発セミナーにおいても、その中心にある「世界はあなたがどう見るかにかかっている」という価値観が、「職場の不満も人間関係の困難も、原因はすべて自分にある。そこをブレークスルー（突破）すれば、すべて解決するのだ」[*23]というメッセージとなり、従業員の搾取に繋がることが懸念されている。

もちろん、ここに挙げた中でも臨床心理士や精神科医など専門家の手によるものはそれを支える訓練と責任が存在し、無資格の実践とは大きな違いがあるが、それでもこうした技法には共通の要素もある。『セラピー文化の社会学』を著した小池靖は、宗教、心理療法、自己啓発セミナーなどはいずれも、成員を物理的、社会的、イデオロギー的に外部から遮断し、新たなグループとの密接な相互作用のもとに置くことで、アイデンティティの変容を促す「アイデンティティ変容組織」である点で共通するという見方を伝えている。[*24]ここでは身体のコントロールを行うことによって、心のコントロールも進んでいると言え、それが極端な用いられ方をした場合には、さまざまな問題に繋がりうるものである。

## マインドフルネスの可能性

このような批判や懸念は存在するにせよ、それでもマインドフルネスには注目に値するだけの、大いに革新的な要素が含まれている。次にそうした点について論じてみよう。

第一に、マインドフルネスの登場は、心理学および心理療法の領域に東洋的身体技法への注目をもたらすことによって、これらの領域を変えうるものである。前述のように、これまで米国では禅やニューエイジの要素が心理学に取り入れられていたが、それらはあくまで周縁的なものに留まっていた。それに対しマインドフルネスの普及は、より主流の心理学にこうした技法が受け入れられていることを示している。同じく第三世代の認知行動療法とされる「弁証法的行動療法」や、「アクセプタンス&コミットメントセラピー」にもマインドフルネスの考えが取り入れられており、宗教的身体技法や思想を参考にすることはより当たり前のこととなっている。また心理学一般についても、米国の宗教心理学の分野では、宗教が精神的健康の改善に役立つという研究が近年増えてきている。

第二に、宗教の側もまた変化している。西洋ではしばしば、仏教は宗教ではなく、むしろ心理学に近いものであると言われる。ダライ・ラマ十四世は仏教の心についての教えを「仏教の心理学」と呼び、西洋の心理学との共通性を指摘しているし、日本でテーラワーダ仏教（上座部仏教）を広めているアルボムッレ・スマナサーラは「仏教は時間の経過とともに宗教化が進んだのですが、現在でもテーラワーダ仏教はいわゆる宗教とはずいぶん違います。宗教というより、むしろ科学というほうがしっくりきます」[*25]と述べている。もちろん、アジアで実践されている仏教に宗教的要素がないわけではなく、間違いなく宗教と呼べるものなのであるが、重要なのは西洋ではそのような非宗教的な仏教の表象が好まれるという点である。また実際に、「心の科学としての仏教」では科学との親和性が強調され、瞑想中の脳状態を測定する実験が行われるなどして、多くの研究成果を生んでいる。このような研究協力は、宗教自体の解明にも貢献するものである。

加えて、ビジネス領域においても宗教的身体技法の導入は新たな展開を見せている。前述のように日本の企業における宗教的身体技法の実践は、どうしても「ストレスを感じず、特に疑問を持たずに働き続ける従業員」を生む方向に向かいやすいが、米国ではまた別の価値を生み出しうる点が強調されている。経営学の分野では近年、「職場のスピリチュアリティ」に注目が集まっている。これは企業文化あるいは企業倫理として、組織および働く個人がスピリチュアルになることを推進すれば、働く人の幸福感の向上、働く意味や意義の獲得、働く場への帰属感の向上などの効果が得られ、企業パフォーマンスの向上に繋がるという

＊21 佐藤幸治『心理禅：東洋の知恵と西洋の科学』創元社、1961年、48頁。

＊22 Brian Daizen Victoria, *Zen at War*, Second edition, Rowman & Littlefield, 2006, p.182.

＊23 柿田睦夫『自己啓発セミナー：「こころの商品化」の最前線』新日本出版社、1999年、176頁。

＊24 小池靖『セラピー文化の社会学：ネットワークビジネス・自己啓発・トラウマ』勁草書房、2007年、59頁。

＊25 アルボムッレ・スマナサーラ『仏教は心の科学』宝島社、2008年、246頁。

見方である。その際のスピリチュアリティとは、「自己超越（自分が他の人々、考え、自然、あるいはある種の高次の力と繋がっているという信念）」、「全体性と調和（自己のさまざまな側面を統合して、首尾一貫した共生的な自己の概念にすること）」、「成長（自己実現を達成するために、自分が何になろうとしているのか、何をすべきなのかを明確に認識すること）」という要素が含まれている。これらの性質を高めるための実践として、マインドフルネスやヨーガ、太極拳などが挙げられている。ここでは必ずしもストレス低減に重点が置かれず、従業員のモチベーションの向上や企業の社会的責任（ＣＳＲ）を果たすことが目指されている。[*26]

## おわりに

　本稿では、身体技法としてのマインドフルネスの誕生に至るまでの歴史と、その応用可能性について見てきた。最後に再び、心と身体の関係性について考えてみよう。これまで見てきたものはいずれも、心を変容させるにはまず身体を操作すべきという、身体の心に対する優位の立場を示しており、その点では身体の重要性を強調するものといえる。しかし一方で、心に関するものが登場する場面もしばしばあった。マインドフルネスは何より心構えであり、瞑想もそのマインドフルネスを目指して行われるものである。禅ブームも同様で、坐禅という実践以上に、禅という心構えに共感が持たれたゆえに、さまざまな商品にこの名がつけられることになった。そのように考えると、心と身体のどちらが先にあってもう一方を変化させるのかは曖昧であり、両者の関係性はより複雑なものだということがわかる。

　身体と心は切り離せないものだとしても、マインドフルネスはその両者について変革をもたらすものであり、その可能性にはますます注目が集まっている。ではここから、マインドフルネスをはじめとする東洋的・宗教的身体観もまた、見直されてきていると言えるだろうか。確かに禅ブームやニューエイジにはそのような側面があるが、マインドフルネスの普及の際には、東洋性と宗教性を取り除く過程が存在していたことを思い出してもらいたい。単純に東洋的・宗教的なものではなく、それらと西洋的・心理学的要素が複合し、新たな形態へと変化したのがマインドフルネスなのである。

　本稿ではマインドフルネス誕生の過程を振り返ることで、この変化が突発的に起きたのではなく、禅ブームやトランスパーソナル心理学などを経由して、少しずつ進んでいたことを示した。この変化はゆっくりではあるが、着実にある方向に向かっており、それが今の時代の特徴を表していると言える。その一つは、宗教的なものがより意識されない形で、姿を変えて存続していることである。マインドフルネスにおいても職場のスピリチュアリティにおいても、組織的な宗教とは異なるものの、宗教的要素の含まれるものが改めて注目されている。これは、米国で近年になって世俗化ないし無宗教化が目立っていることとも関係しており、ギャラップ社の世論調査によると、教会、シナゴーグ、モスクなどの宗教組織に所属するアメリカ人の割合が、二〇二〇年に初めて半数を下回っている。[*27] そのような社会において、宗教性はより水面下に隠れ、意識されずに影響を及ぼすものとなっているのである。これは、米国が日本の状況に近づいているとも言えるだろう。

もう一つの変化は、宗教とテクノロジーの接近である。科学と宗教の対立という旧来のイメージにもかかわらず、両者が混ざり合う例はますます増えている。日本のロボットづくりやアニメないしゲームのキャラクターの創造には最新のテクノロジーと精霊崇拝的な精神性が結びついた「テクノ・アニミズム」が寄与しているという言説も、近年注目を集めている。[*28] とりわけ仏教とテクノロジーの関わりは深く、日本でもアンドロイド観音が造られたり、宇宙寺院の計画が進められたりしている。最新の神経科学や心理学の技術を取り入れたマインドフルネスもこの傾向を示すものであり、宗教的技法とテクノロジーの融合は、今後ますます進むものと思われる。

こうした点を踏まえれば、マインドフルネスが生まれ、広まっていったという出来事のもつ意味や革新性についても十分に理解できるだろう。

＊26 Paul Tracey, "Religion and Organization: A Critical Review of Current Trends and Future Directions", *The Academy of Management Annals*, Vol. 6, No. 1, 2012, pp.87-134.

＊27 https://news.gallup.com/poll/341963/church-membership-falls-below-majority-first-time.aspx（２０２２年1月29日閲覧）

＊28 アン・アリスン著、実川元子訳『菊とポケモン：グローバル化する日本の文化力』新潮社、２０１０年。

論考

# 凡庸な服は、いかに捉え得るか？

## 私的な身体技法をめぐる試論的考察

藤嶋陽子

### 凡庸さを捉える術を模索する

どんなに生活スタイルが変わっても、私たちは服を着る。服というものは常に私たちの生活のなかに存在して、たとえファッションに興味がないと言う人がいても、それは裸で暮らしているということを意味するわけではない。積極的に流行を追い求めて服を買うわけではなくても、みな何かしらの服を纏い、その服は何かしらの理由で購入して、何かしらの理由で今日、袖を通すことを決めたものだ。それでも服を選ぶということはなぜか、積極的な興味関心に基づいて為されなければ、行為として意識されない、透明なものとなってしまう。あるとき、大学で授業をした際に服の選び方を聞いてみたことがある。印象的な回答として、「必ずInstagramに投稿する友達と遊ぶときは、そのことを意識して服を選ぶ。それ以外のときは、適当に楽なスウェット」というものがあった。こういう行為を論じる場合、大半は前者のInstagramの投稿と紐づいたコーディネートに焦点を当てるだろう。そちらが公開の場で他者と共有されるものとなり、当人にも選んだ意図があるからだ。一方で、後者は当人も「適当な」と表現するように極めて捉え難いものだ。しかしながら、実際の着用回数が多いのは適当なスウェットの方で、行為として明確に意識されない領域に追いやられていても生活のなかで割と重要なものであったりもする。

このように、凡庸な衣服との関係性を記述することは難しい。また、凡庸なスタイルというのも同様だ。もしかすると、「ファッション」という枠組みで捉えること自体から見直さなければならないのかもしれない。実際にファッションをめぐ

**藤嶋陽子**（ふじしま・ようこ）東京大学学際情報学府博士課程、理化学研究所革新知能統合研究センター（AIP）研究パートタイマー。専門はファッション研究。おもなテーマはファッションとメディア、日本のファッション産業史、ファッション領域でのテクノロジー論。共著に『ソーシャルメディア・スタディーズ』（北樹出版、2021年）など、共訳にアニェス・ロカモラ&アネケ・スメリク編『ファッションと哲学』（フィルムアート社、2018年）などがある。

る記述においては、服装を通じた社会への抵抗、ブランド品の購入を通じた自己実現、特定の都市文化と結びついたスタイルといった特徴的な部分が切り取られる一方で、その裏で毎日、多くの人が積み重ねている「なんとなく適当な」衣服との関わりというのは、あまり光の当たらない部分となる。もしくは、スタイルが均質化してファッションへの関心が低下しているだとか、周りと同じことに安心感を抱くだとか、ほんのりと批判的なニュアンスを含みつつ考察されることも多い。けれども、日常的な衣服の着用実践を「ファッション」ではないとしてしまうことは極めて限定的で、日常生活に根付いた衣服というモノが提示する論点の豊かさを見落としてしまうように思える。とりわけECサイトやファストファッションの影響によって、ファッションが均質化したとも言われる現代においては、これまで「ファッション」として中心的に捉えてきた実践からは、こぼれ落ちてしまうものが多くなってしまうのではないだろうか。

今、多くのクローゼットにはたくさんのシンプルなスウェットやノーブランドのスカートが詰まっている。私たちは誰もみていない自分の部屋でも服を着て過ごし、たとえ誰にもみせない服でも自分のために一着を選ぶ。服を選ぶこと／纏うことは他者とのインターフェースを考える行為であると同時に、自分の身体と対峙する私的な実践でもあるはずだ。SNSで何を「みせている」のかを問う一方で、意識されない、「みせる」意識のない日常的な衣服との関わり。こうした実践に着目しながら、「ファッション」には興味がない、ブランドにはあまり縁がない、そう口にする人々が纏っている衣服を捉える術を考えてみたいと思う。

## 衣服に託されていた、自己表現

服装というものは自己を表現するものという風に捉えられ、特に1980年代の消費社会論において、記号の差異化を通じた欲望の生成をめぐる議論が展開されてきた。この時代に衣服やファッションをめぐる代表的な論者であった鷲田清一は『ひとはなぜ服を着るのか』のなかで以下のように述べている。

> ファッションはしかし、他のひとびととの距離感覚でもあるから——同じ趣味のひとに出会うのはうれしいものだが、細部までまったく一緒というのは逆にもっともさけたいことである——、ひとは他人との微妙な差異にひどくこだわる。感受性の固有のスタイルこそ、ひとが他のだれでもないそのひとであるために不可欠のものだからだ。こうしてスタイルの差異を記号として他者たちにたえず発信していないと不安になる。じぶんになりえないような気分になる。*1

*1　鷲田清一『ひとはなぜ服を着るのか（文庫版）』筑摩書房、2012、257頁

単にファッションが他者との違いを提示するための手段となり得るというだけでなく、そうすべきもの、そうしないと不安を感じてしまうもの、そのように捉えられていたことがわかる。ファッション研究者の井上雅人も、こうした鷲田の議論に対し「日本の社会の人々は、みな他人と違っていたいと思っていると、素朴に信じていることが伝わってくる」[*2]と評し、異なる角度から現代のファッションを捉えていく必要性を提示している。

　このように服装の選択に積極性があることを前提とする捉え方が、「ファッションなんて、自分には無関係だ」と距離を置く態度の根底にあるのではないだろうか。つまり、自分自身の服装が他者からみられること、そこから自分自身について推測をめぐらされることの怖さのようなものだ。凡庸さというのは、時として否定的なものとなる。街や職場で同じ服を着た人と遭遇し、恥ずかしい、気まずいと感じた経験はないだろうか。同じ服を纏う人が多いということは、それだけ多くの人にとって素敵な服や使いやすい服であったことを意味するはずなのに、時としてネガティブなものとなってしまう。このことは同時に、他人の服装への捉え方に滲み出ている場合もあるだろう。2015年にTwitter上にて、海外ユーザーが日本の女子大生の集合写真とキノコのシメジの株の写真を並べて「Japanese girls party be like」と投稿し、数万件のリツイートがされた。日本国内でも、茶色く染めたロングヘアにミニ丈のワンピースといった女性たちのスタイルの類似性に、「個性がない」と揶揄するような声がインターネット上で見受けられた。このように、私たちは似通ったファッションスタイルを否定的に捉え、内面も含めて自我がないかのような言い方をする。これは今、モノだけではなく、体験（コト）にも同様のことが生じていると言えるだろう。Instagramで話題のパンケーキ屋に並ぶ人々を笑ったり、TikTokでナチョステーブルを楽しむ高校生を貶めるようなコメントが書かれたりと、人は他人の流行りへの態度に厳しい。そういった流行への厳しい視点が自分にも埋め込まれているからこそ、自分自身にも恥ずかしさや怖さを背負ってしまうのだろう。だからこそ、「ファッションに興味がない」という態度は、ある種の防衛手段になるのだ。

　しかしながら、流行がどんなに嘲笑の対象となっても、絶えず流行は生み出され、人々を惹きつける。とりわけファッションアイテムを売る側にとっては、ビジネスサイクルを駆動する核だ。食べものとは異なり、衣服は一度買うとデザインを問わなければ、また劣化を気にしなければ、何年も使いつづけることができるもの。自らの身体で消化することはできず、使いきるということも難しい。それでも何か新しいものが求められなければ、ビジネスとして存続していくことは不可能だ。ましてや今日、一着の服は一杯のタピオカドリンクよりも安く買える場合もある。だからこそ、ファッションは価値観のすり替えを繰り返してモノを売りつづける。今はこのデザインが最先端、そのブランドはもう古いといった具合に。そして、この服はもっとあなたを素敵にすると期待を抱かせる。こういった差異をめぐるゲームから逃れる術のひとつとして登場したのが、2000年代初頭に登場したノームコアだった。「通常」を意味する normal と「強硬さ」を意味する hardcore から成る造語のノームコアは、個性的であることを過剰に強いたうえで、それもまた新たな流行として売り出していくマーケットへの対抗手段として、見た目による記号的な区別を拒み、規範やカテゴライズから逃れた自由さを追求する態度であった。しかしながら結局、ファストファッションの広まりと相まって、こういったノームコアすらもシンプルなスタイリングの流行として——それが当初のノームコアの本質と異なるとしても——消費してしまうところに、ファッションの図太さがある。ノームコアだけではない、カウンターカルチャーも、エシカルもサステナビリティも、同様の危うさを抱えている。

## 情報ネットワークのなかでの衣服のみせ方

こういったシンプルな服装が定着したことで——より正確に言えば、シンプルでカジュアルな服装もスタイルのひとつとして受け入れられたことで、ファッションは極めて捉え難いものとなった。かつてのような○○系とカテゴライズできるような強烈なスタイルや、特定の雑誌や都市と結びついたジャンルのようなものが見出しにくく、従来は批判的な意味もあった「量産型」という言葉が、ひとつのジャンルに掲げられているような状態だ。そういった状況のなかで、自分のファッションを「みせる」という実践はどのようなものとなっているのだろうか。

今日のSNSにおいてはファッションに関する投稿も非常に多く為されているものの、それは一部のファッション系インフルエンサーやファッションに特化したアカウントが中心で、私生活全般を投稿する一般的なユーザーは何を食べたか、誰と、どこに行ったかといった食や旅行などに関する投稿が多い。これに対し、大学生の Instagram 投稿に着目した渡辺明日香は、「ファッションに代わり、ライフスタイルの総体としての自己表現が、よりシェアしやすく、リアリティをもって共有されている」[*3]と分析している。昨今ではSNSによって体験も共有することが可能となったことで、体験を主軸とする「コト消費」と呼ばれる消費傾向が広まったとも言われている。このように多様なトピックを他者にみせることが可能となった状況で、ファッションという対象はセンスやスタイルへの自信が必要なものであり、投稿のハードルが高いのであろう。もちろん、だからといって服をみせないわけではない。カフェやテーマパークに行った写真にも、自分自身が写っている限りは必ず衣服も写り込んでいる。衣服は体験の一部分として組み込まれているわけだ。

＊2　井上雅人『ファッションの哲学』ミネルヴァ書房、2019、110頁

＊3　渡辺明日香『NHK　こころをよむ：時代をまとうファッション』NHK出版、2020、144頁

一方で、SNS上に存在するファッションに特化した投稿をするアカウントを観察してみると、彼ら彼女らの投稿は自らのスタイルを披露するというよりも、ノウハウの共有に軸を置いたものが多いことが特徴的だ。ユニクロやGUといった手頃な衣服に関する情報を中心に、着回しの利くアイテムの紹介、こなれて見えるコーディネートといった実用的な情報を発信している。K-POPアイドルや俳優といったセレブと呼ばれる人々がハイブランドのアイテムを投稿する一方で、ファッションインフルエンサーは一般の人々の日常的なファッションの手本となっているのだ。[*4] こういった投稿の主体は多様だが、「読者モデル」と呼ばれる人々や大学生、主婦といった一般人と括られる人たちも多い。そして自らの属性を活かして、子供と公園に行くのに最適なアウター、通勤や通学におすすめのバッグといった等身大の情報を発信している。それに加えて、SNSのアーキテクチャがこういった情報共有を支えている側面もあるだろう。「#ママコーデ」、「#大学生ファッション」、「#160cmコーデ」といったようなハッシュタグを活用することで、同じ属性のユーザーが結びつくことが容易になり、こういったハッシュタグやアカウントのタグ付けなどを辿り、実際に手にとって見ることのできないネット通販の商品の品質やサイズ感の確認も行われている。誰もが情報発信することが可能となって手頃な衣服の情報が増え、また検索やいいねといったアクションが繰り返されることで、アルゴリズムによるリコメンデーションにより他のユーザーの目にも触れやすくなる。その結果、手頃な衣服をめぐる情報共有の比重がさらに高まるというわけだ。

　スタイルの提示よりも実用的な情報を投稿するユーザーは、ファッションを自己表現として楽しんではいないのだろうか。むしろ、こういったアカウントを運営するほどにファッションが好きで、生活のなかで大切にしているのだろう。ただ、SNS上では自分の個性を出すことよりも、多くの人に真似しやすい情報発信をすることでフォロワーを獲得しているインフルエンサーも多い。特に男性のファッションインフルエンサーを中心に、顔の印象がコーディネート情報に影響を与えないよう画角から外したり、加工して隠す「顔切り」と呼ばれる写真を投稿したりするユーザーも多く存在する。当初は顔も写していたユーザーでも、「顔切り」を取り入れるようになることもあるという。[*5] SNSという場で求められる形式に合わせ、凡庸であることがフォロワーを得るひとつの鍵となっているわけだ。凡庸な人気者たちは数多くのフォロワーから「みられる」存在であるが、彼らの発信は自分のスタイルを「みせる」ことかというと、従来の自己表現としてファッションを「みせる」行為とは異なる性質にあるのではないだろうか。

## 服に、願いを。

自分の衣服に関する情報を積極的に発信するインフルエンサーたちに対して、そういった情報に触れながら服を選び、服を纏う私たちの実践は、どのように考えることができるのだろうか。

SNSにおいては自分と似た体型や属性のユーザーの投稿画像を眺めて服の情報を得るわけだが、今日ではECサイトでも同様の体験がもたらされている。モノとしての商品そのものよりも、その衣服を纏ったときのイメージを強調するような写真を中心に置くファッションECサイトが特に韓国系通販サイトなどを中心にして増えており、まるでSNS上の投稿のような写真が商品紹介として掲載されている。[*6] 服に合う雰囲気のカフェや家で、まるで友達や自ら撮影したかのようなものだ。これらを見ながら服選びをするということは、その服を纏ったときに自分はどのような姿になるかという想像を掻き立てることにもなるだろう。SNSにおいても、ECサイトにおいても、他人が「みられている」姿を通じて、自分が「みられる」ことを想像しながら服を選んでいるわけだ。

それでも、誰もがインフルエンサーになりたいわけではない。「みられる」ことを強く意識する環境下にあるからといって、「みせる」という自己提示の実践と直結しているのかというと、そうではないだろう。SNSという舞台が用意されたことでみせる自分/みせない自分の線引き、投稿するもの/しないものの線引きがそれぞれにある。他者からは「みせている」のと変わらないようであっても、自分のなかでは「みせている」積極的な意図がない場合もあるだろう。「みられる」対象である一方で、必ずしも「みせる」対象ではない。このことが、今日の私たちにとっての衣服というものを考えるうえで示唆を与えてくれるように思う。そもそも、どんな衣服を手にするか、纏うかという選択は私的な行為でもある。同じような服ばかり買っているように見えても、それでも欲しくなる。他人からみて大して変わらないものであるかもしれない、わかりやすい違いなどないのかもしれない、それでも新しい服を手にしてしまう、それは服というものに自らの期待が託されているからではないだろうか。

私たちは生活のなかで、短時間しか裸にはならない。だからこそ、衣服を纏った身体こそが自分そのものとなり、見た目も中身も、衣服は望む自分自身を装うことを「装う」ことを通じて手助けしてくれるものでもある。私自身の思春期を振り返ると、何かに特化した才能もない自分の凡庸さが怖くなり、「変わった人」だと思われたくてロリータからパンクスといった周囲では見かけない奇抜なファッションに手を出していた。この場合は、他者からどうみられたいかという願望だ。だが、衣服に込める願いは必ずしも他人からのまなざしを前提としたものだけではない。自分を鼓舞するために華やかな服、自分だけのジンクスとしての験担ぎのアイテムもあるだろう。もしくは、体型のコンプレックスのある部分を「細見え」させてくれることを期待して服を選ぶこともある。

*4 藤嶋陽子「着こなしの手本を示す:読者モデルからインフルエンサーへ」岡本健・松井広志(編)『ポスト情報メディア論』ナカニシヤ出版、2018、107-120頁

*5 こういったユーザー実践に関しては、詳しくは以下を参照。藤嶋陽子「偏在する『人気者(アイドル)』たち—男性インフルエンサーの凡庸さをめぐる試論的考察」『ユリイカ 令和元年十一月増刊号:総特集 日本の男性アイドル』青土社、2019、293-300頁

*6 こういった手法が取り入れられている背景としては、SNS映えを意識した購入というのもひとつの要因であるかもしれないが、他方で売られている衣服は非常に安価なものが多く、細部をみると値段なりの部分があることも多いため、雰囲気の良さでモノの質をカバーしているという狙いもあると考えられる。

ここでは間接的に他者が意識されているものの、この段階では実際にどうみられるかということよりも、自分自身が自らのコンプレックスを少しでも受け止めるためのものとなっている。容易には変え難い自分という存在を受け入れる手段のひとつとなっているわけだ。衣服には数多の願いが込められている。衣服は手軽に、わかりやすく、自己像への願いを叶えてくれる――と、少なくとも購入時には思わせてくれる手段だ。私たちは服を選ぶとき、単にモノを手にしようとしているだけではなく、自分の可能性を手に入れようとしているとも言えるだろう。まだ見ぬ、まだ得ぬ、私。だからこそ、他人からみてどれだけ手持ちの服と似ているものでも、その人にとって新たな可能性を導くものであれば手にする意味のあるものとなるわけだ。これは見た目だけではない。肌に触れる感触、洗濯のしやすさ、そうしたものが自分にもたらすことを期待して手にしている。そこに込められた願いを他人と相対化することはできず、この強度はあくまで自分の身体や自分の生活への意識のなかで決まるものだ。それゆえ、服を選ぶ、身につけるという実践は、他者から「みられる」自分に想像を巡らせながらも、極めて私的な領域での実践と位置づけられるのではないだろうか。

## 生活の細部を彩る身体技法

過剰なほど情報が行き交う世界のなかで、誰かにみせるほどのものではないと自分の手元に取り置くような選択。それは自分ですらも意識の遠くにある実践となってしまっているが、それを紐解いていくと何かしらの自分のこだわりを見出せるかもしれない。そもそも、他人からみると「こだわりのない」とみえてしまう選択でも、あるいは、自分自身でも「適当に選んでいる」とエクスキューズしてしまう自らの衣服も、数多あるモノのなかから選び出した一枚の服だ。俯瞰的にみれば「画一的」と一括りにされてしまいがちなものであっても、ひとつひとつのモノとしてみたときには、ひとつひとつ別々のモノ。たとえ凡庸であっても、他人からみえづらいレイヤーでは何かしら自分なりの考えが働いている。たとえば自分の肌の色と合いそうな色、自分の肌に触れて心地よい素材、自分の体型と合う丈や幅やシルエット、そういった条件や何となく抱いている嗜好から判断をしているものだろう。衣服は纏って人前に立つもので、色々な人から好き放題言われる可能性があるものだが、他者とのインターフェースというだけではなく、思うようにはいかない自分の身体というものを自分自身が受け止めるためのメディアである。衣服を選ぶとき、私たちは自分の身体のことを想い、自分の身体と向き合っている。

だからこそ、衣服を過剰に抱え込み、苦しむこともある。世界中で人気となったNetflixの片づけコンサルタントの近藤麻里恵さんの番組「KonMari～人生がときめく片づけの魔法～」でも、相談者が住居にどんな問題を抱えているかよりもむしろ、家族や仕事といった人生全般にどんな問題を抱えているかがフォーカスされ、抱えすぎたモノを手放すことが人生を切り替えることのように描かれている。そのなかでも特に衣服は抱えすぎている人が多く、こんまり流では最初に「断捨離」に着手する対象となる。サイズアウトした服、今のライフステージにそぐわない服、そういった服でも痩せたら着られるかもしれない、思い出があって捨てることはできないとクローゼットに詰め込まれていることが多い。それを手放す作業はまるでセラピーで、時に涙しながら処分していく姿が印象的であった。「ときめく服だけを残す」という判断基準は、その衣服の購入のときに想いを巡らせた衣服がもたらす自分の可能性を、今でも感じることができるかを確認するような作業なのかもしれない。

日々、積み重ねている凡庸な選択。しかも今日では、ファストファッションやECサイトの普及によって衣服の単価は下がり、衣服を買うことは手軽な行為となって、その頻度は増す一方だ。買い物を繰り返した先に消化しきれなかった願いが物質としても可視化され、物理的にも精神的にも自分を圧迫するのだ。逃れられない自分の身体、きっと悩みは次々と出てくる。なりたい自分、好ましいものは次々と変化していく。だからこそ、今、手元にあるモノを見直してみること。次に衣服を選ぶときに、自分が何を大切にして選んでいるかを少しでも意識してみること。そういった試みを通じてモノと関係性を築き上げることに成功すれば、どんなに凡庸なものであっても、自分の生活に彩を加えてくれるものとなるのではないだろうか。単調な日々の連続でも、肌に触れる布地の質感、視界に映り込むシャツにパンツ、靴下の色といった違いが、自分が昨日とは違う今日を生きていることの証となる。それは黒色から紺色くらいの微細なものだとしても、何かしらの変化を持ち込むわけだ。他人からみたらつまらない、もしくはみえすらしないものでも、自らがこの身体とともに日々を生きていくために、生活の細部を表現するための身体技法。そんな風に衣服のことを捉え直してみると、日々を手触りのあるものとしていけるのかもしれない。

自分自身の日々の生活を改めて考えてみると、生活を自律的なものとすることの大切さを実感したのはコロナ禍でのことであった。家から出ない生活となり、リモート会議がなければパジャマから着替えることすらやめてしまう、そんな生活を送っていたのは私だけではないだろう。なんとなく仕事を始め、なんとなくご飯を食べ、なんとなく毎日が過ぎていく。生活をするという体感が薄れ、自分の意思がそこにないようで鬱々としてきたように思う。そんななかでモノが自分に与える影響の大きさを再認識させてくれたのが、新しく買い足した三足千円のルームソックスだった。モノとしては大したことないものであるし、自分の服装やイメージを大きく変えるわけではない。ただ、自分のために何かを買い求め、眺めるだけではなく着替えて身につける、そんな行為が細やかながら自分を満たしてくれた。身につける瞬間に、

「やっぱり買って良かったな」とか、「これ、かわいいな」と思い返すことが、自分の生活の細部を彩り、理想とするような部屋着まで素敵な自分とまでいかなくとも、微細な喜びの大切さを実感した出来事だった。私たちは日々の生活のなかで、無意識にモノと繋がっていく。初めにすごく気に入ったモノ、着ているうちに幸せな思い出が重ねられたモノ、毎日身につけて心地よさや安心感を感じるモノ。それぞれのモノと自分の間には様々な関係性が築かれていて、機能、見た目、そして個人的な思い出、そういった自分にとっての意味をなんとなく感じながら日々を過ごしていく。こういった自分とモノとの関係は、値段でもなく、値段でもあり、デザインの良し悪しでもなく、デザインの良し悪しでもあるだろう。上質なモノ、素敵なデザインのモノを買うことは、誰にみせるというわけではなくても自分のために投資したと幸せを感じるし、たとえ安くても、ダサくても、そこに自分の思い出が重ねられていれば、自分にとって特別なモノとなる。社会的に共有された意味ではなく、自分のなかの意味や価値が付与されたモノ。それは生活のなかで形づくられていくモノなのだ。

　自分の生活をいかに積み重ねていくか、他者に語るものでなく自分の身体感覚のレベルでの実践として、どのようなものが心地良いのか、心躍るのか。情報ネットワークと絶えず繋がり、過剰なもの、目を惹く表現に取り囲まれ、イメージに溺れてしまいそうな今日だからこそ、生活の細部を自律的に表現するための技法として衣服を捉え直すことに意味があるのだと思う。素材でも、色でも、もしくは何となくニュースでみた搾取構造が批判されているブランドをこっそり控えてみることでもいい。自己表現やこだわりというと仰々しくなってしまうが、それをSNSで公表したり、他人に開示したり、矛盾のないよう徹底するまで行かなくても良い。凡庸であるからこそ、評価獲得のゲームとは異なる私的な領域で行う、自分だけの身体や身体を通じた社会との関わりを探るマイクロな実践としていけるのではないだろうか。

## 公私の領域を架橋する衣服

　積極的に「みせる」必要はないと言ったが、それでも望むのであれば他者とも共有可能であるのが衣服だ。みせてみたいこだわりもあれば、まだ自分だけで留めておきたい、みせたくないこだわりもあるだろう。公私の領域を軽やかに行き来できること、それが服というものの面白さでもある。もし手にした服がとても気に入ったら、そのまま街に出てみてもいい。食事をするときに写真に映り込ませてもいい。友達におすすめしてもいい。結果的に誰にも実際に「みせる」ことをしなくても、このように「みせる」ことも自分次第では可能であるという点が、衣服に込める願いや期待をより切実で、より楽しく、より意味のあるものにしてくれる。もし誰かに褒められたら、そんなには気に入っていなかった服でも、その日から自分にとって特別なものになることもある。

　コロナ禍での誰にも会えない生活のなかでは、どういった服を選ぶか／着るかといった問題と直面した。衣服を購入する頻度が減った人もいるであろうが、それでも何かしらの新しい服を買っていたという人も少なくないだろう。ワンマイルウェアやラウンジウェアといった着心地を重視した商品も多く登場して、当然ながら生活習慣の変化に応じて服を選ぶ基準に変化はあったが、それでも自分の新たな生活、そこでの自分の身体の在り方を頭のなかで描きながら身に纏うものを日々決めていた。部屋のなかでの単調な生活を強いられたからこそ、その生活を楽しむため、より一層こうした選択が重要であった。自分の生活を自分のなかで彩るために、その細部を自らの手の内に置くための選択。そういった日常生活における身体技法としての衣服の選択／着用の大切さを、改めて感じた人は少なくないだろう。その反面で私は、やはり素敵な服を着て街を歩きたいとも思った。特定の誰かにみてもらいたいというのではなく、街の風景のなかに素敵な服を纏った自分が溶け込むだけでいい。街を歩く自分の姿を自分自身で直接見ることはできないのだけれど、それでもなぜか街が素敵に見えてくる。そんな私的な領域と公的な空間を自分のなかで繋ぎ合わせるような感覚が恋しくなったのだ。自分の意識のなかで生活を彩ることを、部屋のなかだけではなく、街でも行えたらと。

　ここに書き記したような実践を日々、どれほど意識できるかは、それぞれに異なることだろう。やっぱり自分は服など興味がなく、適当に選んでいるとしか思えないという人もいるかもしれない。また、日々の生活のなかでモノの使用回数が増えていくほど、そのモノに重ねていたことを忘れてしまうこともある。それでも今この瞬間も、明日も、服を着る。その服を買ったときに考えたことや、今日クローゼットから選びだしたときのことを少しでも考えてみてほしい。それだけできっと、日々の生活のなかでのモノとの関わり方や捉え方が変わってくるだろう。モノをつくりつづけることの責任や、新たなモノを買うことの意味が大きく問われている今日において、そんな凡庸な実践の積み重ねに目をむけることが、私たちのモノとの関わり方の向かうべき方向を考える足場を築いてくれると期待したい。

対談

# 「もうひとつの眼」と「もうひとつの身体」はどう出会ったか

飯田将茂×最上和子

司会＝宇野常寛
構成＝目黒智子・中川大地

**舞踏家・最上和子の身体の内奥からの表現に対して、映像作家・飯田将茂がアプローチするという試みが、プラネタリウムなどでの上映に特化したドーム映像作品『HIRUKO』（2019年）、およびそこに人形作家・井桁裕子が手掛けた球体関節人形とのコラボレーションを加えた『double（ドゥーブル）』（2020年）の2作品を通じて行われてきた。**

**その最新の試みとして、2021年11月、人形とともに踊る最上の舞踏を、飯田のカメラが追って生収録する場にライブで観客を立ち会わせる『もうひとつの眼／もうひとつの身体』が上演。**

**前2作とは異なり、人形とともに踊る最上の舞踏を、飯田のカメラが追って生収録する場に、観客をライブで立ち会わせるというスタイルで上演された。**

**現代における「儀礼」の再生を企図したという「眼」と「身体」の衝突から読み取れるものとは？ 両者の共創のあゆみと展望を辿る。**

## 『もうひとつの眼／もうひとつの身体』が目指したもの

――『もうひとつの眼／もうひとつの身体』の収録……という表現が適しているかどうかわからないのですが、あの日の「儀礼」の場に僕も参入させていただいていて、正直に述べるととても刺激的な体験でした。最上さんと飯田さんのコンビはこの数年、舞踏という本来映像表現と必ずしも相性の良くない素材を用いる「からこそ」可能な映像作品を探求し、過去に二つの作品を発表していて、それは飯田さんが主戦場にしてきたドーム映像という、劇映画とは原理的に異なった表現の素材として最上さんの舞踏を用いたものだったと思うのですが、明らかに今回の『もうひとつの眼／もうひとつの身体』はそこから逸脱している。そもそもドーム映像ではなくなっているし、それどころか、先日行われた儀礼、具体的には最上さんのパフォーマンスとその撮影を僕たち参加者が見守るという行為と、飯田さんが撮影した動画のどちらが主で、どちらが従かわからない、というか不可分なものになっている。この舞踏と映像を組み合わせた総合的な表現に、お二人は「儀礼」と名付けたわけですが、今日はこの「儀礼」を経ることで浮かび上がった、身体と映像をめぐる問いを、それぞれ話してみたいと思っています。まず、今回のプロジェクトのコンセプトについて、お伺いできますでしょうか。

**飯田**　『もうひとつの眼／もうひとつの身体』というタイトルでプロジェクトを行ったのですが、もともと僕はプラネタリウムで上映する映像作品として舞踏を撮ってきて、撮るという行為を通して、どのように踊りが形をなしていくか、通常踊りを見るのとは違った視点でどう捉えられていくのか、といったアプローチを続けてきました。

今回は映像作品を作るのではなく、現場というものにフォーカスしたのですが、きっかけは、コロナ禍において演劇やダンスの界隈では公演がで

**飯田将茂**（いいだ・まさしげ）
映像作家。踊りや身体をテーマにプラネタリウムを媒体としたドーム映像作品の制作と発表を続ける。主な監督作品に『HIRUKO』（舞踏：最上和子、2019年制作、Macon Film Festival 長編ドーム映像部門最高賞）、『double（ドゥーブル）』（舞踏：最上和子、人形制作：井桁裕子、2020年制作、さいたま国際芸術祭2020出品作品）。玉川大学芸術学部非常勤講師。

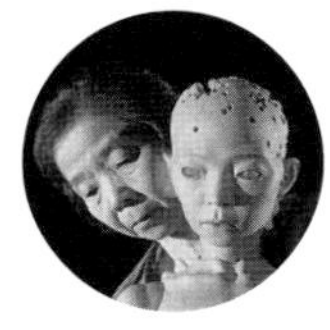

**最上和子**（もがみ・かずこ）
OL・看護師を経て舞踏家になる。身体の内部から踊る原初的な舞踏を模索。現代におけるダイレクトな霊性の探求が活動のメインである。稽古場主宰のほか、公演・イベント・ワークショップなど多数。映像作品『HIRUKO』、『double（ドゥーブル）』に主演。著作に『身体のリアル』（押井守との共著、角川書店、2017年）、『私の身体史』（kindle版）がある。

きない、踊りや劇を見せられないという危機的な状況になったことです。一つのパンデミックによって公演が立ち行かなくなるという危うさ、関係性の希薄さのようなものを感じ、そもそも踊りというのは公演以前にあるものではないかという思いから、踊りが現代においてどういう形で可能なのかとトライしたのが、今回の我々の取り組みです。

僕はずっと映像で踊りを撮る、あるいは映像を通して踊りに関わってきた中で、「見る」ということ、あるいは映像を「撮る」という現場において発生する視点、その場に起きる力は、通常の公演での踊りとはまったく違うということに気づいたんです。カメラを通して捉えるという行為によって、目に見えないものを見ようとしたり、その場の意識が集中したりするような瞬間があり、お客さんと舞台という関係性とは違う形で踊りが発生している状況を見てきて、踊りは必ずしも観客のためにあるものではなく、ある意味リミッターが外れた踊りというものがあるような気がしていて、それを形として、イベントとして見せられたらと思って企画しました。

撮影現場という独特の空気を作るため、現場にはクレーンカメラなどのしつらえを意識的に作り、お客さんはチケットを購入するのではなくクラウドファンディングの支援という形にして、参入という言葉を用いて能動性を持ってその場に関わってもらうような仕掛けをしました。そこに最上さんがいて、球体関節人形がいて、撮影者である僕がいて、お客さんがいて、複雑な視線の絡み合いの中でどういったものが立ち上がるのか。現代における儀式性を生み出して、公演とは違うものを作り出したいということを意識して行ったイベントになります。

**最上**　演者の立場からは、カメラの目があり、お客さんの目があり、それが重なって複雑に絡み合っているという状況を俯瞰的には見れないので、その面白さを感じることはできないのですが、通常の公演とは大きな違いがありました。普段は舞台に立つといきなりお客さんの目がガーンと身体に突き刺さってくる、目の恐怖というものがあるのですが、あの場では真正面にクレーンがあって、両脇にお客さんがいる形だったことで、お客さんの目がぶつかってくることがほとんどありませんでした。それはある意味、楽だったとも言えます。お客さんの目というのは、演者にとっては一言で言うと裁かれるという感覚です。ミスをしてはならない、批判されてはならない、批評というまなざしに耐えなくてはならない。失敗しないようにと怯えながら稽古をし、裁かれることに対する恐怖に打ち勝つためにエネルギーを費やすんです。

前2作のドーム映像の撮影現場では、お客さんがいない代わりにカメラには見られていたのですが、カメラの目は裁きの目ではなかったんですね。それが何の目なのかということはわからないのですが、カメラの目が入ることでお客さんの目が和らぐということがあるのではないか、と思いまし

た。そして現場というのは何かが立ち上がることの面白さがあるんですね。映画や演劇でもできあがった作品より、作っている過程の方が面白いとよく言われますが、そこには絶えず生成が起こっているからです。それを分かち合いたかった、ということもあります。

――カメラが置かれることによって、具体的にはどういう違いがあるのか、もう少し詳しく聞かせていただけますか。

**最上**　まず公演における観客対演者という対立構造はヨーロッパの舞台表現から発生していて、チケット代を払ってもらったから、見返りとして楽しみを与えなければならない、というあり方でずっと続いてきています。一方で、儀礼というものは、共同体を維持するために彼岸の世界と霊的な交流をして、死によって現世を洗い流す、新たに生きなおすという儀式だと思います。目的が中心にあって、そこに踊り手も観客も向かっていく構造になっているので、対立しないんです。

今回の試みは、カメラの介在によって、昔の儀礼と同じではないけれど、少なくとも対立図式を免れることができたと思っています。カメラの存在が視線を逸らす役割をしたのだとしたら、カメラというのは一体何なのだろうと考えると、神の目でも人間の目でも観客の目でもない、けれどもまなざしとしてあるんですね。踊り手というのは常に生成をやりたくて、特に舞踏はその場に何かを生起させたくてやるんですけれど、実際には踊り手の力量だけではなく、場のセッティングの問題があるんです。生成の現場を作り出したくても、近代的な舞台表現における対立構造によってどうしても失われてしまうものがあり、それを少しでも打開したいということで、今回の形を設定しました。あの場があって、お客さんがいて踊り手がいて、という形で生成の現場を作ろうとした場合に、カメラがない時とある時ではやはり違うのだろうとは思いました。

**飯田**　今回の収録では、アングルの自由度を高めるために4メートルくらいのカメラクレーンを使用したのですが、最初はクレーンではなく、ジンバルという手持ちに近いカメラで撮ろうとしていて、踊り手の最上さんと撮影者の僕、という撮影者込みの空間を作ろうとしていました。しかし計画を進めていく中で、カメラの目と撮影という行為が完全に重なってしまって、撮影者とカメラが離れないというか、カメラを空間に置けないと思ったんですね。急遽、本番1週間くらい前にクレーンに切り替えて、それによってカメラが撮影者からある程度離れた位置に置かれ、空間の拠り所として、全体の中心として作用したと思っています。

カメラの存在は撮るという行為において成立しているものがありますが、あれだけ大掛かりなものが中心にあり、何かしら撮ってどこかしらに送られているという循環、今ここで起きている生成がどこかに届けられているという方向性を示すものとなり、もしかしたら閉じない空間が生まれていたのかもしれません。

ドーム映像作品『HIRUKO』（2019年）より
最上の原初舞踏と飯田の映像が対決した最初の取り組み。とある小さな生き物の「死」をきっかけに、ドーム内の空間を儀礼化することを試みる。

## 「人形」という身体のメディウム

——今回、人形を導入したことによる表現上の狙いについてもお伺いできますでしょうか。

**飯田**　前作のドーム映像『double』でも同じ人形を用いていますが、踊りだけを撮るよりも、人形が介在することで見やすくなり、その関係を通して見えてくるものの大きさはあると思います。踊りだけで完結するのではなく、モノを介在させることで変化も生まれてきて、映像においてはそれを追うことで、世界観を作りやすかったというところはありますね。最上さんと人形というモノが関わり、また人形がヒト型をしたモノであることによって、それがどのように変容して、踊りを通して受肉していくかという、踊りの方向性として設定できる部分がありました。1作目の『HIRUKO』は、踊りだけで着地させるという点で、生と死の問題を扱いつつも曖昧にならざるをえなかったところもあり、それと比較すると世界観を通しやすかったと思います。

今回は『double』のライブバージョンと捉えてもいましたので、その世界観が引き継がれる部分もありましたし、人形の目線がダイレクトにお客さんに向けられ、視線が交錯する中でカメラを向けるということによって、空間の中に複層性が出たという効果は大いにあったと思います。

**最上**　人形相手に1時間弱ぐらい踊ったのですが、あれが人形ではなくてただのモノ、たとえばコップや花や傘であったら、1時間保ち続けられません。お客さんも飽きちゃうし、やってるほうもやりようがなくなる。人形だから1時間保ったというのは、ヒト型であることが大きいんですよね。踊りの内実といいますか、普段私が「あの世に行ける」というような言葉で言っていることが、人形を通して見えやすくなるということはあると思います。

人形を動かしている過程では、自分が人形に対して能動的に振る舞うか受動的に振る舞うか、ということを絶えず検証しながら動いていて、意識が揺らぎ続けるということは人形相手だからこそできたことだったと思います。ヒト型というのは人間にとって究極のモノというか被造物なんだなということを感じました。

## 映像と儀式の関係性

——僕は最上さんのパフォーマンスを生で見たのは初めてだったのですが、とても素晴らしい体験でした。自由学園明日館の建物の力を用いた空間の演出、数十人の観客と飯田さんの操作するクレーンカメラと、数十人の観客の目があり、その中心に人形があって最上さんがいるという、あの条件がすべて揃ったときに、生成するものが確かにあった。具体的には時間が経過していくと、最上さんと人形のどちらが人間でどちらが人形なのか、だんだんわからなくなっていく。

これはどういうことかというと、僕たちは人形というものを前にすると、それが人間らしい、しかしどこかが決定的に異なっている造形だから、

ドーム映像作品『double（ドゥーブル）』（2020年）より
伝統行事「流しびな」に着想を得、人形作家・井桁裕子による最上をモデルとしたポートレートドールとのコラボレートを加えて制作された第2作。

そこに感情を見出そうする。そして、だんだんと人形が人間に見えてくる。しかし、最上さんの身体からは逆に時間の経過とともに感情が消えていく。正確には、僕たちの感情移入が拒絶されていく。

　その結果として、人形と最上さんの存在はどんどん近づき、最上さんが人形のように見え、最上さんと人形が並んで寝そべっているときに、人形の方が人間のように見えてしまう。これはこのような現象の生成のための儀式であったのだと、深く納得しました。感情というのは、感情を持つ人間が我々に訴えてくるのではなく、見る側が見出すものだということが、あの儀式に参与することで非常によくわかる時間でした。

　その上で、飯田さんが撮影された映像も見ましたが、率直に言うと生の体験の方が衝撃的でした。過去の作品はドーム映像という劇映画とは異なる論理に支配された場所で、手探りの表現をしていたと思います。粗さに感じるところにも、だからこそ発生する力があった。しかし、今回の映像は劇映画のフレームに回帰していて、良くも悪くもカメラがフォーカスしている。飯田さんが見るポイントを教えてくれることによって、コンセプトも伝わりやすくなっているのですが、実際に足を運んで儀礼に参加した人間には、物足りなくなってしまっている。建築の力を用いた空間演出や、数十人の人間が参与することによって生まれた緊張性、関係性の心地よさといった要素が圧倒的に減ってしまっていて、物足りなさを感じたということは正直に告白しないといけないと思います。

**飯田**　今回はドーム映像という形でのアウトプットではなく平面で撮るしかなかったために、フォーカスされた部分はあると思いますが、最終的にどのような映像が出てくるかというのは、僕にも想像がつかない部分が大きかったんです。何が起こるか、そこを含めての儀式性だったので、すべてが狙いすましたものではなくて、何が出るのか、何が捉えられているのかは僕も楽しみであり、気になるところでもありました。撮影者は最終的に出たものに対して、撮影者ではない人が見た視点とはどうしても違ったものになってしまうため、正確には捉えようがないんです。

　現地には参入せず映像だけを見るという立場を選択した人もいたので、その人に向けては映像だけで完結せざるをえないところもあり、最初と最後に全体を俯瞰する構図で撮り、客席を含めた場というもの自体を一つの関係性の中で見せることで、フレームを超えようという意識はしていました。

　劇映画と動画という二項対立の外側で映像を撮ろうとしていることは確かですし、ワンカットで撮ることによって、映し出されたものが映像としての情報を超えたものにならないか、ということをやろうとしていましたが、結果については受け手に委ねるしかないですね。

――儀式に参入している人間は作品の一部になってしまっているので、それを外部から見ることはできず、想像することしかできないんです。飯田さんが撮りながら映像の仕上がりを完全に想像することができないのも同じことですよね。けれども映像という形でまとまることで、プロジェクトの全体像が観客に初めて提示され、第三者が把握しえるものになる。その意味で、このプロジェクト自体に映像を撮るということは必要だったと思います。

ただそれは、儀式が主で映像が従になっているということでもある。それでいいのだという考え方も当然あって、僕も一参加者として、この「儀礼」には素晴らしい表現が生じたと思っています。ただこれを表現一般の問題としてではなく、映像の問題として考えたときどうかだろうか、と思ったわけです。飯田さんという作家は、これまでは劇映画のフレームを外した新しい映像表現を模索していたと思うのですが、この作品では明らかに儀礼の一要素に、オーソドックスな映像が収まってしまい、そこには前作までのような試行錯誤は放棄されている。言い換えればこの儀礼は「もうひとつの身体」、つまり人間でも人形でもない「第三の身体」を獲得したけれど、「もうひとつの映像」つまり、劇映画が代表する20世紀的な映像でも、インターネット上でシェアされるコミュニケーションツールとしての「動画」でもない「第三の映像」を獲得できたのかという問題があるのかと思います。

**飯田**　前2作のプラネタリウムの試みは映像作品としてのアウトプットがゴールとしてあったのですが、今回は踊りの場を作るということを第一義に考えていたので、そこでどういう映像が生まれるかについては、僕の中で最初から答えがあったわけでもないし、それが全体像になるという意識もなかったですね。

### 小さな共同体と大きな目

——表現というのは、どこかで他者の目というか、誰かに見せるという意識がないと成立しないと思っていて、そのために古代の儀式は神の目を必要としたのだと思います。このプロジェクトがさらに進化していくためには、かつての儀式を回復するのではなくて、もう少し別のものを、神の目を前提とした儀式とはまた違ったものを作っていかなくてはいけないと思うんです。つまり全員が参入者であると同時に、どこかに対して見せるということが必要なんですよね。

最上さんが、カメラは裁かないけど人は裁く、そのことで失われるものがあると言われていましたが、そこにはなぜ観客という制度が表現を殺してしまうのか、また神の代替物のようなものを現代のテクノロジーなどでどこまで補っていけるのかという、二つの問題があると思います。

**最上**　表現が開かれている必要があるということは、もちろん私も思っています。チケット○千円だからこれくらい楽しませなければいけない、終われば拍手しておしまい、とは違った形で、見る人は必要だし、見せるという行為も絶対に必要だと思います。

自己満足の踊りと人が見ているところでの踊りはまったく質が違うので、一人でどれだけ稽古を重ねたとしても、必ず人前に晒される必要があるんです。芸能はそもそもそういうもので、晒し者ですよね。稽古ではお互いに見合いますから、それも一つのまなざしではありますが、対社会ということとは違います。対社会という意味での他者が必要だと思うのですが、それをどうしたらいいのか、そもそも今の舞台空間のあり方からすると、お金を払った観客がいるだけであって、これを他者と言えるのかという問題もありますよね。

——情報技術が発達し、資本主義と結びついて個々人が承認を交換する巨大なゲームが生まれ、社会を動かしている今の世の中で、観客の目は表現を殺すものとしてしか機能しなくなっていることは事実です。その中でこの20年間くらい、世界中の表現者は、表現者対観客という関係性ではなく共に作る、共創して生成するんだということを考えてきたわけです。ウェブ2・0と言われていた頃の新しいインターネットカルチャー、たとえば「初音ミク」などはすべてその路線です。

ところが今、どこまでが表現者でどこまでが観客かわからない、共創や生成といわれている表現は外部の目を失ってしまうという弱点が露わになっていると思います。「見る」「見られる」という対立構造を遮断して自分たちの世界を作るんだ、と自分たちの共同体を足場にしてる人たちは、外部の目を失って表現のレベルも稚拙になりがちです。たとえばこの10年間、アイドルシーンを批評対象として分析してきた僕からすると、K-P

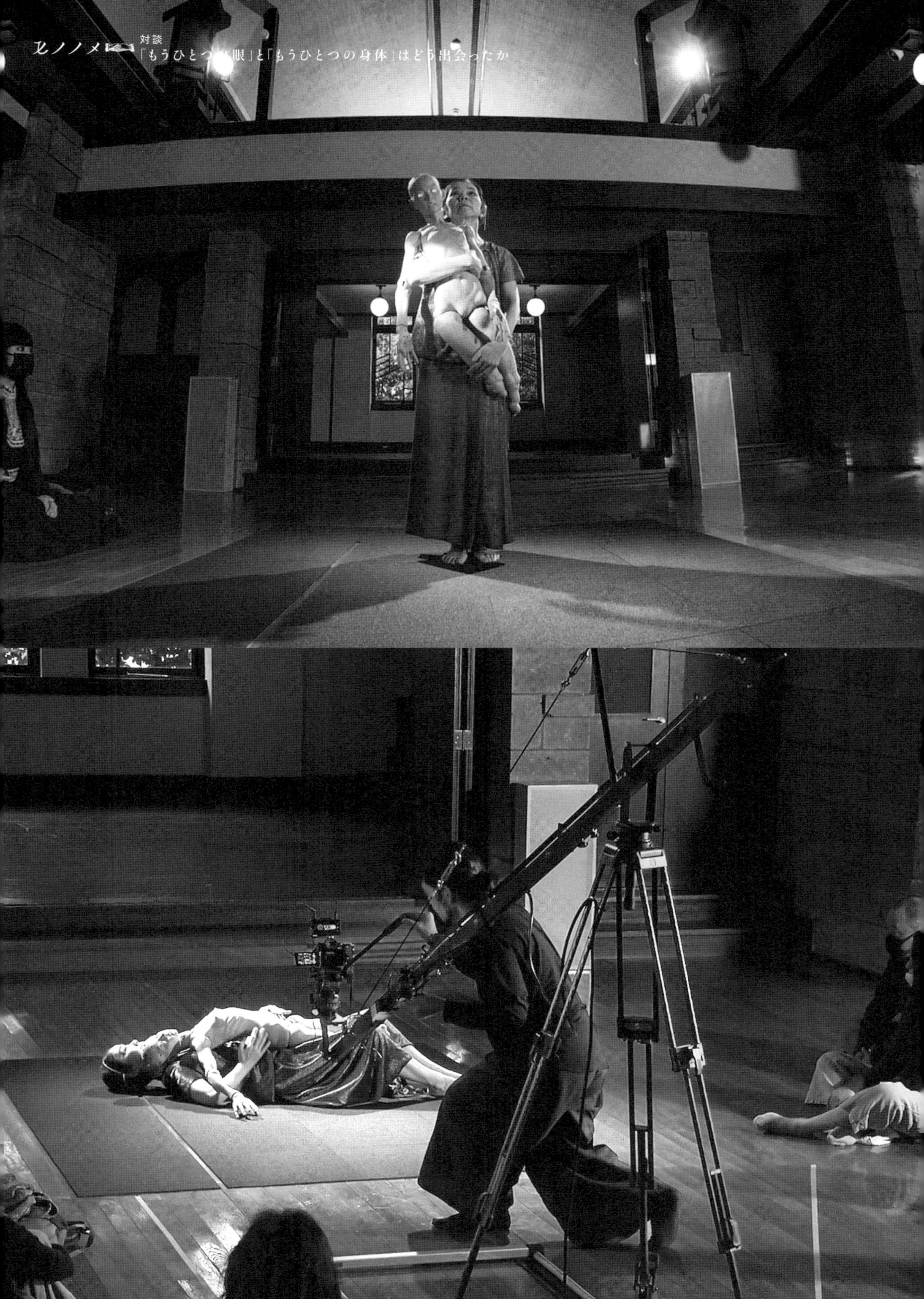

OPアイドルはパフォーマーとしてプロフェッショナルで裁く観客に最適化した身体を持っているのに対して、ジャパニーズアイドルは歌舞伎の頃からずっと、未熟さを観客とファンと一緒に克服していく共創的な生成を追求してきた。しかし、それゆえに閉じた表現になり、表現の洗練に向かわなくなっている側面は否めないわけです。

　前世紀の、映像の世紀まで支配的だった、裁く観客に応える表現をしていくことに先もなければ、21世紀に再評価されていった、表現者とその周辺の人々が一緒に生成していくというモデルも多くの行き詰まりを見せている中で、生成をいかに開くかというのが今日の課題だと思います。今回のプロジェクトは、その回答の一つだと思います。映像という少し古いテクノロジーを変わった形で応用することによって、生成の罠をいかに回避するか、神を失った時代ではどうしても閉じてしまう生成を、いかに開くかということをやったのが、今回のプロジェクトだと思うんです。

**最上**　確かにSNS上でも小さな集団というのがたくさんできていて、中心にあるものはヨガでも趣味でも健康でもなんでもよくて、お互いに個人としての自立を基本にしていると言葉では言っていますが、他者にさらされていない限界も感じます。私は深さが呼び出すものを重視していますが、他者がいない共同体には、それほど深さがないんですよね。浅いところで自己満足的にやっていては深いものが生まれようがなく、一方で深いものが生まれたときには、それに応じたセッティングが必要になってくると思います。

　私は子供の頃から神なるもの、大きな他者が欲しいと思っていて、そのために踊りをやってるというところもあるので、それがなければお互いに育て合うことの意味もなくなってしまうように思うんです。閉じるのでもなく、対立図式でもない行く末というのが欲しいですね。

## 第三の眼、第三の身体

——裁く観客と表現者の対立を否定せずに、つまり生成の側に流れずに20世紀的なモデルをアップデートしていくという方法もあるとは思います。それは要するに今日のハリウッドの取っている道で、ポリティカルコレクトネスやダイバーシティの問題に律儀に対応することで、観客を制圧するという道がある。そうすることでグローバル資本主義下で最小公倍数的な勝利を得ていく。これはこれで、一つのダイナミズムを持ってるのかもしれませんが、そうではない表現の可能性を考えるのであれば、当面は生成モデルしかないと思います。

　ところが、先に指摘したように生成モデルには大きな罠がある。表現者と観客が一体になる生成の場をいかに「開く」のか。それが、今回で言えばシステム的にはクラウドファンディングであり、そして表現上は外部の目としてのクレーンカメラだった。あのカメラはその場にいるすべての人間が一体化した空間に外部を持ち込んでいて、クレーンのカメラがあったからこそ、「第三の身

ドーム映像作品『double（ドゥーブル）』より

体」が成立したと僕は考えています。飯田さんははじめ、寝転んでカメラを回す予定だったそうですが、クレーンを操作する方が効果は大きかったと思います。この二つの装置で、どこまでいけるかという実験が今回だったということですよね。

ここで考えてみたいのは最上さんが到達した、積極的に人の感情移入を排する身体、「第三の身体」の成立条件です。飯田さんが持ち込んだカメラがどう作用したのか、他の条件が何かということを深く考えることによって、この問題は先に進むのだと思います。

飯田さんがクレーンを持ち込んだことによって共同体を外部へ開く回路が生まれた。これが「もうひとつの眼」です。そして、そこで成立した「もうひとつの身体」、人形でも人間でもない「第三の身体」は、その場にいる者の感情移入を排する身体です。つまり、人間ではないものの眼によって「見られる」ことで、最上さんの言葉を借りれば「裁く」ことをしない眼に見られることで、はじめて「もうひとつの身体」は可能になる。そしてその「もうひとつの身体」は、その場の誰もが儀礼によって、一体化している場の中に、あらゆる感情移入を拒否した特異点として、立ち上がってくる。陳腐な言葉を使うとある種の崇高さが現れてくるわけです。

**最上**　確かに現実に生きている人間とは違った身体を求めて踊りをやっていることは間違いないです。人形との関係というのは、わからないままやっているところがありますけれど、人形と自分との関係をどうするのかということは、踊る以上はどうしても考えざるをえないですね。人形劇であれば最初から人間の物語を演じるために道具としてセッティングされていて、動きやすく作られていたり、柔らかい服を着ていたり、手を突っ込んだりできるようになっていますが、今回の人形はもともと展示するための人形なので、動かすということはまったく意図されていません。たまたま関節が動くというだけで、これで何とかしろと非常に無理強いされているんです。

普段、モノと身体との関係という稽古の中で石や花やコップを扱っていますが、それと同じように、人間の形をしていることは無視して、モノとして接することを大前提としてやっています。こちらは生き物だけれど向こうはただのモノでしかない、という意識でやっていくと、向こうもモノでありこっちの身体もモノになってしまう、向こうが生きたと思うとこっちがただのモノになってしまう、というようなことが起こるんですね。そこに生命の交流のようなものが起こって、生と死がぐるぐる回るとか、人形と人間がぐるぐる回るといった言葉で表現したお客さんがいましたが、ぐるぐると回転するんです。それが何であるかはわかりませんが、絶えずそこを求めていくんです。結果的にどう見えるかというのはわかりませんし、上手くいくときもいかないときもあって、絶えず薄氷の上を渡るような意識でやっていますが、そうすると結果的に何かが起こってくれるのかなと思うんです。見た人に起こったことと、自

ドーム映像作品『double（ドゥーブル）』より

分に起こったこととは必ずしも一致しませんが、自分の身に起こらないとお客さんにも起こらないですよね。

——生成的な表現は共同体の中に閉じがちですが、飯田さんのカメラを持ち込むことによる第三の眼によって外側から開くと同時に、最上さんが人形よりも人形らしい第三の身体を出してくることによって、内側からも開いている。どちらが欠けても多分開かないんですよね。

**最上**　身体単体ではどんなに内側に入っても、見える人には見えるけれど、見えにくいという限界があるんですよね。稽古場だったら見えやすいけれど、舞台とかステージになってしまうと途端に見えにくくなってしまう。身体だけでは儀礼を作れないとずっと悩んでいて、感じる人が感じてくれればそれで良しとするしかなかったのですが、そこにカメラというものが入ってきて、その力が非常に機能したんですね。場がなければ踊りも生きないので、人前で踊るときには場のセッティングが絶対に必要で、一人の力ではやりようがないところがあるんです。元々儀礼は一人でやるものではなく、共同作業としてあるのですが、舞踏は一人でやる場合が多いので、どうしてもそこが限界になってしまいます。

**飯田**　僕は中心には踊りがあると思っていて、そのための場をどう作るかということを考えています。会場のセッティングにも様々な仕掛けがあって、たとえばステージを使わないで空間の反対側を使い、客席をすべて寄せて隠さずに積み上げることで、床に座っているんだという反対側の意識を作ったり、暗転せずに開演時と同じ照明をあらかじめ仕込んでおいたり、僕のカウントダウンで撮影を始めたりといった向き合い方のすべては、踊りに対してどういう視点を作るかということを丁寧に積み上げながら決まってきたものと思っています。

## 身体から「映像の世紀」の可能性を再評価する

——飯田さんは前2作ではドーム映像を作っているというよりは、第三の映像の可能性を手探りでやっているというのが僕の位置づけで、今回は前作のノウハウを使って、もっと総合的な体験を演出していて、映像はその1ピースになっていますよね。今後、この路線でさらなる総合的な表現を開拓していくのか、それとも前2作の路線に回帰して、新しい映像の可能性を追求していくのか、プロジェクトを終えた今、次に何をしようと考えていらっしゃいますか。

**飯田**　今回のやり方はとても特殊で、同じように明日館を使い、参入という言葉を用いてクレーンカメラで撮影して最上さんが踊って、という形で再演することはあり得ないと思います。

　我々は表象的な文化の中で物事を捉え、それによって文明を発達させてきたので、例えば人形を見るとき、社会的に表象化されていないモノ自体として見ることは不可能なのですが、僕は表象化しえない「見る」という行為の可能性はまだだ残っていると思っていて、劇映画でも動画でもない「第三の映像」を立ち上げる大きなポイントとしては「見る」という行為をもう一度見直すことだと思っています。

　モンタージュの発明など映像文化の歴史の中で、最初の分岐点に「表象化でいこう」といった動きがあったのだと思います。当初は列車が遠くからやってくるだけの映像を見て、人々が恐れおののいて逃げたという逸話が残っていますが、映像の持っている魔術性は表象文化によって培われたものとは違うものとしてあって、最初の分岐点で選択されなかった「見る」という行為を、映像においてどう取り戻していくかということが、僕の中にある一番大きな課題です。それがプラネタリウムにおけるドーム映像であり、今回の撮影現場としての踊りの場であって、新しい映像を通して我々の「見る」力を取り戻したいと思っているんです。

　その中で踊りは僕にとって大きなテーマですから、踊りの場を作るためにどういう形で映像が介入できるかというアプローチもあると思いますし、白紙に戻すわけではないですが、この続きをやっていくということではなく、映像の持っている「見る」力をどう更新していくかという視点で、新しいものを考えていくと思います。

——この20年ぐらい「見る」「見られる」というのは古い装置で、「触れる」ことのほうが豊かで人を賢く倫理的にするという前提でみんな思考していますよね。

ところが、実際はそのような単純なことではなく、それぞれのできることとできないことがあるということがわかってきているのだと思います。もう一度、20世紀までの硬直した制度ではない形で「見る」ことの射程距離をどう伸ばしていくのか、新しい「見る」「見られる」を考えないといけないタイミングだと思っています。

当時は劇映画的なものの支配力が強くて、「見る」「見られる」の関係そのものを問い直すということまでは誰も考えていなかったし、技術的にも不可能でしたが、今、もう一度この新しい視点で見直すことが、突破口を見つける手がかりではないかと思います。

**飯田**　僕もまさにそう思ってプラネタリウムを選択していて、僕が映画を選択しなかったのは、「見る」という視点を作り直したかったからです。プラネタリウムという場所に可能性を感じているのは、そこが星を見る場所だということです。投影されている光の点を星としてじっと眺めている、そこには星を表象しているからそれを解釈して見るということではない「見る」行為の物理性、直接性が発生していると思います。もしかしたらそこには見上げるという身体的な負荷が影響する部分もあるのかもしれませんし、洞窟的な形状や暗闇、教会建築的な天上世界とも通じるものがあり、歴史的なものとつなげることもできますが、映像がこれまで取りこぼした領域を拾うにふさわしい場所なのかなと思っています。

**最上**　踊り手というのは特殊な存在で、本質的には踊って気持ちよくなれればあとはどうでもいい、というようなところがあるんです。身体は表象を持っていないので、舞踏家は自分で自分を表象化するしかないのですが、客観性を持てないのでなかなかうまくいかないんです。それは能力の問題というよりも、自分の身体を自分で見ることができない身体表現者の宿命というものですね。本来は演出家がいた方がいいのですが、演劇などと違って舞踏の本質を外から知ることはできませんし、踊り手になれば本質が見える代わりに、自分を外から見ることができない、というどうしようもない矛盾を抱えています。

飯田さんには場を作る力や演出能力があり、もともと強い憧れを持っていた儀礼というものに自分の踊りをもって接近することができて、とても嬉しく思っています。

**飯田**　今回の企画は、最上さんの踊りありきというところがあって、すべての踊りが今回の形を通して儀式になりえるということではないと思います。最上さんの踊りは、最上さんの存在の延長であり、そのままでは表現になりえないところもありますが、撮影現場というものが社会性を通すきっかけにもなった、そんなアプローチでもあると思っています。

かつての共同体の儀礼も、踊り手が始めたことではないと思います。場があって、踊りが中心にならざるをえなかったというところはあるでしょうから、現代社会の中で踊りというものが、公演という形でしか関われないのは非常にもったいないですし、今回は非常にコンパクトなものではありましたが、踊りが踊りとしてあるという状況が作れたのだとしたら、その意味はすごく大きいと思っています。

踊りの面白いところは、その先の開かれた世界を見せてくれるというところなので、こういった視点と映像がリンクするものがあれば、それを表現していきたいですね。

座談会

消極性研究会

# 消極的な人よ、身体を解放せよ――いや、そもそも身体なんていらない？

栗原一貴×西田健志×簗瀬洋平×渡邊恵太

「身体」について考えるとき、僕たちはつい「……ができる」ようになることを考えてしまう。でも考えてみてほしい。人間には「……をしない」ことで得られる幸福というものもあるのではないか？ テクノロジーの使い方とデザインの工夫で消極的な人々が生きやすくなる手立てを研究する異色のユニット「消極性研究会」が、そんな「消極的な身体」と社会との関係を議論する。

司会＝宇野常寛　構成・注釈＝葛西祝・中川大地

ArtFamily/Shutterstock

## 消極性研究会にとって「身体」とはなにか

――今回、身体についての特集を組もうと思ったことのきっかけのひとつは、乙武洋匡さんの発言です。彼が言うには、「自分は生まれつき、足がない」そうです。つまり、移動さえできれば二足歩行である必要はなく、テレポートできればそれが理想なのだと。にもかかわらず、「OTOTAKE PROJECT」をやっているのは、あくまで社会に多様性の促進を訴えるためのプロパガンダであって、少なくともプロジェクト開始の時点では彼自身の「歩きたい」という欲望はゼロなんですね。

この問題は結構考えさせられることがありました。つまり、多くの身体障害者へのケアの現場やサイボーグ的な技術による身体拡張のアプローチの多くは「できないことを、できるようにする」ものなのではないかと思います。ただ、世の中には別に「できるようになりたくない」とか、むしろ「したくない」という人たちもいるのではないか。可能な限り「しなくていい」社会が理想だと考える消極的な人たちも多いはずで、**消極性研究会**[01]の皆さんはまさにそういった人々の立場に立って研究と発言を続けてきたユニットだと思います。消極的な人が消極的なままでいることを支援するという消極性デザインの発想からすると、もっと「できないままでいい」という方向での身体へのアプローチがありうるんじゃないか。たとえば、歩かない人が歩かないまま幸せになるという方法の方に、消極性研究会の皆さんの興味はあるのではないか。そう考えて、今回は「消極的な身体」から社会を眺めてみたらどんな課題が見えてくるかという議論をしていただけたらと思います。

**栗原**　私は身体か精神かで言えば、どちらかというと精神に重きをおいて考えてきたタイプだと思います。ですが、今の世の中は精神の部分が肥大化してしまって、肉体とのバランスが悪くなっているのではないでしょうか。

たとえばSNSで繋がりすぎてしまっているけど、それに対するレスポンスがもはや人間の身体では対応できないくらい情報が流れてしまっているという問題をどうするか、みたいな問題が顕在化していると思うんですね。

そういう状況に対して、今の宇野さんの問題提起にあった「人間を拡張して超人にするぞ」という方向性で技術を使ったり、ディスアビリティのある人を技術で補ったりするような方向性との間にあるような、もうすこし裾野の広いサイレントマジョリティ的な人々の日常のちょっとした場面で感じる精神的なストレスに対して、技術を使ってどうするかといったことを、私はずっとやってきたと思います。

というのは、「超人を作るぞ」的な方向と、「障害のある人を一般人のように戻すぞ」という方向は、いずれも手をもう一本生やすとか、無い足を作るとか、身体的な拡張になることが多いという

渡邊恵太（わたなべ・けいた）
明治大学 総合数理学部先端メディアサイエンス学科 准教授。博士（政策・メディア）（慶應義塾大学）。シードルインタラクションデザイン株式会社代表取締役社長。知覚や身体性を活かしたインターフェイスデザインやネットを前提としたインタラクション手法を研究開発。近著に『融けるデザイン ハード×ソフト×ネット時代の新たな設計論』（BNN新社、2015）。『消極性デザイン宣言』（BNN新社、2016）などがある。

簗瀬洋平（やなせ・ようへい）
ユニティ・テクノロジーズ・ジャパン株式会社／クリエイター・アドヴォケイト（学術）。東京大学先端科学技術研究センター／客員研究員。1995年より17年間ゲーム開発に従事し『ワンダと巨像』『魔人と失われた王国』などの作品に携わる。2012年より研究職に転身。2017年、無限に歩けるVRシステム『Unlimited Corridor』で文化庁メディア芸術祭エンターテインメント部門優秀賞を受賞。消極性研究会ではモチベーションに関わるシステムを担当。

西田健志（にしだ・たけし）
1981年生まれ。2009年東京大学大学院情報理工学系研究科コンピュータ科学専攻博士課程修了。博士（情報理工学）。2010年より神戸大学大学院国際文化学研究科講師、2013年より同准教授。どのような性格の人でも安心してコミュニケーションできることを目指して、オフライン／オンラインのコミュニケーションデザイン研究を行っています。

栗原一貴（くりはら・かずたか）
物議を醸すものづくりを得意とする情報科学者。津田塾大学教授、クーリード株式会社社外CTO。2012年イグノーベル賞、MashupAwards2016最優秀賞，2017年情報処理学会論文賞等受賞。第25回暗黒星雲賞次点入賞。宇都宮愉快市民。著書に『消極性デザイン宣言』がある。

印象です。対して我々の消極性デザインの場合は、あまり身体を直接的にケアしたり拡張したりという形式にはならないことが多いように思います。私の場合で言えば、主に道具という形で、どちらかというと人間にない身体機能を付加するというか、むしろ制限することによって人間の精神活動の調整を間接的に支援するといった性格のものをいろいろ作ってきました。

たとえばタクシーの中で運転手に話しかけられるのは嫌だというとき、人はヘッドホンをするわけですよね。そこで本当に耳に蓋をしてしまうと困るし角が立つので、外の音が聞こえている度合いが見た目的にも調節できる「**Openness-adjustable Headset**」［**02**］というヘッドホンを開発しました。

こちらはなるべく日常に溶け込むようなデザインにして使いやすいものを目指したアプローチですが、またはちょっと攻撃的に「こんな身体を作ったらどうなる？とみんなで考えようぜ」と問題提起したいときは目立たせる方向にデザインすることもあります。

向けるとおしゃべりが過ぎる人の発言を聞こえにくくできる「**Speech Jammer**」［**03**］はそんな感じで、あえてピストルの形にすることで、「みんなうるさいと思ってるけど、どうする？」みたいなメタメッセージを冗談めかして伝えるという方向性ですね。

こうした精神的な問題を、ある種の身体的な異化作用につなげることで、現実空間で解決するというスタイルが、自分にとっての「身体」へのアプローチだったのかなと思いました。

**西田**　いま精神と身体の調整という話が出てきましたけど、私にとっての「身体」は精神性みたいなものを強制的に周りに発信させられてしまう、不完全なインターフェースだなという印象が強いです。

たとえば私が太ってきたりすると、周囲の人に「西田さんは我慢強くないんだな」みたいに見られるのが嫌ですね。筋トレとか食事制限に耐えられない精神を強制的に発せられている面があります。逆にすごく鍛えている人が「俺は鍛えているぞ」みたいな精神を日常的に発しているのも嫌だなと思います（苦笑）。

でもマゾいトレーニングとか、食べたいものを食べないとか、耐える心みたいなものってそんなに大事なものかなあ、ともつねづね思っています。人間のテクノロジーって、耐えなきゃいけないこと、やりたくないことをやらなくて済むような世界を実現するために技術開発とか工夫とかが行われていますよね。

われわれ消極性研究会もその一部かなあと思っていて、「嫌なことに耐えられることこそが人間にとって大事だ」というような風潮を解消できればなと。身体性というテーマはそういうところが解決できていない最前線というか、象徴的なものかと思います。

たとえばインターネットがもつ重要性って、Ｚｏｏｍでカメラをオフしたりすることで身体を秘

KEYWORD 01

## 消極性研究会

対人コミュニケーションの苦手意識といった、通常ならネガティブに見られてしまうスタンスを肯定的に考える研究会。２０１４年、慶応大学にて開催された人工知能学会合同研究会にて設立された。主に人間の持つ内気さ・やる気のなさといった〝消極的〟な要素を研究対象とし、分析する。同時に、そうしたスタンスでもいかに社会でコミュニケーションしやすくしたり、さまざまなコミュニティの運営を円滑に行えるような仕組みを作ったりするかの提言を行う。最近の活動では、ウェブマガジン「遅いインターネット」にて新型コロナウイルスが蔓延する状況下でステイホームに関する座談会を実施した。

現在、栗原一貴、簗瀬洋平、西田健志、濱崎雅弘、渡邊恵太の5名のメンバーで運営。２０１６年には『消極性デザイン宣言：消極的な人よ、声を上げよ。……いや、上げなくてよい。』を刊行している。

消極性研究会『消極性デザイン宣言：消極的な人よ、声を上げよ。……いや、上げなくてよい。』（ＢＮＮ新社　２０１６年）

匿できる匿名性を確保できるところにある気がしてるんですね。栗原さんがおっしゃるように身体機能を積極的に拡張しようという方向の技術的アプローチは沢山ありますけど、消極的なままでいたい身体の欲求をかなえる技術がキラーアプリになる可能性はあるのかなあ……というのを今の話を聞いていて思いました。

**簗瀬**　私がここのところ思うのは、身体のパラメーターが数値化されていないのが人間の生きにくさの一因なんじゃないかということです。

　私は最近、頑張ってダイエットして26キロくらい痩せたんですけど、明らかにできることの限界が上がっているんですよね。体力がすごくある感じになって。単純に26キロのおもりを背負っていないから。たとえばこのメンバーの中でもっとも痩せている渡邊恵太さんがこれから毎日26キロのおもりを背負って生活するとしたらすごく大変だと思うんですけど、私は逆にその重りをずっと背負っていて急に離した状態になったので、すごく楽なんです。だからといって、すごく生活がアクティブになったりするわけじゃないんですけど、単純に今までやってきたことが楽にできたり、歩くことが楽しくなったりして、すごくモチベーションが上がるんですよね。ただ、その体験の楽しさは事前にはわからなくて、どれだけ身体に負荷をかければ辿りつけるのかも見当がつかない。これが、たとえば「あなたが歩ける距離の限界は1000ポイントです」みたいにパラメーター化できれば、600ポイント歩けるのはぜんぜん辛くないけど、1500ポイント歩かされるのはたぶん厳しい、といったことがわかるようになる。でもそれって限界を何回か計らないとなかなかわからなくて、その計測する何回かがつらいじゃないですか。

　多くの場合、教育の過程で運動にチャレンジさせて、その人がどこまでできてどこまでできないのかを測ると思うんですけど、そこで最初に限界を越えさせようとする過程で、運動そのものにトラウマができてしまうというケースが多いと思います。

　なので、**ゲーミフィケーション**［04］に近い発想ですが、なんとかチャレンジを挫折させずに「このへんが限界だな」というパラメーターを常に見える状態にできると、もうちょっと頑張れたりとか、「本来は100できるんだけどいま70しかやってないから毎日が楽だ」みたいな感じでストレスなく過ごせるようになるんじゃないかと。

**渡邊**　ここまでの話で出てきたような「精神的なものと身体的なものは別」とか「物質的な豊かさから精神的な豊かさへ」みたいなことは、20世紀の終わりごろからずっと言われてきていると思うんです。

　そこで議論したいと思ったことは、人間の欲望処理の技術ですね。たとえば移動という手段で車や電車、馬車など、移動は疲れるからより早く遠くまで行きたいという欲望でそういう技術が出てきました。

　しかし、今は移動せずともインターネットで多

KEYWORD 02

## Openness-adjustable Headset

「外気への開放度合いを物理的に調整する」——言うなればインターネット接続されたスマートな「耳の蓋」、というコンセプトで栗原一貴がデザインしたヘッドセット。新しい音楽鑑賞や音楽の表現方法を提案するとともに、環境認知・対人コミュニケーションに関する支援も提案している。

　通常の耳をふさぐ密閉型、外気を取り入れる開放型のヘッドセットと違い、モーターの制御を使って、密閉型と開放型に変形可能な機構を備えているのが特徴。カフェや図書館、街といったさまざまな環境に応じて、ユーザーに最適な音楽体験をもたらすことを目的としている。

くの人と繋がれますよね。最近はＶＲにしてみたり、脳を繋いでみたりという話で、よく考えると全然人間が動く方向になってない。メタバースも身体的体験が欲しいだけで、別に身体が欲しいわけじゃない感じがするんですよね。

全体的にテクノロジーの流れを見ていると、身体的な疲労や制約を廃止したい感じがあります。そういうテクノロジーの探索の方向を見ると、「身体、いるのかね？」と。

ＩｏＴなどが出てくるのを見ていると、どうやら人間が植物のようなモデルに近づいていく感じのように見えなくもない。植物はセンサーネットワーク的な感じで他の虫たちに花粉を受粉させたりして、ネットワークを広げていきますよね。そういうことを考えると、みんな動きたい体験が欲しいだけで、実際は動きたくないとかそういうジレンマがあるなと感じたりしています。

あとはユーザーインターフェースの進化も、人間の進化の逆みたいな話があります。人間の学習段階はまず身体的に何かを感じ取って、次に視覚的に読み取って、次に記号的に感じ取るという発達順です。逆にユーザーインターフェースやコンピュータは、記号的なところから始まって、視覚的なＧＵＩになり、さらに**Ｗｉｉとか Kinect のように身体的なインターフェース**［05］が出てきたという流れですね。

ただ、Ｗｉｉや Kinect のような全身運動型のコントローラーは決してゲームデバイスの主流にはならなくて、手指のコントローラーで最小限の動きで済ませよう、というものがほとんどです。結局、テクノロジーの進歩は人間の身体をなるべく疲れないようにする方向にしか向かっていかないのではないでしょうか。よく身体性を回復させようという話があるけど、なんだかんだでなるべく身体をなくしていく方向になっているのが面白いなあと思いました。

## コロナ禍は身体をとりまく環境を多層化した

――ここまでの皆さんの認識を伺うと、多くの人々は現実空間における身体と精神の関係に不全感を感じていて、渡邊さんがおっしゃったように基本的に情報技術は物理的な身体性をサイバースペースで無効化する方向に進歩してきたわけです。そして、２０２０年からのコロナ禍によって、それまではあまりその価値に気づいていなかった人たちまでもが物理的な身体が無効化された社会の快適さ、自由さに気づいていった。少なくとも消極的な人々にとってはより過ごしやすい社会の可能性が示されたとも言えるわけですが、その点については消極性デザインの観点からはいかがでしょうか。

**簗瀬**　パンデミックの影響で、オンラインの良さというものは多くの人が体験しましたよね。同時に消極的な人の中にも、完全にオンラインになってしまうと窮屈さを感じてしまう人がいて、今は逆に「やっぱりオフラインがいいな」と言いにくくなっている逆の圧力がすごくあるのも予想でき

KEYWORD 03

### Speech Jammer

聴覚遅延フィードバックを利用した「他人の発話を阻害することで、強制的に会話をできないようにしてしまう」銃型のデバイス。主に話者の声を数百ミリ秒遅らせて発信させることで、微妙にずれた声を聞かせ続け、だんだん何を話しているかわからなくさせる。こうした効果により、ＴＰＯをわきまえずに会話を続ける人々の会話に対して、直接やめるようにお願いしなくても中断させることができる。

「言論の自由は人々に平等に与えられるべきものであり、『声の大きい人が勝つ』と俗に言われるような、特定の人物だけに言論が占有される不公平を払拭したい」という発想から、本デバイスの研究が始まった。そんな研究のデモをYouTubeに投稿したところ、海外で大きな反響となり、２０１２年に開発者の栗原一貴らがイグ・ノーベル賞を受賞するまでに至る。

るんですよね。
　私が必要だと思うのは、オフラインとオンラインに分かれた二つの世界があるという状態ではなく、オフラインとオンラインのグラデーション部分を埋めていく仕組みを作ることで、結局すべての人に対して何かしらプラスの状態を作れるんじゃないのかなということです。消えたい人は消えればいいし、交流したいけどオンラインでいい人はそれでいいし、オフラインを求めたい人はオフラインで交流してくださいという、いかにグラデーションを作るかが重要になってくると思うんですよね。
　その意味でコロナ禍は消極勢のなかにも流派があるということをむしろ浮き彫りにしたのではないかという気がします。

**栗原**　それは**ハイブリッド授業**［06］をやっていて感じたことでもありました。いい感じのグラデーションでバーチャルの世界を承認することで、全体的にいい流れを作っていくことがこれからの人類の営みになっていくのかなと。つまりインターネット上のルールのようなものを、現実世界に部分的にでも導入していいよというコンセンサスを作っていくのが基本戦略としてはいいんじゃないかなと。
　実際、教育現場についてはそういう感じで回っているところもあって、いまは対面とＺｏｏｍによるハイブリッド授業をやっており、個々人が自分を出しやすいプレゼンスを発揮して、やりやすいようにコミュニケーションしています。ただ、まだ共存のさせ方がギザギザすぎて、やる方も大変だし、受けている方としても完全オンラインおよび完全対面のどちらの側にも足りないという思いをしていると思います。

**簗瀬**　ハイブリッド授業も明らかにめんどくさいですからね。

**栗原**　めんどくさいけど、それを来るべき世界の多様性ということで受け入れようと考えていますし、なんらかのイノベーションによってもうちょっといいパラメーターが発見されるかもしれない。そういうふうに現実世界が変わっていくのは考えてもいい未来じゃないかなと思います。

**簗瀬**　うちの会社はコロナ前からすべての会議室にテレビが付いていて、マイクも付いているので、その部屋固有のＺｏｏｍ番号を入れるだけでテレビ会議できるんですよね。
　そういう意味では、学校の教室もすべてカメラが付いていて、何も考えずにボタン一つでオンライン授業ができるというのが、お金はかかるけどわりと簡単な解決方法なんだろうとは思います。だから授業に関してはおそらくそれで解決できて。

**栗原**　インフラ的にはそれでできているし、やるんですけど、平等な教育を保証するみたいな準備と実施がわりと大変だなっていう。

**西田**　でも結局、理由が必要なのはオンライン側、ということになっていくんじゃないでしょうか。つまり対面のほうは「対面したいから」で通るけれど、オンライン授業については「私はオンライ

KEYWORD 04

## ゲーミフィケーション

　ビデオゲームや非電源ゲームの持つゲームデザインを、実社会や生活といったゲーム分野とは別の対象に応用する手法。主にゲームに含まれている競争や達成、トライ＆エラーといった要素を勉強や仕事に組み込むことで、まるでゲームのように行えるようにするのが特徴。ゲーミフィケーションはこうして学業や業務のパフォーマンスを伸ばす効果を出すことを目的としている。
　２０１０年代にアメリカのベンチャー企業が注目したことから、この手法は広まってゆく。個人の仕事や学業のパフォーマンスを上げるだけではなく、マーケティングや社会運動などの領域にも転用され、ビジネスシーンにも使われていった。
　日本でもゲーム研究者の井上明人が本手法について解説した著作『ゲーミフィケーション―〈ゲーム〉がビジネスを変える』などを通じて広く知られるようになってきた。

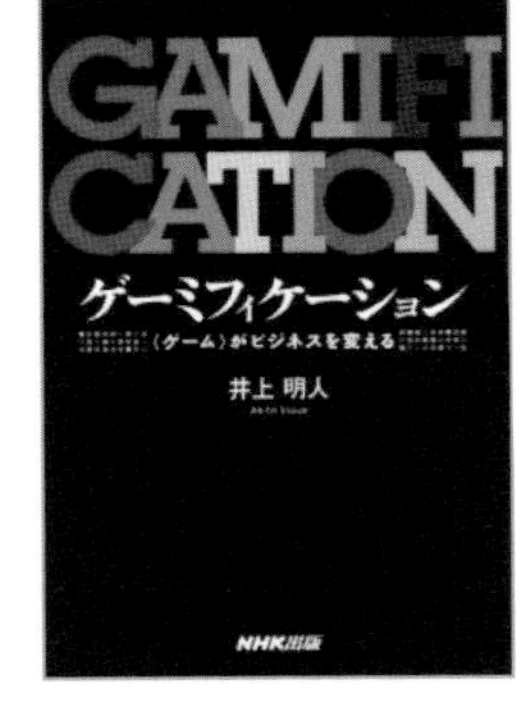

井上明人『ゲーミフィケーション：〈ゲーム〉がビジネスを変える』（ＮＨＫ出版　２０１２年）

ンがいいです」では通らない日が来そうだな、と。要はコロナ禍が終われば、オンライン希望者は「私は喘息持ちだから」とか、それこそ現実の身体制約的な理由がないと認められない、ということになる可能性のほうが高いんじゃないでしょうか。

やはりオンライン環境をハイブリッドしていくには設備投資もかかるし、オンラインであるべき特別な理由づけが必要になっていくんじゃないかと。何かポジティブなコロナ禍みたいなエクスキューズがあればいいんですけどね。

――COVID-19の流行が終わっても、「新しい生活様式」のある部分は確実に社会的な弱者やマイノリティ、たとえば消極的な人々に優しい社会をもたらしたという側面は確実にあるはずです（逆に、抑圧した側面もあるでしょうが）。そこを積極的に評価していくことが重要なのかもと思いますが。

**西田**　具体的な実践デザインのレベルで考えるなら、小学校の義務教育の段階から、またパンデミックが来ても不都合にならないために、「週1日はオンラインで授業をやります」、というのがよいかもしれません。

現状では大学生とか社会人になってからオンラインをやれと言われている状態なのでアタフタしてしまうわけで、小学生くらいから当たり前のようにオンラインとオフラインの両方の身体感覚を行き来していれば、いざというときになんの問題もなくオンライン社会に移行できますよ、という制度設計として。

**栗原**　それはけっこういいんじゃないですか？　我々は傷ついて学んでいるわけだから、その経験を忘れないためにも。いわば震災の教訓を発端に定着した避難訓練のようなものですよね。

オンライン的なものを日常から用意しておくことによって有事に備えようというストーリーにすると、日常世界の中にオンライン的な作法がわりと残るようになって、居心地のいい設定を実世界のなかにハイブリッドしていく社会を作れるようになる動機づけになるかもしれない。

## デジタルコミュニケーションと現実の社会的身体を架橋するには

――初等教育の本質は身体統制による規律訓練ですからね。そこをハックしていくのは19〜20世紀的な身体観を変えていくという意味でも重要なのかもしれません。ただ、ここまでの議論はあくまでもコロナ禍を機に**デジタルトランスフォーメーション**［07］を後戻りしないように促進して、ちゃんと**ニューノーマル**［08］を定着させようという方向性だと思いますが、それは基本的には物理的身体の不平等を相対的に縮減していこうという話にしかならない。

それ自体はもちろん必要なことですが、消極性デザインがすべきことはそれだけなのかとも思うんです。たとえばメディア論から考えると、SNSというのは社会的身体だけを抜き出して異様にアクティブにする装置だったようにも思います。つまり、物理的な身体はみんなバラバラであるに

KEYWORD 05

### 身体的なインターフェース

2000年代後期の家庭用ゲーム機では通常のコントローラーによる操作から離れ、プレイヤーが直接、身体を動かしてゲームプレイするインターフェースが開発された。任天堂はWiiでリモコン型コントローラーをデザイン。プレイヤーに直接コントローラーを振ったり、動かしたりする操作を提案し、その後のNintendo Switchのコントローラーにも引き継がれている。

マイクロソフトはKinectを開発。一切コントローラーを用いず、プレイヤーが身体を使って、直観的に操作させるインターフェースである。これはRGBカメラや深度センサー、マルチアレイマイクロフォンに加え、専用ソフトウェアを動作させるプロセッサを内蔵したセンサーによって、プレイヤーの位置、動き、声、顔を認識することで、そうした操作を可能にしている。

Barone Firenze/Shutterstock

もかかわらず、TwitterとかFacebookとかのデジタルプラットフォームで使える機能は全ユーザー一緒で、いわば社会的身体が画一されてるわけです。そういう状態にゲーミフィケーションを施して、無理やりアクティブにさせて投稿させて承認欲求を相互に刺激させるのがSNSであり、いわゆるウェブ2・0以来の「速いインターネット」の潮流でした。

しかし、そんなSNSの画一化された身体に対して、今は逆説的に物理的な身体に着目することのほうが、むしろ「○○しない」という人間の消極性を肯定することにつながりそうな状況になっているようにも思えるのですが、その点はいかがでしょうか。

**簗瀬** まさにSNSでわからないことは「○○しない」なんですよ。暴言を吐く人はすぐに可視化されてわかるけど、「この人は暴言を吐かない」という人は可視化されない。日頃付き合いがあるけど、いつも丁寧だなという人はSNSだと印象に残らない気がします。

これはSNSに限らず、「○○しない」ということは実は日常生活を一緒に過ごす人としてはすごく重要な事項だけど、オンラインではわからないんですよね。会社に毎日いると「この人は○○する人で、この人は○○しない人」というのはわかるけど、そこからちょっと離れるともうわからなくなる、というのはあります。

**栗原** メタバースは「社会性や生活を伴うVR体験」と具体的に定義されているので、ハレの場以外の人間の様子を内包する場になっていくことが真の方向性だと思っています。

現状のメタバースは、多くのクラスターにとっての「ハレ」の場をパッチワークしていったような非日常的な祝祭空間の集合体のようなものですが、今後それがどう「ケ」の場になるというか、人間の生活を映すようなネガティブなところも包含する世界になっていくのかは興味深いですね。

**簗瀬** 私は職業柄、メタバースについてのインタビューをシンクタンクみたいなところから受けることがよくあるのですが、そこでよく言っているのが「いまメタバースをやっているのは『メタバースパリピ』なんですよ」という話です。

たとえば**VRChat**［09］にハマるのって、いわゆるオタクの人じゃないですか。VRChatが楽しいのはわかるんです。要は初期のSNSとか、マイナーなオンラインゲームが楽しいのと一緒で、その場に惹かれて集まった人たちのおかげで面白い空間が作れているからです。でもそれは結局、現実空間でクラブに集まる人とやっていることは同じで、実はメタバースでそれを繰り返しているなと。つまり場が変わった結果、別の人がパリピになっているという話です。いまメタバースパリピをやっている人は、本物のパリピが来るのはすごい嫌なわけですよ(笑)。

なので、私は目指すべきなのは「みんながみんなのメタバースを持っている世界」かと思っています。パリピじゃない人のメタバースがあってもいいでしょう。そこでインタビューでちょっと

KEYWORD 06

## ハイブリッド授業

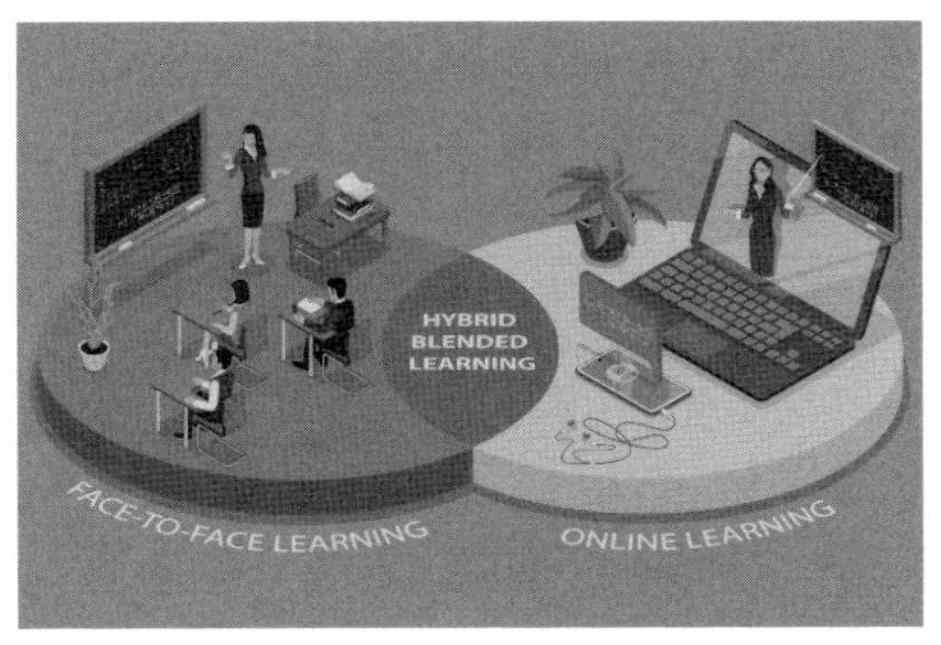

TarikVision/Shutterstock

近年の新型コロナウイルスによる影響下で、さまざまな教育機関が感染拡大を防ぐため、オンラインによる授業に切り替えることで対応した。主にウェブカメラやZoomなどのアプリを利用することで、自宅にて講義を受けられるようにしている。

やがて新型コロナウイルスの感染対策やワクチンの接種が進み、新規感染者数が落ち着いてきたことで、各教育機関もコロナ禍以前のような実地での講義を考え始める。しかし、まだまだ完全な感染の収束は難しい状況であり、実地の講義が感染を広げる危険性は大きいままだった。

そこで実地とオンラインの二つを兼ねた、ハイブリッド授業で対応するところが増えてきている。主に実地で教育者と受講者が数名参加し、その他の受講者はオンラインで参加するというかたちを取っている。

語ったポイントは「しゃべらなくてもいい」ということです。
SNSって喋らないと存在感がないので、ポストしない人は存在感ゼロですよね。そうじゃなくて、メタバースはただ空間を共有するだけでいいんです。何も喋らなくてよく、行動しなくてよい。視覚・聴覚だけじゃない分野としては、そこが重要なところじゃないかなと。この消極性研究会がメタバースだったとして、そこで栗原さんが隅のほうでずっと研究しているのがわかるけど、別に話しかけなくてもいいみたいな（笑）。
言うなれば「遅いメタバース」があればいいなと思って。遠くで何かやっている人がいるのが見えるけど、別にわざわざコミュニケーションしなくていい。でも「見てたけど、がんばってね」みたいなメッセージがひっそり送れる。でもリアルタイムでコミュニケーションするのは邪魔しちゃうから言ってほしくないんですね。だからどこかで見てて応援していたのが後で伝わるくらいがいいかなと。

**栗原**　消極性研究会ネタで「パーティーの時に隅っこにいる自由を許してほしい」というのがあって、そのメタバース版が勃興するかもしれないですね。

**簗瀬**　ただ身体と精神って別に相反するものではなくて、重要なのはグラデーションなのかなという気がします。つまりグラデーションをコントロールでき、その人にとって重要な割合にできることが最終的に意味があるのかなと。
たぶん身体感はそのまま所有していたい人と、身体から自由になりたい人が両方いると思います。そこでどういうふうに両者を実現していくかが時代か技術のゴールなのかなと。時代の中の技術で「スーパー身体」みたいなことは一回実現したけど、それはあくまで可視化しやすい目標でした。
そこから逆に身体をなくしていく目標を立ててもいい。VRに対して**縮減現実とか減損現実**[10]みたいなものがありますよね。そういうふうにどこまで身体を引き離していくかも、「スーパー身体」の反対側にあるゴールかなと思います。

**栗原**　そういう意味では「〇〇したくない身体」の未来を占う上で、コミュニケーションに限っては、すでによい知見が得られていると思います。たとえばZoomって自分の出し方や情報のチャンネルは自分で選べますよね。「〇〇したくない身体」にいくらでもパラメーターひとつでカメラオフ、マイクオフにできるという。
もう大学だと学生はマイクオフ、カメラオフがデフォルトな状況で喋んなきゃいけないという、自己開示のチキンレースになっちゃってる感じなので（笑）。場を作る側が「ここは顔を出さなきゃいけない場だよ」とか「ここは何もしなくていいよ」とか明示的に言わないと、「どこまで自己開示していいんだろう」みたいな葛藤が解消されなくなるのかな、とも思います。「〇〇したくない身体」を個々人が自由に設定できる場合、場を作る側の責任が重要になるのかなと思います。

KEYWORD 07

## デジタルトランスフォーメーション

Billion Photos/Shutterstock

「ITの浸透が、人々の生活をより良いものにしていくという考え方」を指す用語で、「DX」と略称される。2004年にスウェーデンのウメオ大学教授のエリック・ストルターマンが提唱したとされている。その後もさまざまな企業や論者が言及しているが、立場によって若干の定義の違いがあり、現在でも明確に統一された定義はない。
しかし広義の思想としての定義と、狭義のビジネスシーンにおける定義はある。広義には「デジタル技術が社会全体を良いものへと変えていく」ことを指している。狭義にはビジネスシーンにおいて、「デジタル技術を導入することで、組織を変化させ、業績を良いものにするといった方向性」を指すこともある。
とりわけ2020年以降の新型コロナウイルスのパンデミックにより、この機会に生活やビジネスのあらゆる領域でDXを促進すべきだという世界的な機運が高まることになった。

それが人間が実際に同じ部屋に集まっているときにどういう実装形態になるかまでは、ちょっと想像が及んでいないのですが。

**築瀬**　宇野さんはよく公共空間での重要性として、何か特定のコミュニティに所属して積極的にコミュニケーションを取ることよりも、他者同士が互いのことを知らずコミュニケーションしなくとも共存できる状態を許容することこそが大事だという話をされていますが、そういうパーミッションを形成する上でも、物理的な空間と身体があることって確かに有利なんですね。実際、姿かたちが変わると認識してもらえないというのは、私もこの前、久々にリアルで開催された学会で痛感したんです。なんかあいさつしてもスルーされるんですよね（笑）。2年ぶりとかに会う人に誰だかわかってもらえないっていう。それを3日で8回くらい体験しました。

**栗原**　私もその一人で、ダイエット後の築瀬さんのシュッとしたピクチャーはSNSで拝見していたので正面なら大丈夫なんですけど、斜め後ろとかから見たときの築瀬さんアイデンティフィケーション能力がすごく落ちていて、いびつになっていました（笑）。

**築瀬**　私自身も自分の過去の写真を見ると断絶を感じるので、**アバター**［11］やキャラを替えたくらいの感じがありますよ。実際になかなか認識してもらえないし。

　実は服もけっこう重要なんですね。服もその人を認識するのに役立っていると思っています。たとえば私の知り合いのある先生は、髪が短くなっても服装でわかるわけですよ。革ジャン着て、ちょっと派手めなズボンを履いていたりするから。私は痩せてから着ている服も全部買い換えになってしまったので、前の私と同じ情報があまりないんですよね。

　まあ、そもそもコロナ禍で多くの人との対面接触が断絶していなければダイエットしても問題なかったのですけれど、現実の身体は連続的に変化しているので、日頃付き合いのあるひとにはずっと認証し続けてもらえるのが、実世界における身体というアバターの特性なんだなと気づかされました。

**栗原**　つまり現実的身体というのは、パーミッション設定がおおざっぱだし、時間的広がりを持って少しずつ変わることを皆が常識としている。そのことに基づいたコミュニケーションプロトコルを、我々は培ってきたわけですよね。それとネット上でのコミュニケーションが自由にできるようになったときに起こったこととの対比が、今はすごく目立ってきている。良いことも悪いことも含めて、そういうネットで溜まった知見をある程度、現実的身体の側にも逆輸入していくことで、なんとかできないかなと。

　たとえば私が冒頭で話した「Openness-adjustable Headset」というヘッドホンは、望まないコミュニケーションに強制的に巻き込まれるのをガードしながら同じ場にいられるという仕様のデバイスだったわけですが、その延長線上にリアル

KEYWORD 08

### ニューノーマル

経済や社会に危機的な状況が発生した後、大幅な変化や対応があった社会を指す用語。これまでに第一次世界大戦後や、1990年代のITバブル崩壊のほか、2008年の世界金融危機のあとの社会を評するときに本用語が使われてきた。

　現在では、新型コロナウイルス蔓延後の社会や経済の対応についてを意味している。感染拡大を防ぐため、各企業がオンラインを利用したリモートワークに切り替えた対応を代表例に、Zoomなどのアプリを利用したオンライン会議の実地など、新しいワークスタイルやライフスタイルが提案されている。

　また日本では「新しい日常」、「新しい生活様式」と翻訳された言葉としても広まっている。これは新型コロナウイルスに対する喫緊の対応のため、厚生労働省などが市民に実践してもらうように呼びかけるスローガンとしての意味合いが強い。

Chansom Pantip/Shutterstock

の場でも「その人」であるという状態とそうでない状態を切り替えられる装置ができればいいなと思うのですが……。

**西田**　ただ私個人としては、SNSなどで何もしてないと存在感がないことが、必ずしも欠点だとは思えないですね。「何もしないだけで存在感が消せるなんて、なんて便利なんだろう」という思いの方が強いです。

だって栗原さんのヘッドホンを付けてたって、まったく消極的にはできないじゃないですか。すごい人はそれでも話しかけてくるガード貫通力みたいなのがある（笑）。物理的身体があるかぎり、その可能性はゼロにはできません。

でもオンラインで存在感が完全に消せるのであれば、そもそも話しかけられるターゲットにもならない。そこまで消極的な人にとっての最強のゴールは、存在感がない状態だと思うんです。

だから私にとっては、いかに物理的身体を消せるメタバース的な領域を、簗瀬さんの言うメタバースパリピ以外の人でも来やすくなるように広げていけるか、という方向で考える方が性に合っているのかもしれません。

今のメタバースって、いろいろ動機も手段も自分自身で決めて準備していかなきゃいけない場所じゃないですか。だからこれを毎日通う学校のように「行くことが決まっているから行く場所」みたいな状態にできないか。日本の学校って、人を消極的にする装置だと以前のこの研究会の座談会でも主張してきましたが、いちばん消極的なタイプの人にアジャストした解決手段って、とりあえず「ここに身体を持っていくことが決まっている」という教育みたいな制度にしてしまうことなのかな、という気がします。

だから、さっき話に出たコロナ禍の教訓を活かした避難訓練的な文脈で週1日はオンライン授業を残しましょう、という制度の延長線上に、だんだん学校の登校日をメタバースにしていけばいいのかな。これからのデジタルリテラシー云々みたいな理由付けで。

**栗原**　そういう制度化などを通じて、うまいことメタバースに普通の人が集まってきたら、それなりにそれぞれが居心地のいい「遅いメタバース」が獲得されていって、それを現実世界に逆輸入していくような方向性も見えてくるでしょうね。

たとえば現実世界のコワーキングスペース的なものに特徴的な色がついていて「ここは○○というメタバースで、○○という部屋の人が集まる」みたいな感じになっていけばいいなと。あんまりすぐにはピンとこないんですけど、「○○コミュニティのための部屋」みたいな。日替わりで変わってもいいんですけど。

そういう試行錯誤を通じて、現実世界にいても存在感的に居心地のいい空間というのを模索することはできると思います。その人たちが同じ地域に集まって住んでいくのか、もっと物理空間をきめ細かくゾーニングしていくための指標になるということなのかはわかりませんが。

KEYWORD 09

## VRChat

Oculus などのVRヘッドセットを使用して、デジタル空間上にてユーザーがアバターを使い、多人数でコミュニケーションすることを目的としたアプリケーション。VRChat Inc. によって2014年から運営されているサービスである。

他のユーザーとボイスチャットのほか、モーションコントローラーを利用して自分の身体の動きをアバターに反映させることでボディーランゲージもできるため、情報量の豊富なコミュニケーションができるのが魅力となっている。デジタル空間上にて、実際に会って会話できる感覚が強いことを特徴としている。

また、「ワールド」と呼ばれるさまざまなVR空間も本サービスも特徴。これはユーザーが自身でカスタマイズできる独自のコミュニケーションスペースであり、多彩なバリエーションの空間がアップロードされている。ユーザーはいろいろなワールドを訪れ、他のユーザーとの交流を楽しめる。

「VR Chat」公式 PV より

## キャンセルできない存在としての物理的身体をどう支援するか

――ただ、単純に今の世の中では、むしろ逆にわざわざ投稿しないと存在が認識されないSNSやメタバースはめんどくさくて、カフェやコンビニのような実空間の方が、どうあってもキャンセルできない物理的身体が側にあるだけで、つまりただいるだけで消極的な自分でも最低限認識してもらえるので寂しくなくてよいと感じている人たちも多いでしょう。そういう人たちのことも踏まえた上で議論した方が射程の長い話になると思うのですが、消極的に存在していたい物理的身体の側を支援するアプローチというのは考えられないでしょうか。

**渡邊**　キャンセルできないというのは、身体は脆弱性が高すぎるんです。私自身、いま風邪気味なので、まさに身体に問題があって、ちょくちょく咳が出るんですね。なので、この座談会を収録しているZｏｏｍでも咳をすると画面が僕にフォーカスされてしまうからそれが嫌で、マイクをミュートしてから咳するんですけど、そういうツールみたいなのがいつでも使えればいいなと……。音声をミュートにできるというのは本来はマイクのおまけ機能じゃないですか。ふつうは発言するのがマイクの機能であって、消極的な人ほどミュート機能の積極的な使い方をすると思うんですよね。

あと顔の表情とかにも身体の脆弱性って出ますよね。たとえば誕生日プレゼントを目の前で渡されて、開けて微妙なものだったときに「ありがとう」と嘘の表情で言わなきゃいけない感じとかって嫌じゃないですか。これがAmazonギフトとかで送られて微妙なものだったとしても、LINEでいい感じのスタンプを送ってあげれば済むんですけど、身体がそこにあると全部バレちゃうんですよね。

そういうダダ洩れの身体の脆弱性のある部分が、Ｚｏｏｍのようなネットツールを介すと守れるというか、コントロールがしやすくなるので、うまいカバー方法があるといいですね。

**栗原**　いまみんなマスクするようになって、すこしいい感じになってきたんじゃないですか？　以前からよくおばちゃんとかが、がっつりサンバイザーをつけてると全然個人性がわからないというのはありましたけど、ああいう感じでもうちょっとテクノロジーでオン・オフできるようにすればいいと思います。自分がいるっていうのをちょっとマスク的なウェアラブルデバイスで調整するというのは昔よりは自然にできるようになったんじゃないかなと思いますけども。

**渡邊**　そういうものがもう少し細かいレベルで機能的に実装できるはずだし、たぶん物理的な身体をもつ実世界においても、教室の隅に行くということとしか今までできなかったけど、もう少しそういうツールみたいなものを導入してもいいのかなという感じが個人的にはします。そうやっ

KEYWORD 10

### 縮減現実／減損現実

DR（Diminished Reality）とも呼ばれる技術で、映像で不要なものをリアルタイムで削除することを特徴としている。拡張現実（AR）とは対照的な技術であり、こちらは現実空間から特定のオブジェクトを消去したものをモニター上に見せることが目的である。

主にモニター上の現実空間にて不要な対象を削る技術であるが、まだ減損現実の技術については研究段階であり、今のところは大きく広まってはいない。AR／MRグラスを通して現実空間を見たとき、不要な情報を消去したものを認知できるようにする、といった展望がある。

国内で減損現実の技術を用いた事例では、Rhizomatiks所属のアーティストの真鍋大度とPele所属の映像ディレクターの清水憲一郎が、テクノミュージシャンのスクエアプッシャーとコラボしたMVがある。街中の広告や雑踏を消去した現実を見せるというコンセプトで製作された。

「Squarepusher – Terminal Slam (Official Video)」より

て自分の存在感を消すというか、存在感を自分でコントロールできる技術を身に着けられるとすごくいいなあ、と。

**西田**　でもどうでしょう。物理的な身体のめんどくささとか脆弱性を解決するのって、何かデバイスを身に着けるとかだけでは済まないのでは？　むしろそういうデバイスがあることで存在感が消えるどころか、よけい身体に注目が行ってしまうような気がします。

身体をどうこうするには何か理由づけが必要で、ある部分が動かないとか、マスクするのも感染症が広がっているとか、花粉症とか理由がないと納得してもらえないみたいな面があるじゃないですか。テック系の議論だとすごいマスクをどう作るかみたいな話一辺倒になりがちですけど、むしろその技術を使う理由づけも同じくらい重要だと思うんですよ。

**渡邊**　たとえばＺｏｏｍでよくあるのが、学生とかが「私スマホで繋いでてネットの帯域を使っちゃうんでビデオオフにします」という理由をつけたりするけど、そういうことですか？

**西田**　そうです。多くの場合、そういう理由づけは意図せず事後的にできていくものですが、その中に意図的に脆弱な身体を晒したくない人にとって都合のいい理由を作って紛れ込ませていくということもできるのではないかと。

さっき議論した感染症対策というのはまさに現在の世界を覆っている最悪の理由づけなわけですけど、それに代わる「これこれこういうものを身に着けるのは、みんなもやってるし仕方ないよね」というような副次的なルールとかマナーをデザインしていく余地は、結構あるのかもしれません。

たとえば駅の自動改札が進化して、このウェアラブルデバイスを身に着けていると顔パスのようにすっと通過できますよとなったら多くの人が身に着けるようになって、いちいち気にされることがなくなります。そうやってデバイス自体の存在感がなくなることで初めて「存在感をマスクするデバイス」が本当に機能できるようになります。要するに、身体を支援する技術を導入する理由を個々人の身体の側ではなく、あくまでも周囲の環境の側の事情だと納得できるための口実というか、雰囲気づくりまで視野に入れて作っていくのが、消極性デザインとしてのポイントですね。

**栗原**　なるほど。その先にあるのが、「遅いインターネット」とか「遅いメタバース」を経由して、個々人がそれぞれの身体感覚や他者との関わり方で生きていける「遅いリアルワールド」なのかもしれませんね。

## 「超回復」前提の社会から誰もが「俺よりちょっと弱い奴に会いに行」ける社会へ

**簗瀬**　「遅いリアルワールド」のあり方について思うのは、私が以前に開発した「**誰でも神プレイできるゲーム」シリーズ**［12］のコンセプトに通じる部分があるのかなと。要はオフラインで人と対戦しなくて済むから、全部自分のために用意さ

KEYWORD 11

### アバター

ＳＮＳやオンラインゲーム、ＶＲサービスなどでユーザーに紐づけられたキャラクターの画像やアイコン、３Ｄモデルといった視覚的な身体表象物のこと。語源はインドのヒンドゥー教において、神の化身を意味する「アヴァターラ」が元になっている。

インターネットの初期はテキストベースによるコミュニケーションが主だった。やがてさまざまなサービスやオンラインゲームが台頭し、ユーザー間のコミュニケーションはよりビジュアル的な要素が重視されるようになり、個性的にカスタマイズ可能なオンラインでの自己表現ツールとしてアバターが活用されはじめる。

アバターによるコミュニケーションは、テキストベースのコミュニケーション以上に情報量が豊富となる。ＳＮＳからゲームなど、サービスごとに情報量に違いがあるが、近年はVTuberなどの登場やVRChatをはじめとするメタバース系のサービスを通じて、３Ｄアニメーション可能なアバターが発展。今後はより実際の人間の身体に近い、非言語的なコミュニケーションの領域をカバーしていくことが期待されている。

Kelvin Degree/Shutterstock

れた世界として自動調整されていって、プレイヤーに提示されるチャレンジも必ず越えられるハードルという状態で生きていけるというものです。

でも実世界ってオンラインゲームに近いところがあって、どうしても対人戦とか対人関係がありますよね。実は私、仕事で格闘ゲームを題材にした漫画の監修をやっている関係で、この1年ずっと『ストリートファイターⅤ』のネット対戦をやっているんですが、実際やってみると、実は「今まで自分は対戦ゲームが下手だからやらない」と思っていたのが、やれば強くなるっていうすごく簡単なことがわかってきた。

そこで悟ったのが、「ストリートファイター」シリーズのキャッチコピーって「俺より強い奴に会いに行く」なんですけど、私のモチベーションって「俺よりちょっと弱い奴に会いに行く」なんだなと（笑）。

──「消極的なリュウ」ですね（笑）。

**簗瀬** 自分の個人的な体感としては、だいたいの人は負けた試合からいろいろ学ぶって言うと思うんですけど、負けたときに学ぶことってほとんどなくて、勝ったときに学ぶんですよね。10人と闘って、9人に負けて1人に勝ったとき、その1人からの勝ちのほうが9敗より学ぶことが多いんです。勝った試合だけリプレイを何度も見て、「あ、こういう行動をとるとダメージが入るんだな、勝てるんだな」と分析していきました。

そうして1年やった結果、『ストリートファイターⅤ』全体で150万人くらいプレイヤーがいる中、いま23万番目くらいまで来ました（笑）。勝った試合だけ見返して、自分の強みを把握するのってけっこう強いなと。だから、誰もが勝てるシチュエーションを持てるということがすごく大事だなというのが、現在の私の気付きです。

もうひとつが、「こいつ強いな」と思った相手に負けるのはそんなに辛くないけど、格下の相手に負けるとすごくショックだったということです。『ストリートファイターⅤ』では強さがポイントで可視化されていて、自分が3000くらいで相手が4800の場合、勝てなくても何のダメージもないんですが、逆に2000の人に負けるのが辛い。

現実世界ってこれがないんですよね。なので、現実とゲームってパラメーターのあるなしが大きいよなー、と痛感しています。何もかも可視化されていると生きやすくなる面もあるのかなと。

**栗原** 今の簗瀬さんの話は、さらに言えば肉体的切磋琢磨を通じて人間は成長できるという実世界の常識に対して、オンラインゲームの普及によってちょっと違う側面を見出すことができたのではないかという気付きじゃないかなとも思いました。これは冒頭に西田さんがおっしゃっていたことも通じていて、言ってみれば『ドラゴンボール』の超サイヤ人のような「**超回復**［13］」前提の社会の否定ということだと思うんですね。つまり、苦労して限界を越えることによって筋肉が発達したり、技能が上達したり、環境に適応できたりす

KEYWORD 12

## 「誰でも神プレイできるゲーム」シリーズ

簗瀬洋平が考案した、初心者でもハイレベルなゲームプレイを疑似的に体験できるようにするシステム。2012年発表の「誰でも神プレイできるシューティングゲーム」では、コンピュータ側はプレイヤーが操作する自機の移動範囲を予測し、ギリギリで当たらないように弾を撃つデザインを施している。プレイヤーは「高度なテクニックで敵弾を避けている」と感じられる。この仕様によって、シューティングゲームが得意じゃないプレイヤーでも膨大な弾幕を潜り抜けるという、ジャンルの面白さを体験できるように仕立て上げた。

その後、2015年には「誰でも神プレイできるジャンプアクションゲーム」を製作。ボタンを押した長さに応じてジャンプの飛距離が変わる〝溜めジャンプ〟という少々くせのあるゲームデザインで、初回プレイは上手く飛ばしにくい。ところが2回目以降に簡単に飛距離を伸ばせるようになっている。コンピュータが初回プレイの結果を分析し、ジャンプの飛距離に補正を入れているからである。一見、八百長のように思えるが、本シリーズの目的のひとつに、「プレイヤーに成功体験を与えることが、結果的にスキルアップに繋がる」ことを証明することがある。

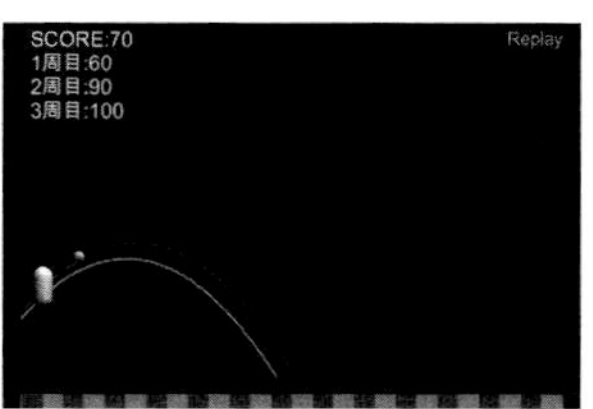


簗瀬洋平・鳴海拓志「誰でも神プレイできるジャンプアクションゲーム」（WISS 2015）より

るという、生物としてのヒトの身体の進化的特性に過度に依存するかたちで、これまでの人間観とか社会像が築かれてきた部分がある。そこから付随して「限界を越えなきゃダメだ」という精神論とか、限界まで頑張れずに太ったりしたらマイナスイメージになるみたいな風潮も根強く残っているのだと思います。

ただ、現在の技術の導入の仕方によって、「そこまで精神的に追い込まなくても肉体的に発達できますけど」とか、そもそも発達しなくてもいいとか、肉体の不平等や精神とのミスマッチが解決できる見通しが立ちつつあるときに、我々の身体についてのイメージや具体的なマネジメント方法はどう修正すべきなのかということが、今日の議論の本質だったんじゃないかなと思います。

**簗瀬**　「誰もそんなことをしないよ」ということは価値がなくなるから、いわゆる重い荷物を持つことを人類はしなくていいとなると、まさに男女の筋力差とかを考えなくて済む社会になるわけですよね。冒頭で話したパラメーター化の話題に寄せると、たぶん肉体的な能力のほうがよりパラメーター化しやすいんですよね。私がよく言っていることなのですが、たとえば痛みに強いかどうかって、実際の痛さのパラメーターとその人が感じる痛みの係数ってけっこう違うじゃないですか。

だから同じ辛さを与えたときに、その人の限界値の何%に到達するかと、辛さの絶対量って必ずしも噛み合わないんですよね。そういう感じ方とか精神的なものはパラメーター化されにくくて、カオス。だから超回復前提社会みたいなものを、すごく我慢強い人が作ってしまうという。

そういうことを考えると、実は感受性や精神的な能力のパラメーター化はそこをけっこう埋めることができるんじゃないかと。つまり、「この人には今から150の辛さを与えることになるから絶対だめです」と外から言えるわけですよね。要は精神的パラメーターや感受性パラメーターができると、社会はもうちょっと変われるんじゃないでしょうか。

**栗原**　そうなったとき、その先に待っているのがユートピアなのかディストピアなのかはちょっとわかりませんけどね（笑）。身体と精神を雑に二分して、精神のほうがICTによって先に差が埋まった結果、今の功罪相半ばする状況になっていたりするわけなので。

ただ、身体というとどうしても定式化できない余剰性とか複雑性とか、マジックワード化しがちになりますけど、精神の肥大にブレーキをかけたり、テクノロジーのきめ細かい使い方をデザインしたりしていくためにも、どこまでパラメーター化できるかはともかく、もっと具体的で解像度の高い指標で身体と精神の関係を解析し直していく必要があるのは間違いないと思います。

KEYWORD 13

## 超回復

筋力トレーニングで特定の部位を限界まで鍛えた後、24～48時間くらいの休息を取ることによって、トレーニング前よりも筋力の総量が増加する現象。スポーツ科学によれば、筋肉量を増加させるには、筋肉の破壊と修復を繰り返すことが重視される。つまり筋トレとは一度筋肉を破壊することであり、トレーニング後に休むことで筋肉が修復され、筋肉量を増やしていく。こうした超回復が起こるのを待ってから次のトレーニングを行うことが、効率よく筋肉量を増加させるのに理想的だと言われている。

このように「超回復」は一定のスポーツ科学的な根拠のある現象ではあるが、試練や苦行をよしとする伝統的な社会通念や、限界を乗り越えることを通じてパワーアップするというカタルシスを描くフィクションのドラマツルギーの正当化とも結びつきやすい。

現実の身体的現象としての超回復の範囲と、社会的・精神論的に誇張された観念としての超回復の範囲とを混同しないことが重要だろう。

Flamingo Images/Shutterstock

インタビュー

# 制作する身体をめぐって――運と誘惑と戯れながら

上妻世海
聞き手＝中川大地・宇野常寛

## はじめに

――上妻さんとは、２０１８年のデビュー論考集『制作へ』の刊行以来、いろいろな機会で対話を重ねていて、PLANETSでは連続講義「作ること、生きること―分断していく世界の中で」やウェブマガジン「遅いインターネット」などにも登場してもらっています。その折々の機会で、人間がものを作るという行為の本質について、上妻さんは哲学の古典から近年の人類学の潮流、あるいは最新の進化生物学や脳神経科学まで、様々な領域の知見を独自のスタンスで咀嚼しながら自らの思索を深めてこられていますよね。

そこで今日は、『モノノメ＃２』の特集の「身体」というテーマについて、いま上妻さんが考えていることを改めて語ってもらえればと思っています。最初に、上妻さんが身体論という切り口について、どんな問題意識を持っているのかから伺えますか？

**上妻**　まず重要なのは、形式と実質という区別を明確に理解することです。身体は、感性的であり、イメージ的であり、言語的でもあります。そして、それらは、複雑に絡み合っていて、身体は、自らを再帰的に規則化する基体でもあります（それを学習と呼ぶこともある）。形式的に思考することに慣れてしまった／強いられてしまった人であれば、まず第一に、自らの身体を既に教育した／された、家畜化した／された、規則化した／されたものであることを自覚し、そこから形式的なものを「引き算」していかなくてはなりません（身体を組み替える上での準備体操）。

　哲学者エルンスト・カッシーラーは、「おとなが外国語を学ぶ際のほんとうの困難は、新しい言語を学ぶよりも、以前の言語を忘れる点にある」と述べました。ここで彼が言いたいことは、大人は学習した規則によって既に感覚やイメージが規定されてしまっているので、別の規則を受け入れる準備として（それが基本にして奥義なのですが）、透明なそれらを自覚の領野に持ち込み（不透明化し）、そこから「引き算」することが難しいということです。もちろん、それは面倒なことなので、僕たちは、言語の上で教育や市場からの影響を否認することもできます。「論理－言語」の上ではなんとでも言えるのが、「論理－言語」の可能性であり（古代ギリシアの幾何学者たちは、地上における重力の法則を知らずに放物線の固有性を探求しましたし、リーマン幾何学は、アインシュタインが一般相対性理論をリーマン幾何学を用いて発展させるまで、その物理的な意味は不明のままでした）、それと同時に限界です（実質を無視して、形式的に好き勝手な理想論を述べられる）。

　しかし、このテキストが「身体〝論〟」である以上、自覚的に形式と実質の差異は区別されなくてはなりません（そしてそれが可能であることは、日本語と英語のように、構造がかけ離れた言葉を学びうるという事実が示しています）。なぜなら、身体は、（思考を挟まずに）素直に向き合えば厄介なものではないのでしょうが、現代の環境では、なかなかそうもいかないからです。形式を用いたほうが有用性が高い環境であれば、あるいは、形式の有効性しか学べない／教えられない環境にいれば、形式の守備範囲外であっても、それを暗黙裡に強いる／強いられる傾向が出てくることは明らかです。

　つまり、形式と実質の区別無しに済ますということは、形式化していく傾向に盲目的に従うということを意味しているのです。僕たちの選択以前に、近代的環境が身体に強いる方向性を暗示している以上、身体論は、まずそれらを明示的にする必要があります。そして、筆者／読者は、その上で理性の命令に従うか――カントは、形式化していく傾向を理性の命令と捉えたのですが――、それとも理性の命令範囲を限定し、人間は神ではないことを受け入れるか、を決めれば良いのです（カントは、神とは理性のイメージであると考えていました）。ゲーテは、「外国語を知らないものは自国語について何も知らない」と言いました。彼の言葉を、身体論に拡張するなら、別の身体を知らないものは、自らの身体について何も知らないと言い換えることができます。逆に言えば、理性一元論で物事を語る人々は、自らの身体を知らないが故に、未熟な全能感に浸っていると言えるかも

**上妻世海（こうづま・せかい）**
1989年生まれ。おもなキュレーションに「Malformed Objects― 無数の異なる身体のためのブリコラージュ」（山本現代）、「時間の形式、その制作と方法 ― 田中功起作品とテキストから考える」（青山目黒）。著作に『制作へ』（エクリ）、『脱近代宣言』（水声社、落合陽一・清水高志との共著）。Twitter: @skkzm

しれません。

――ただ、デカルト以降の理性中心主義や、軍隊や学校制度のように身体を形式的に統御しようとする近代的な規律訓練の社会制度のようなものに対しては、20世紀後半くらいから批判や見直しの声もだいぶ高まってきていたと思います。卑近なところで言えば、すでに現代社会では体罰や精神論は減りつつあり、社会が規則を個々に強制する装置は機能していないようにも見えるのですが、その点はどう評価されていますか？

**上妻**　仮に近年、親や教師が子どもを勉強や部活に強いる権限が縮小していたとしても（外的な強制の縮小）、市場原理がより広い環境を支配していく傾向に歯止めがかからない限り（それは限りなく不可能であるように見えます）、形式的思考の一般化は変質しつつ、拡大しているといえます（内的な強制の拡大）。市場での商品やサービスを消費するには、市場でのゲームに勝ち続ける必要があります（資本による一元化）。そして、市場では、あまり親しくない他者（取引先の人々や会社の同僚、あるいはインターネットを介した全ての他者）とのコミュニケーションが重要視され、ゲームである以上、攻略する必要があるため、形式的で誰にでも規則化可能であり、論理的で誰にでも推論可能な言語が求められます。

一定期間共に暮らし、親密な関係になれば、かなり不合理であっても相互理解は可能ですが（日常会話は「論理－言語」の観点から言えば、ジョークやナンセンスで作り上げられており、言語は文字通り解釈されることはほとんどないか、文字通り受け取る人がいたら逆に会話は成り立ちません）、即時的なコミュニケーションには見知らぬ他者との共通の形式が必要となります（そもそも論理とは、古代ギリシア人が異邦人とのコミュニケーション手段として見出したものです）。また、その形式が平等なルールでなければ、人々は不満を募らせ、それを是正する方向に進みます。たとえば、オリンピック競技になった武道の場合、その不合理な部分（魅力でもある）は、その傾向によって合理的なスポーツへと漸進的に変形させられます。数百年の歴史ある武道が数年のスパンでルール改正に遭うことに疑問を呈する人がいますが、形式化とはそういうものです（異邦人同士の共約不可能な神話体系から古代ギリシアの一元的論理へ、という歴史の反復）。競争は、外的に強制されるわけではないとしても、勝ち組／負け組という言葉があるように、内的に競争するよう動機づけられてしまいますし、市場原理が一元化した近代的環境に住んでいる以上、都市生活者は、市場の外側では衣食住すら満たすことができません。

――なるほど、国家権力や指導理念のレベルでは西洋的な自由主義や民主主義の進展によって身体を理性的に統御しようとするクラシックな近代の発想は相対化されたけど、21世紀的なグローバル資本主義の全面化とかインターネットの普及が、かえって人々にフーコー的な生権力の内面化・無意識化を促進しているとも言えるわけですね。

**上妻**　そうです。言うなれば、外的な強制がなくとも、環境は人が自ら競争に駆り立てるよう整えられているのです（起業家やスポーツ選手など競争のプロフェッショナルが目標にされるのは、その一端にすぎません）。

マルクスが指摘するように、市場経済が成り立つには、土地と人々を分離することで、人が自らの手段で衣食住を満たせなくすることが必要です。現代の僕たちには想像しがたいでしょうが、土地という労働手段から人々が引き離されることで、初めて賃金労働者が誕生します。中世においての貧困者の定義には、歴史学者イヴァン・イリイチによれば、賃金労働者が含まれています。発展論者は、ＧＤＰの増加を指摘することで、世界は全体として豊かになっていると指摘しますが、中世の基準から言えば、ほとんどの人々が土地を奪われ、自らの家を自給自足できなくなっているという意味で、世界は貧困に向かっていると言えます。僕は、どちらかが正しいとは思いませんが、誰かが何かを主張する際には、その背後にある暗黙の基準設定を見抜く必要があると思っています。盲目的な発展論者を相対化する上でも、様々な時代や地域の基準を学ぶ必要があるのです。

そういう観点から見ても、歴史学や人類学はとてもおもしろいと思います。相対化は、正しさのために行われるよりも、自由のためになされるほうが活き活きと働き始めるものです。現在の基準にも、過去の基準にも囚われないために、それは行われるべきなのです。まさに「他者の身体を知らないものは、自らの身体をまったく知らない」の具体的事例でもあります。

## 市場とインターネットが内面化する身体的行為の「形式」化

――そうした市場環境が無意識下で我々に強要する内面的な身体規制というのは、現代の情報環境ではどんな局面で表出していると思いますか？

**上妻**　たとえば、近年流行りのポリティカルコレクトネスに関する議論では、誰にとっても不快でないよう配慮することが求められますが、具体的に知らないすべての他者に対する配慮という意味で、それは、形式的な言語の完成形であると言えるものです。もちろん、市場において（社会的領域において）そのような配慮がなされるのは、当然のことです。

市場とは異邦人が出会う場所であり、市場が社会を覆い尽くした近代とは、皆が孤独を強いられる社会のことだからです。ＳＮＳで気楽に発言できないことをしんどいと思う人は、ＳＮＳ以前の社会的発言が人前でのスピーチや雑誌への寄稿、メディアでの発言など、決して気楽なものではなかったことを思い出すだけでよいのです。確かに１９９０年代から２０１０年代に到るまで、インターネットは部族的なものでした。人々は、各々の信じる神話に閉じこもり、各々が信じる神話によってぶつかりあっていたのです。今では考えられないですが、ネット上の創造的な多くの事象は、有用性とは無関係になされていたものでした（動画投稿や生配信は、むしろお金を払ってやるものであった）。しかし、インターネットが社会化した以上、親密な会話はまたもや物理的な場に戻ってきたのです。もちろん、それは、そこが焼け野原になっていなければ、の話です。技術とは、発展ではなく、外在化であることを示したのは、人類学者アンドレ・ルロワ＝グーランです。歯は鋭い石へと置きかわり、筋力は馬力や水力や電力や原子力に置きかわりました（そして、人の歯や筋力は退化したのです）。同じように、コミュニケーションが簡易的なテキストメッセージに置き換わっていたとしたら、僕たちの身振り、手振り、口ぶりを伴う誘惑の仕草は、退化していくのでしょうか。もしそうだとしたら、もはや、僕たちには市場原理に適応できるか、不適応のまま生きづらさを享受していくしかないのか、の二択しか残っていないということになります。かつての共同体への憧憬は、単なる懐古趣味に過ぎないと言えてしまうわけです。

しかしながら、このことを理解すれば、SNSで正義を振りかざすことにやっきになっている人たちも、――もはやネットは市場原理によって勝つ／負けるという構造が前提されている以上――勝っている（とされている）人びとが、上から目線で負けている（とされている）人びとに対して、形式的正しさを押し付けていては、反発が起こるのは当然だということも理解しなくてはなりません。もともと部族的な多種多様性があった場が、わずか十年程度で市場原理に支配される場になったのです。ポリティカルコレクトネスだけでなく、あらゆる権利論は、形式的であるがゆえに一階の論理にしか対応できません（それは必然的に、肯定と否定を切り分けるのみであり、否定された人々の権利は肯定できない）。確かに権利という概念は、形式を神格化する西欧だからこそ生み出せた素晴らしい発明品ですが、その不可能性もすでに明らかなのです。

たとえば、アメリカ大陸は、ジョン・ロックの所有権の理論に基づいて支配されました。それは、簡単に言えば、確固たる自我が労働によって耕した土地は、その自我の所有物となるという理論です。つまり、神から与えられた身体による労働によって、身体から土地に所有権が拡張するというわけです。しかし、アメリカ・インディアンは、土地が誰かの所有物であるという考えをもちませんでした。土地は誰にも加工されず、誰の所有物でもなかったのです。故に、アメリカ大陸には、正義による権利の押し付けがあったわけです。勝手にルールを定めて、勝手にそのルールによって支配すること。その形式さえ守っていれば、正義の名の下に侵略できるということです。同じことがインターネットにも起こっています。確かに正義は、形式を守る側にあると言えます。しかし、多様性とは、形式の上で守られるわけではありません。その形式を共有していないものたちのあいだにこそ、真の多様性が宿っているのです。僕たちは、アメリカ・インディアンに、近代法の観点から、支配の正当性を強弁できたとしても、それはそれでよいのでしょうか。

　また、現代政治学では、「翻訳できない権利」という議論があります。たとえば、強制された友情（友情権）、強制された愛情（愛情権）、強制された尊敬（尊敬権）というのは、語義矛盾になります。それらは、運や誘惑や勇気といった形式化不可能な要素を必要不可欠とし、形式化された途端、中身のないものとなるからです。そして、それは権利論のみならず、形式一般が孕む問題でもあります。友情権、愛情権、尊敬権が語義矛盾に陥るように、金で買われた友情や愛情や尊敬は、悲しさや虚しさを生み出すだけです。それらは、権利にも、貨幣価値にも翻訳できないのです。あなたがもし過去に戻り、過去の株式や競馬の情報から億万長者になれたとして、現在の恋人や友人と同様の関係は築けるでしょうか。もし、それらが大切だから、過去に戻りたくないと思えるなら、あなたは幸運であり幸福です。なぜならそれは、あなたが形式以上（権利や金銭価値以上）のものを手に入れる運に恵まれているということを意味しているからです。パプアニューギニアの狩猟採集民にとって、幸福とは運に恵まれていることを意味するのは偶然でしょうか。モンゴルの遊牧民にとって、運の宿った家畜や樹木が特別視されているのは偶然でしょうか。ポリネシア人のマナは、変な形をした物事に宿るとされていること、それらが感染していくものとされていることと、運の次元は無関係でしょうか。現代人は、長時間ゲームの内側にいることで、運という幸福に関わる次元を放棄してしまっているのではないでしょうか。

——そうですね。カイヨワが『遊びと人間』で規定した遊びの4分類の枠組みでも、純粋な身体的な快楽としての「眩暈（イリンクス）」や、自分が制御できない事象に身を委ねる「運（アレア）」から、近現代に近づくにしたがって次第に形式的なルールが整備され、技量によって制御可能な「競争（アゴン）」に向かっていくという文明像が描かれています。その大きな流れは、現状においても変わっていないという。

**上妻**　カントは、たとえ現実が複雑で混じりあっていたとしても、いずれ形式化できるという可能性がある限り、形式的に思考することの意義は失われないと指摘しました（上述した数学の事例など）。確かに、学問的な意味で、形式的な多様性を擁護する議論が盛んになることは良いことでしょう。それによって、形式上想定可能なあらゆる権利が主張できるからです。しかしながら、僕は、形式的な議論には関心ありません（そして、それは身体論とは呼べません）。形式的に理想の社会は、容易に想像できることだからです（そして、身体論は、形式を離れて、別の身体へと生成していくことだからです）。あらゆる権利が認められ、あらゆる物や事が商品化した世界において始まるのは、これまで以上に苛烈な競争です。なぜなら、仮に社会が論理的に過不足ない形式をまとってしまえば、このように「翻訳できない物事」こそ人々の目標となるからです（カントは、翻訳できない物事を知りませんでした。シラーはカントについて、「もし彼が愛を感ずることができたならば、彼は人間性一般の最も偉大な現象の一つであったであろう」と語っている）。

逆に言えば、これまで以上に、友人がいないことや恋人がいないこと、人びとから尊敬されないことが引き金となって社会的な事件が生じていくでしょう。なぜなら、もはや形式的には、なんの問題もないはずなので、すべては自己責任、努力不足、能力不足だと考えられるためです。市場には競争という大前提が存在している以上、負けている（とされている）人びとからすれば、「お前たちは、すべてに配慮しているふりをしているが、私たちの不満に対して無関心じゃないか」と思われるだけです。もちろん、近代以前であれば、市場は共同体と共同体の〈あいだ〉に生じる隙間に過ぎませんでした。形式と競争に駆り立てられる人びとは、単に卑しい人びとと見なされていましたし、ソクラテスのように、「歳の市の商品の真只中で、私が全然必要としないものが何と多くあることだろう」、と快活な心をもって言うこともできたはずです。

しかし、現代では、労働市場や恋愛市場といったように、人自体や人の関係など資本ではないものが市場ゲームの一部として語られていき、本来娯楽であるはずのビデオゲームをeスポーツという競争に書き換えてしまったことにも現れているように、市場は共同体の隙間からすでに共同体自体を次々と飲み込み、競争から逃れられる余地は、ほとんど残っていないのです。つまり、「頭の良い奴らの言ってることはよくわかんねえけどよ。それでも楽しくやってんだ」といった余地が埋め尽くされてしまい、なるべく市場と無関係に生きる権利は失われてしまっているのです（形式の限界）。

——その実感はよくわかります。そういったあらゆる精神領域に及んでいる市場ゲームの圧力に対して、改めて身体と向き合い直すことで、多少なりとも外側に出られないかというのが今回特集の主旨なのですが、その可能性はどう感じますか？

**上妻**　頭が良い（とされている）子供たちは、近代的環境が放つこの暗黙の方向性に敏感なので、親や教師に強制されることなく、自ら進んで神経症的で、機械的な身体を育て上げてしまうかもしれません（外から物理的に強制されたわけではないので、自覚するのが以前よりも困難な可能性すらあります）。最近、ある学生と話す機会があったのですが、彼の口癖は「それってコスパ悪いですよね」や「それはリスクが高いです」といった市場の言葉でした。彼との話題は、読書についてなので、僕は、余暇や遊びにまでコストパフォーマンスやリスクを考慮するのは、むしろ遊びの快楽を減らすのではないかと思ったのですが、彼には、それが「論理＝言語」の守備範囲を超えているという自覚はなさそうでした。たとえば、ビデオゲームであっても、攻略ばかりを重視して、最短ルートや強い武器のありか、効率的なレベル上げをネットや攻略本で調べ上げてしまっては、せっかくの遊びを退屈な作業に還元してしまいます。今やゲームの外側があるという言説自体が古いものになりつつあるようですが、余暇や遊びの他にも、形式性を考慮するとダメになるものは多数あります。行動経済学者ジョージ・エインズリーが示したように、実は、愛情や友情、尊敬というのは、形式的に（効率的かつ一般的な方法で）目指されると台無しになってしまうものなのです。エインズリーは、実験科学ベースで語るので、現代政治学の文脈とはまったく参照関係にないのに、同じものが議題に上がっているのは、興味深いところです。

たとえば、セックスを目的にした恋愛は、下劣とされますし、恋人の作り方を本で学んでいるのは愚かです（愛情を攻略だと勘違いしていることが明らかになるから）。友達が欲しいから周りに意見や態度を合わせているだけの人は、真に仲間の輪の中には入れない／入れてもらえないですし、尊敬されたくてなされる行動は非常に滑稽です。エインズリーは、愛情や友情、尊敬のような長期的報酬は、間接的なものだと指摘します（性に道徳が付きものなのも、友情に物語が先行するのも、尊敬の前に理念が語られるのも、そのような迂回が必要だからです）。なぜなら長期的なものを目指すには、それを台無しにしてしまう短期的、中期的な報酬から防衛する必要があるからです（短期的なギャンブル欲にはまってしまえば、愛想をつかされますし、中期的な形式的人間になってしまえば、機械的でつまらない人間と思われてしまいます）。

もちろん、僕は、論理や効率を全面的に否定しているわけではありません。論理的思考は、市場ゲームや単純作業では有効かつ求められるものです（非効率な作業は、余暇への余裕や創造性の余白を削ります）。しかし、形式には有効な範囲が存在し（中期的領域）、長期的な報酬を求める際には、形式はそれらを台無しにしてしまうということも理解しなくてはなりません。ゲームの事例でも明らかなように、形式は楽しみを作業へと還元してしまうのです。形式は、実質を形式化することで、本質を奪うのです（豊かな生活を作り上げる動的な人間関係をフォロワーの数や家計簿における100円単位の機械的節約術に還元するように）。

## 身体の「実質」を取り戻すために

――では、ここで言う身体経験の「実質」とはどういうものなのでしょうか？

**上妻**　それを示す上で、イメージを例に挙げて考えてみます。第一に忘れてはならないのは、最古の表現は、――人類学者アンドレ・ルロワ＝グーランによれば――歌や踊り、あるいはマントラなど、内臓－情動－身体技法的なものの外在化であったということです。喜びや悲しみ、嬉しさや憂い、弛緩や緊張のリズム、あるいは戦いや狩りで血湧き肉躍る身体を、外側の環境に秩序づけることで安定させたいという欲求があることは、フロイトをはじめとして多くの論者も見出してきました。

また、ある行動科学の実験では、被験者に鏡の無い部屋で好きなように歩いてもらい、後でその人に歩きのシルエット動画をいくつか見せます。被験者は、自分の動きを外側から見ていないにも関わらず、類似しているいくつかの動きの中から、どれが自分の動きであったか識別できます。運動は、内的な感覚だけでなく、外的なイメージも同時に生成しているのです。あるいは、児童心理学は、赤ん坊が未だ鏡で自らの姿形を見たことがない状態でも、親から喜びや悲しみなどの表情や内臓感覚を写し取ることを教えてくれます。保育園などではよく知られていることですが、一人子どもが泣き出すと、それが感染して、子どもたちは次々と泣き出しますし、一人が楽しそうに遊んでいると、その感情が広がって、あたかも楽園のような空間が誕生します。それは大人から見た場合、外側から入ってくるイメージがあたかも同時に内側から沸き立つ感覚でもあり、内側の感情は外側のイメージでもあるようです。身体は、内と外において二重に「感覚−イメージ」を生み出しています。それを内と外に区別するのは、後続する認知過程に依存しています（脳神経学者ラマチャンドランの研究など）。

身体は、原初的な鏡であり、内と外を常に反射しながら／されながら、感覚−イメージ−言語を混濁させているのです。大人であっても、ジムでバーベルを持ち上げ、筋肉がパンプする度にアーノルド・シュワルツネッガーになったかのようなイメージに酔いしれる人もいれば、マフィア映画を見終えた観客が映画館から肩で風切って出てくることを考えれば、「感覚−イメージ」が未だ現代人の中で生き残っていることを実感できます（逆に恐ろしい出来事があれば、映画『13日の金曜日』で殺人鬼ジェイソンに追われるキャンプ指導員候補生のイメージに取り憑かれることもあり、ホラー映画を見終わった後の帰り道では、やけに誰かに見られているような不安に襲われることもあるでしょう）。少なくとも、ニーチェが記したように、獲得形質の遺伝が大部分において否定されている以上、人類はどこまで文明を発達させたとしても、新たに生まれ落ちるたびに太古の身体からやり直しているわけです。人類学が明らかにしているような、狩猟民の「私はシカでなく、シカでなくはない」「シカは私でなく、私でなくもない」といった不安定な自己同一性は、彼らに特別なことではありませんし、霊長類学が明らかにしているように、チンパンジーからホモ・サピエンスに到るまで、僕たちにとって群れの中での親密な関係が実存の基盤となることも、変わらず根付いているものなのです（とはいえ、数万年後にはどうなっているかは定かではありません）。

問題は、現代人には、内臓感覚や運動やリズムを元にした「感覚−イメージ」を描き出せる人がほとんどいないという事実です。たとえば現代の表現を見てみると、多くの場合、マスメディアやSNSによって膾炙した一般的な線、形、表象が反復されているだけです。宇宙人の表象は、近年更新されているでしょうか？　妖怪や怪物の表象の豊かさは、先端の表現よりも、むしろ過去の文献の中に溢れています。イメージは現在、論理と有用性（ゲーム）に囲い込まれており、外側から一方的に眺められた「論理－イメージ」へと変貌しています。創造性という言葉は陳腐化し、「論理－イメージ」を少しズラして、引用することを意味するようになりつつあります。コード化した／された身体においては、感性もイメージも形式的に画一化されています（「論理－感性」と「論理－イメージ」）。故に、形式上でのズレを楽しむことが消費社会におけるおしゃれなライフスタイルとなるわけです。

――そうですね。ファッションなんかも他者によって決められるコードに準拠する部分と、自分自身が理想に思う身体イメージとのせめぎ合いの現象だったりしますし。

**上妻**　もちろん、表現の水準だけで言えば、いつの時代も凡庸なものは凡庸であったと指摘することはできます。しかし、「論理－イメージ」は、日常的な水準で、精神的、肉体的にも弊害を生み出しつつあるようです。感覚からのイメージ形成が上手く働かず、メディアを介した形式的なイメージに身体が蝕まれることで、アメリカでは262万人もの人々が身体・筋肉醜形症という病に苦しんでいます（日本の統計データは知らないのですが、日本にも多数存在すると推察できます）。身体醜形症とは、外的に見れば一見するだけでものすごい筋肉量を誇っているのに、内的には痩せすぎていると思い込み、強迫観念的にジムに通い、大量に食べ、サプリメントを過剰に摂取してしまうことや、既に痩せ過ぎていて、皮膚が灰色に変色してしまっているのに、自らを太り過ぎていると感じ、食べることに拒否反応が生じてしまうことなどの症状を指します。身体醜形症は、感覚－イメージ－言語のバランスが崩れたことで生じる病の可能性があり、治療法の一つには、患者に特殊なウェットスーツを常時着てもらうことで、常に皮膚感覚を感じられるようにし、それによって「感覚－イメージ」を賦活することを目指すものもあります（サンドラ＆マシュー・ブレイクスリー『脳の中の身体地図』）。それは、憧れのボディービルダーやファッションモデルからのイメージではなく、ウェットスーツによって感じる皮膚からのイメージによって、身体イメージを再構築するための訓練です。

　このように、表現だけでなく、身近な病としても、論理と有用性（ゲーム）による感性とイメージの囲い込みは現れ始めています。もちろん、論理や有用性（ゲーム）が悪で、感覚とイメージを善として語るのは誤りです。それらにはそれぞれの可能性と限界があるだけです。ウェットスーツの例のように、身体の原初的鏡における双方向の反射を賦活させることで、翻って論理の便利さや有効性を改めて自覚できるようにもなります（効率的な生産と流通に支えられて、現代社会の便利さや快適さは作られている）。そして、それぞれの越権に対して批判を加え（論理がイメージや感覚を支配している状態など）、適切な領分に住まわせてこそ、それぞれの能力が遺憾無く混ざり合い、上手く力能が発揮されるのです。僕が群れの必要性を唱えるのは、別に過去の共同体の牧歌的なイメージを復権させたいからではありません。身体の原初的鏡の元では、自己と他者の区別は不問なのです。しかし、自己とメディア環境でのみその反省回路を閉じていては、身体醜形症を始めとして多くの問題が生じるでしょう（身体イメージはメディアの市場原理次第ということになります）。

故に、鏡の反射範囲を広げることで、実質を取り戻す必要があると論じているのです（思春期には見た目を過大評価しがちですが、少し年の離れた人びとと触れ合うことで、見た目への評価を適切に調整することができるなど）。過去を取り戻すことはできません。しかし、過去を分析し、現在を分析することで、至らない部分（形式化不可能な領域）を、別の仕方で作り上げること、これこそが新たな身体を作り上げる上での参照先となりうるはずです。市場原理は、中間領域の構築を得意としている反面、長期的領域を破壊する傾向を持っています。逆に言えば、長期的領域こそ、僕たちが自発的に作り上げていかなければならないものなのです。

僕の専門は、制作論ですが、制作も傑作を作り上げるという寿命を超えた長期的報酬を目指すものです。カントは、「生きることの価値は、もしもそれが享楽の総計に従って評価されるならば、『零以下に下落する』」と指摘しました。これは現代の進化心理学では、狩りの失敗は再度挑戦すれば良いだけだが、狩られることの失敗は死を意味することからも、生物は否定的な事象を肯定的な事象と比べてかなり大きく評価する傾向として知られています。しかし、カントは、悲観的であったわけではありません。なぜなら、彼は、制作の次元においてこそ、享楽の次元を超えて、普遍的で価値ある物が生み出せると考えていたからです。彼の知らなかったことは（知らずに彼はその次元を彼なりに実践していたのですが）、その次元が感覚－イメージ－言語の組み替えによって成立するということ、そのためには短期的－中期的－長期的報酬の攻防が個人の中で生じているという事実なのです（彼は、あまりにも感覚やイメージを、短期的－中期的な報酬を軽視し過ぎています）。身体は、単純に形式化できるものではなく、そのようないくつもの要因の複雑な絡み合いと組み替えの絶え間ない実験場なのです。

――では、身体イメージを組み替えたり報酬の視野を広げたりすることが求められるとして、現代人はその感覚をどうすれば取り戻せるのでしょうか？

**上妻**　そもそも形式的とは何でしょうか？　それは、感覚やイメージや言語を用いる際に、ある形式（フォーマット）を暗黙の前提にする物や事を指します。たとえば、形式的思考といえば、形式を媒介にした思考のことであり、形式的儀礼といえば、型通りに行われる儀礼のことを指します（感覚やイメージを伴わない格式だけの儀礼という批判が含まれていることもあります）。カントは、形式について議論する際、数量性を最も重視しました。なぜなら、数とは、まさに公理という形式を前提にすることで漸進的に示される典型だからです（近代数学では、集合と構造を定義することで、そこから個々の対象を演繹する）。自然数の定義（厳密にはペアノの公理だろうが、もっと具体的な、指折りによる日常的定義でも良い）なしに1や2や3の意味は不明ですが、それが一度確立されてしまえば、個々の自然数は無限に演繹し続けることができます。そして、一度数量の形式を定立してしまえば、人びとは、目の前の林檎をそれ自体として受け取るのではなく、それらを数の体系に置き換えることで、量として処理することができるようになります。林檎一つ一つは、当然すべて異なるものですから、それを一々「これは旨そうだな」とか「これは硬そうだな」と、個別に考慮していては、大量の林檎を一度に取引することは困難です。しかし、それらをまとめて同質な数量として捉えるなら、林檎の数と貨幣の等価交換が可能になります。

また、言語の場合も同様です。形式的言語学では、単語の意味は差異の体系として定義されます。そこで林檎は、みかんや梨やスイカとの差異であり、珊瑚（サンゴ）や団子（ダンゴ）との差異として示されます。林檎は、外から身体を誘惑し、内に唾液を分泌し、手に取るように促す林檎それ自体の赤や香りや硬さではなく、様々な果実からなる体系や韻律の体系を通すことで、「何かではないもの」として否定的に定義されるのです。こうして、形式的身体は、物を実質から分離し、対象へと加工し、物は数量や差異を生み出す項として処理されるようになります。形式を通してこそ、私（内）と対象（外）は、明確な区分をもって語られるようになるのですが、形式が透明化してしまうことで、事後的にしか区別不可能な外からの誘惑／内からの衝動、内からの分泌／外への行為という鏡の原初的反射は抑圧されます。この方法は僕たちにとって、あまりにも強固に学び／教えられているため、殆どの場合、僕たちは、この置き換えを無自覚のうちに通過しています（形式の透明化）。しかし、ソ連の神経心理学者アレクサンドル・ルリアの一連の実験で示されたように、実際、形式への置き換えは教育に依存しており、読み書きのできないウズベクスタンの人びとは、具体的なものを具体的なものとして考えています（たとえば、彼らは、樽とコップと林檎など円としてカテゴリー化できるようなものを円としてカテゴリー化することができないし、その必要性に疑問を呈する）。

あるいは、形式的経済学を考えてみるのもよいでしょう。そこで経済は、需要曲線と供給曲線で描かれる市場と化します。そうすると、共同体や制度や家の関係などは、すべてこの曲線を非効率化する障害として見えてきます。しばしばニュースなどでも聞かれる流動性を高めることとは、とにかく規制を排除することですが、この視点ではすでに人と人の具体的な繋がりや慣習的な制度が邪魔な要因として前提されています（一部の経済学の流派では、それらは社会関係資本として見直されてきている）。しかし、そもそも経済とは、家の法（オイコノミアー）という意味であり、古代ギリシアの大家族が自給自足できるようやりくりすることを意味していました。言い換えれば、社会関係資本は、邪魔なものでも、見直されるものでもなく、むしろそれらを実質として扱い、いかに維持するか、いかに豊かにするかを考えることが経済だったのです。実質的経済から中身を捨象すること、つまり、家族を無視し、共同体をないがしろにし、善き生活とは何かとは問わず、慣習や制度を非効率性と見做し、ただただ形式的に資本の増加を求めることが、正義や幸福や善に繋がるとは限らないのは、現代の経済を事例として考えれば明らかです。

賢明なことにも、古代ギリシアでは、交換経済は共同体の正義、あるいは善き生活に奉仕する限り承認されていた行為であり、形式的に貨幣それ自体の増幅を目的になされることは忌避されていました。それが共同体の紐帯を破壊すると直観されていたからです。今でもよく聞かれる「お金では買えないもの」という言い方は陳腐ですが、この使い古された文句には、直観的な危機感が表されているように思います。なぜなら、すでに述べたように、長期的報酬（愛情や友情や尊敬など）は形式によって破壊されてしまうからです。言い換えれば、あらゆる物や事が貨幣交換の次元に置かれるということは、愛情や友情や尊敬という実質的な領域を無きものにしてしまうことでもあるのです（たとえば、恋愛市場などという言葉を使ってしまう人に、現実の恋愛関係を豊かにできるとは思えません。それは、ゆるやかに形成されていく長期的な関係を短期的な効率をめぐる戦略ゲームへと変貌させてしまうからです）。

形式化とは、物や事を誰しもに当てはめるための一般化であり、誰でも実現可能な手順への規則化であり、皆に適応されるべき権利の構想と獲得の歴史ですが、それは、あくまで一つの特殊な条件に対する特殊な手段にすぎません。それは、まったくもって万能ではなく、ただ効率よく、戦略的に、一般的に示すだけであり、間接的なもの（誘惑や冗談など）や遊びや余暇や一回性のもの（運）を指し示すことはできないのです（悪口や陰口を言うと逮捕される社会になったとしても、運に恵まれた／恵まれないという差異は依然として温存される）。

むしろ形式が扱えるのは、中期的な報酬―戦略化や規則化が可能な領域だけであり、短期的な報酬（癖や中毒など）を理解不能にしますし、長期的報酬をダメにするのです。確かに、酒や煙草やギャンブルへの耽溺は、中期的観点からすれば、愚かに見えます。それは中期的報酬をダメにするからです（たとえば、ギャンブルは、貯金を最大化しようとする目的を破壊する）。しかし同様に、長期的観点からすれば、中期的報酬も愚かに見えます（貯金を最大化しようとするあまり、夫婦関係を台無しにしてしまうなど）。実質的とは、身体が感情－イメージ－言語の複雑な混交であること、短期的－中期的－長期的報酬の交雑をそのままに捉えることです。それらは、異なる領域を担っているだけでなく、相互に支え合っているのです。時には、酒や煙草を嗜むことが中期的な節約や効率化を支えますし、中期的な節約や効率化が長期的な関係の豊かさや創造性への余白を生み出します。そして身体は、近代的環境によって偏ってしまったバランスを脱コード化－再コード化する際の指針でもあります。

――そうですね。現代のSNS環境などで社会的身体の画一化がますます進んでいったことに対する見直しの出発点として、僕たちが「身体」の余剰性に着目した真意を、とても正確に言い当ててもらった気がします。

**上妻**　僕も、ここまで〝論〟を紡ぐ以上、形式的な単語を用いていますが、厳密には個々の一回的な「これ」（運と誘惑）があるだけです。それらは、厳密には反復不可能であるがゆえに、形式的言語では描き出せないものなのです。僕が形式と実質を区別するよう指摘するのは、〝論〟自体が形式性を前提にしているからであり、僕が語りたいのは形式それ自体ではなく、そこから溢れ出る余剰なのです。つまり、もし読者がこのテキストを文字通り解釈するとしたら、僕の言いたいことは何も伝わらないのです。もちろん僕は、それでもこれを読んだ数人にはその余剰が伝わると確信しています。そして、それこそが「論理－言語」ではなく、「感覚－言語」や「イメージ－言語」が実在することの実例なのです。

一般的に言って、世に広まっている身体論は、身体論とは名ばかりで、認知主義や効用主義の行き詰まりから別の名前がつけられているだけに過ぎません。殆どの論は、形式的に主張可能な一般論を挙げているだけで、形式の可能性と限界、あるいは実質について踏み込む勇気に欠けています（権利的に可能な身体や機械的に実装可能な身体についての話に終始している）。今やご理解いただけたかと思うのですが、感覚論やイメージ論や言語論は、身体から形式的にそれらを切り取ることで成立しており、身体論を語るのであれば、そのような形式性を自覚し、引き算することから始まるのです。もちろん、身体について〝語る〟必然性はありません。繰り返しになりますが、形式と実質の区別は、〝論〟として語る上での必要性に過ぎないわけです（言語の上でいかなる論が可能であろうとも、現実には、それらが分離した状態はありえず、常に実質以外あり得ないのだから）。たとえば、西洋哲学や批評言語に疎いはずのヨガ僧、武道の達人、超一流のアスリートやダンサーやボディービルダー、狩猟採集民や遊牧民の些細なお喋りや振る舞いの中に、意図せず心躍らせる批評性が宿るのは（僕たちがそこにそれが宿っていると勝手に感じるのは）、彼らがそのような迂回を必要としていないからです（そもそも近代的なコード化を経ていないか、修行、鍛錬、トレーニングの結果、感覚あるいはイメージの経路から脱コード化―再コード化がなされている)。

しかしながら、このテキストは〝論〟であります。この語りが身体論である以上、「論理―言語」という経路を再帰的に用いて、論理による支配―従属関係から感覚―イメージ―言語の共生へと、身体を組み替えるややこしい試みなのです。僕が繰り返し必ずしも〝論〟を読む必要はないと主張するのは、感覚の経路やイメージの経路からの身体の組み替えも可能であることが彼らによって示されているからです。しかし、もしあなたが既に十分に論理と有用性(ゲーム)に浸り切っている身体であると感じるのであれば(哲学や批評に関心を持っている時点で、大抵の場合その身体であると言えるかもしれません)、むしろ毒でもって毒を制する方法が有効かもしれません。少なくとも、確固とした形式を緩めることに関しては、論理の有効性は疑いようがないものです(論理は明瞭に区分することが可能な唯一のツールだからです)。

身体論にできることの限界は、形式的に身体の実質を描き、それを指針とすることだけです。その先にあるのは、沈黙と絶え間ない実践なのです。何を語り得ても、何もできなければそれこそ形式的であります。段位があれば、権利的には武道家として認められるでしょうが、能力や姿勢や振る舞いが伴わなければ、実質的に武道家として認められることはありません。同じように、身体〝論〟にできるのは、形式を描き、それを引き算すること、そして、その実質を指針として進むべき道を指し示すことだけなのです。どのように生きるかは、各々の、まさに多様な生成に託されています。

具体例を挙げるなら、それは、僕にとって制作ということになります。僕は、もっと良い作品を作りたいというその一点にすべてを賭けているのです(そのために身体を組み替え続けるのです)。しかし、何も書かなければ、何も誕生しません。形式を引き算し、実質を組み替え、別の形式として作り上げ続けること。制作は、一個の人生を超えて継続していくものです(そして、生命も一個体のエゴを超えて継続していくものです)。

皆さんにとって、形式を超えて与えられた幸運や誘惑は何でしょうか。

ルポルタージュ

# 「ムジナの庭」では何が起きているのか

「福祉は『民藝的なもの』が発露する舞台としてあり得る」
民藝の捉え直しに取り組む哲学者・鞍田崇さんは、
2020年夏、宇野常寛との対談で
こんなアイデアを提示しました。
そして『モノノメ 創刊号』に寄稿の論考では、その実践例として、
パートナーでもある鞍田愛希子さんが運営する
就労支援施設「ムジナの庭」が紹介されていました。
植物にまつわる手仕事や身体的なケアを通じて、
民藝の精神性にも通ずる「生きる意味」を
取り戻させてくれるというムジナの庭とは、
一体どんな場所なのでしょうか?
編集部メンバーで足を運び、一緒に手を動かしながら、
じっくり話をうかがってきました。

取材＝モノノメ編集部　文＝小池真幸　写真＝蜷川新・石堂実花

## 「何歳からでも、リスタートできる社会へ」

10月、いや11月に差し掛かっても暑さが抜けきらない温暖さだった、2021年の秋。11月中旬になると急激に冷え込み、秋らしい気候をほとんど味わうことなく、一気に冬が到来した。編集部のスタッフたちがムジナの庭に足を運んだのは、そんな冬のとば口、肌寒い日の昼下がりだった。

新宿からJR中央線に約30分揺られ、武蔵小金井駅で電車を降りる。まるで新幹線駅のように大がかりな駅舎を後にして5分ほど歩くと、竹林や墓地、寺院に囲まれた、静かな住宅街に差し掛かった。都心では味わえない静けさの中、鳥のさえずりがくっきりと聞こえてくる。穏やかな気持ちで、さらに5分ほど歩を進めてゆく。庭に生えた柚子の木から実を収穫している最中の民家に目を奪われながら歩いてゆくと、表札に「ムジナの庭」と記されている、こぢんまりとした家に到着した。

ドアを開けると、白を基調としながら、所々にあたたかい黄色が散りばめられた、気持ちのいい空間が広がっていた。この2階建ての建物は、もともと1979年に建築家・伊東豊雄が設計した住宅「小金井の家」だったという。その魅力を活かしつつ再利用すべく、建築ユニット・o+hの手によって改修が行われ、2021年3月、ムジナの庭へと生まれ変わった。

この建物とそれとなく似ている、柔和な雰囲気をまとった鞍田夫妻、そしてスタッフや利用者の方々が、にこやかに迎え入れてくれる。「作業にも一緒に参加していただく取材は初めてなんですよ。もう、みんな朝からそわそわしちゃって（笑）」と愛希子さん。誰でも参加可能で、簡単な施設案内やカフェタイムを楽しめるオープンアトリエを毎月開催しており、また建物そのものに関する取材や作業風景の撮影は何度かあったものの、日常の作業に外部の人が加わるのは珍しいそう。そんな話を聞きながら、太陽光がふんだんに差し込む、明るい吹き抜け階段をのぼり、2階のリビングへ。

何歳からでも、リスタートできる社会へ——そう掲げるムジナの庭は、主に生活や就労に障害のある人々が心身のバランスを取り戻し、次のステップへ進むことを支援する、就労継続支援B型事業所だ。雇用契約は結ばず、利用者が手仕事によって作り上げた雑貨や衣料品などをオープンアトリエやオンラインショップで販売し、その売上

から利用者への「工賃」が毎月支払われる仕組みだ。身体、知的、精神、いわゆる「三障害」のいずれを持っている人でも利用可能。18歳以上であれば、年齢や利用期間の制限はなく、週1回や短時間など、体調に合わせて自身のペースで勤務できる。

利用者は、お菓子・惣菜製造、雑貨・衣料品の制作、アロマ製品作り、庭の手入れ、植物の栽培といった仕事、またはアロマテラピーやお灸のような「からだプログラム」、あるいはストレスマネジメントやアートといった「こころプログラム」に取り組みながら日々を送る。ふと嗅いだ香り、ふいに投げかけられた言葉、何気なく食べているもの、作業に没頭する時間……そうした要因をキャッチし、眠っている身体感覚を取り戻すことで、自分なりの暮らし方を見つけていけるよう支援するというのが、ムジナの庭のコンセプトだ。自然に囲まれた空間で、緑を眺めながらボーッとしたり、畳に寝転がったり、ハンモックで休んだりもできる。

施設名は、主にアナグマのことを指す、動物のムジナから取った。ムジナは約100メートルの巣穴を掘ると言われているが、その穴はムジナのみならず、タヌキやアライグマも利用するそう。誰もが"同じ穴のムジナ"として共生できる場所にしたくて、名にムジナを冠したのだという。

## 誰もが自然に、ポジティブに過ごせる空間

編集部一同が到着したのは、ちょうど昼休みが終わり、午後の活動が始まる頃だった。日課のラジオ体操をしてから、各々が作業に移る。「まずは一緒に手を動かしながら、メンバーのみなさんとお話ししてみてください」。愛希子さんにそう促され、挨拶もそこそこに、作業の輪に混ぜてもらうことに。

まずは2階のリビングで、縫い物や編み物をしている方々の隣へ。部屋の端っこに置かれたスピーカーからかすかにBGMが流れる中、マスク越しでもうっすらと感じる、アロマの香りが心地よい。各々はそれぞれの作業に手を動かしているものの、和やかなお喋りが途絶えない。

ここでは主に、刺繍している女性とルームソックスを編んでいる女性、二人に話をうかがった。何を作るかは基本的に自分で選べ、たとえば縫い物と料理など、複数の作業を担当してもいいのだという。「みんなけっこうバラバラです。得意なものとか、そういうのを見て割り振ってもらえます」。

作業の内容だけでなく、やり方も各々の裁量に任されている。「大まかにこういう感じで、というのはありますが、細かいところはやりながら詰めていきます。同じ作業でも、その人その人で全然違うものができるんです」「この刺繍とかも本当に任せていただいていて、『こうしてほしい』とはほぼ言われていない。こちらから相談して、『ここの色はどういうふうに配置すればいいですか』と自分から聞いたりして。それによって作ったものが変化していったりして、ありがたく思っています」。やり方に幅があるからこそ、「自分の違う一面が見られる」という。「わたし、こんなこともできたんだと、気付かされることがあります」。施設内に置かれている商品の多くには、作り手の名前が記されていたが、たしかに同じポストカードや植物標本カードでも、そのデザインには作り手の個性が色濃く表れていた。

　自分の作ったものが商品として売れていくことも、励みになっているそう。「自分が作ったものを『いいな』と思ってくださる人がいる。そう思うと作りがいがあるし、自分の感性を認めてもらえた、そんなふうにも思えます」。中には人気商品もあり、「作ったそばから売れちゃうから、できたものを見られないこともある。みんなの作ったものが欲しいのに買えないんです（笑）」。そうして話を聞きながら商品を眺めていると、ほどよく物欲が刺激され、編集部メンバーもカレンダーや「はじめてのお灸」セットなどを思い思いに購入することに。

　正直に言って、当初は「いきなり取材なんかで新参者が来て、受け入れてもらえるだろうか」と緊張していた。しかし、自然と輪に混ぜてもらえていることに気がつく。利用者の中にも、序列関係は見受けられない。「実はわたし、まだ入って3週間なんですよ」「え、そうなんですか。先輩だと思ってた！」——そんなやり取りが繰り広げられる。「こうしていつ入ったかわからない感じで、自然に和める。先輩後輩がないというか、そういうのがすごい素敵だなと」「あれ、前からいたよね？　みたいな感じで（笑）」。

　この場の空気感は、仕事を〝仕事〟と感じなくさせているようだ。「堅苦しさがない感じがして。変な言い方ですけど、作業しているはずなのに、作業に感じないというか……」「あっという間に時間が過ぎてしまいますよね。え、もうこんな時間？　みたいな。楽しい作業がすごく多いな、と思いますね」「かといって、苦手な作業もあるんですけど、それを無理矢理『やってください』というのは絶対なくて。『この人はどういうものが合っているんだろう』とスタッフさんが考えてくれています」。

　その結果として、各々はしっかりと商品作りに励んでいながらも、まるでお茶会でもしているかのような和やかな雰囲気が醸し出されているのだ。「スタッフさんも利用者さんも優しい方ばかりなので、作業していて、いつもとても幸せです」「人とのつながりがあるからものができるんだなというのを、ムジナさんに来て感じました。一人で作っているのと、話しながらみんなで作っていくのでは、なにか違うんじゃないかなと」。

　だからといって、必ずしもコミュニケーションを強いられるわけではない。「喋らなきゃ」というプレッシャーは一切ないという。「みんながそれぞれ集中して、ずーっと誰も一言も発しないときもある」。手仕事をつがいにしていることが、ただお喋りするだけとは違う、居心地の良さを生み出しているのかもしれない。「それはあると思います。作業しながら、『ここどうしたらいいかな？』と話したりすることもあるし」「『それかわいいよね！』『買いたい！』とか。自然にお互い褒めあっている。無理矢理じゃなくて、

自然に『それいいですね～』という言葉が出てきます」。

利用者の中には、他の就労支援施設で働いた経験のある人もいる。その一人は、ムジナの庭とこれまで利用してきた他の施設では「雰囲気がぜんぜん違う」と力強く語る。

「(別の施設では)決まった内容しかなくて、いる人たちとお話しするのも楽しくなかった。ここに来てから、みなさんすごく明るくて、すごく面白い人たちが多い。前のところでは『できれば話したくない』と思っていましたが、ここはむしろみんなと話したいから来ています。本当に他愛もない話なんですけど、なんか笑い声が絶えないというか。それがわたしはとても嬉しい」

両者の違いは、どこから生まれているのだろうか?

「前いたところは、いらした方々がネガティブな方が多くて、そこの差だと思う。『わたしなんてできないから』という言葉を毎日聞いていて、すごいストレスでした。ここってそういうふうに言う人がいないんですよね。みんなポジティブな言葉がバンバン出てくるから、それがすごくわたしには合っている。ネガティブな言葉を聞かないというだけで、こんなにストレスがなくなるんだな、と実感しました」

もともとネガティブな性格であったという方も、ムジナの庭で過ごすことで、性格の変化を感じているそう。

「わたし、どちらかというとネガティブなほうなんですよ。でも、ここにいるとすごくポジティブでいられるというか(笑)。みなさんの笑い声とか聞いていると元気が出てきて、もう一つおうちができたような雰囲気で、なんか空気が柔らかくなるというか」「ムジナさんにお世話になるまでは、一人でいる時間が長かった。そのときはほんとにネガティブなことしか考えられなかったのですが、こちらに来てからなぜか、笑いが絶えない。自分がだんだんポジティブになってきているのが日に日に感じられて」「できないからやりたくない、ではなく、わたしもできるかもしれないからやってみたい、と思えますよね」「みんなが明るいから引っ張られるのかもしれないですね。自分がちょっと体調悪かったり、ちょっと沈んだりしているときも、ここに来ると引っ張り上げてもらえることもある」

あまりに肯定的な言葉を一気に浴びせられ、なんだか狐に包まれたような気持ちになる。そこで、そのポジティブさがなぜ生み出されているのかも聞いてみた。

「なんなんですかね……スタッフの人たちがすごくポジティブだし、すごく細かいところまでみんなに目をかけてくださっていて」「(ポジティブでいられるのは)みなさんのおかげなんだなってことはすごく感じます。絶対、一人じゃこんなに笑ったり、作業したりはできてなかったと思う」

すっかり話し込んでしまった。丁重に感謝の意を伝えたうえで、編み物や縫い物の輪から離れ、隣のテーブルに移る。ここでは一人の女性が、何やら植物の枝をハサミで切っている。聞くと、ローズマリーだそうだ。切ったものはアイピローの中に入れ、香り付けに使うという。「もしよろしければ、一緒にどうですか?」。そう言ってもらえたので、はさみを借りて、一緒に作業させてもらう。予想以上に固い枝だったが、ハサミを入れると、ローズマリーのいい香りがしてくる。そして、これがけっこう難しい。うまく枝の節と節の間にハサミを入れる必要があり、節の部分を切ると、枝の切れ端

が飛び散ってしまう。うまくできないことを詫びると、「あとでチリトリで掃くから大丈夫ですよ」と気にしていない様子だった。

彼女は2021年4月のオープン間もない頃から、ムジナの庭を利用しているらしい。「作るのが好きだから、もっと作りたいなと思って、ムジナに来た」。特に好きな作業はなにかと聞くと、「絵を描くのが楽しい」。彼女が描いた、カレンダーにもなっている絵を見せてもらう。フロアに大きな存在感で置かれている蒸留器を描いたとのことで、たしかに凛とした存在感がある。さらには「いつもオープンアトリエで説明しているんです」と楽しげに、展示されている商品を一つひとつ、丁寧に紹介してくれた。横で話を聞いていた愛希子さんは、「もうオープンアトリエはお任せできちゃうね（笑）」と頬を緩ませていた。

一方で、さらに隣のテーブルに目を移すと、一人でもくもくと「虎」を塗っている男性が。模型が好きな編集長の宇野が「もしかしてプラモデルとかお好きなんですか?」と聞くと、ドンピシャだったようで、すぐに意気投合。彼は手先が器用で、絵描きでもものづくりでも、何でもできるらしい。こうして一人で作業に没頭する人でも、定期的に声をかけてくれるスタッフのおかげもあってか、特に孤立感は伝わってこず、空間に自然と馴染んでいるように見えた。

2階で作業している人たちとあらかた話し終えると、1階も案内してもらった。1階には、もともと子供部屋だったというキッチンがある。2階に置かれていたそれより、だいぶ大きな蒸留器が目につく。香りのある花や葉、実などを蒸し、エッセンシャルオイルやハーブウォーターを抽出するための道具とのこと。

そのときは、主に料理をしていた。美味しそうなスコーンが並んでいて、小腹が空いてくる。利用者のみなさんで摘んだ金木犀と栗の渋皮煮、セミドライいちごとホワイトチョコ、庭に生えているゼラニウムがそれぞれ入っているらしい。ほかにも、冬瓜のジャムなど、季節ごとの素材もふんだんに活かした、魅力的な食べ物が並んでいる。

素材はできる限り再利用しており、染色に使ったりお茶にしたりするという玉ねぎの皮が、捨てずに積まれていた。雑草から作られたコースターも干されており、場合によっては雑草を酵素ジュースにもするらしい。

## 植物、身体感覚、福祉——<br>ムジナの庭ができるまで

　こうして利用者の方々と一緒に手を動かしながらお喋りしながら、ひとしきり施設内を案内してもらうと、この施設の持っている独特の和やかな雰囲気を、十二分に体感できる。一体この空気感は、いかにして生み出されているのだろうか？　その背景を少しでも解き明かすため、鞍田夫妻にも話をうかがう。

「わたし、最初の仕事は植木屋だったんですよ。地下足袋はいて、木に登って」

　愛希子さんにムジナの庭の設立にたどり着くまでの経緯を聞くと、その柔和で落ち着いた雰囲気からは想像しづらい言葉が返ってきた。もともとは関西の大学でアートを専攻、とりわけ環境アートに関心があったという。卒業後は、全寮制の学校でランドスケープデザインを学ぼうと準備を進めていたが、そんな最中で突発的に思い立ったそうだ。「お金を払って学ぶのではなく、仕事としてお金をもらいながら、自分の身体で植物を知りたい」。

　その後、花屋で働いていた折、京都市の事業でたまたま関わったのが、アンフルラージュだ。アンフルラージュとは、油脂を利用して花から香料を抽出する技法のこと。この技法との出会いを通じて、「香り」の可能性に魅せられた愛希子さん。メディカルアロマの資格を取り、植物の香りに関する事業を手がける〝哲学と植物の実験工房〟として、個人事業「Atelier Michaux（アトリエ・ミショー）」を立ち上げる。当時、京都で哲学・環境人文学を研究していて、環境問題や建築とのかかわりから植物に関心を持っていた崇さんも、この頃から手伝うようになったという。時は２０１１年、東日本大震災が起こった年だ。

「アンフルラージュの体験イベントを開いていたのですが、そこに来てくださる人は、香りを求めてくる人からお花の雰囲気に惹かれてくる人まで、さまざまでした。ただ、どの人も共通して、香りを嗅いだ瞬間に顔がぱっと華やぐんですよ。これは当たり前のようでいて、改めて考えると不思議なことだなと思い、香りに対する興味が深まりました。そんな折、ちょうど大震災が起こって、心を痛めた方々が香りに癒やされたり、慰められたりするさまに触れることも増えました。そうして、香りをハブに活動してみたいと考えるようになったんです」

また当時は、崇さんが強い関心を抱いていた民藝をはじめ、さまざまな領域で「手仕事」の意義が見直されていた時期でもあった。Atelier Michauxでも、香りや触感、味わいなど、人の感覚をテーマにしたワークショップを開催。いつしか愛希子さんは、「いつかは香りを感じながら手を動かせるみんなの居場所、たとえるなら『香る庭』を作りたい」という構想を抱くようになった。

それから3年後の2014年、さらなる転機が訪れる。崇さんの明治大学への赴任に伴い、愛希子さんも関西を離れることになったのだ。Atelier Michauxの活動がようやく軌道に乗りはじめた最中の出来事で、「けっこう絶望して、半年くらい『これからどうしよう』と沈んでいました」。東京で改めてゼロから活動基盤を作る気にはなかなかなれず、最初は縁のあった原宿のギャラリーなどでワークショップを手がけていたという。そんな中で、新たな問題意識が芽生えてきた。

「心や時間、お金に余裕のある人なら、自分にとって必要なケアを、自分で見つけることができます。でも、切実に香りや植物を必要としている人ほど、自分ではたどり着けないのではないかと思うようになったんです。そうして、福祉の世界に興味を持ちはじめました。関西にいたときからアロマカウンセリングを始めていたのですが、その相談も、うつやパニック障害を発症した方や、ご家族が突然命を絶ってしまった方など、こちらの関わり方次第で取り返しがつかなくなるケースも増えてきて。これはちゃんと勉強して、責任を持って関わらなければだめだと思い、まずは精神疾患の方向けの施設で働くことにしました」

そこから愛希子さんは、フリースクールの寮母なども掛け持ちしつつ、精神疾患のある人たちへの相談援助などの業務に携わる国家資格である精神保健福祉士を取得。資格取得の過程では、当事者研究の実践で有名な北海道・浦河べてるの家、日本の精神医療改革に古くから取り組んできた都立松沢病院を実習先に選び、入院病棟でのアロマハンドマッサージはコロナ禍になるまで続けた。アートやクラフトを通じて独自の方法で障害者支援を行う鹿児島・しょうぶ学園を訪れ、話をうかがったこともあったという。その後は、大手福祉系企業で働いてシステム化されたチーム支援やオープンダイアローグを実践するなど、福祉業界により一層入り込んだ。そんな中で、愛希子さんは精神医療・福祉領域の現状に対する、ある課題感を覚えるようになる。

「言語からのアプローチに偏っているなと感じたんです。カウンセリングや認知行動療法など、頭の問題を頭で解決しようとする方法が多くて。また作業所でも、手を動かしてはいるものの、下請け的にシールを貼るとか、書類を入れるとか、チラシを折り込むとか、みんなが一斉にそういった単純作業で、同じことをやっているところも多かった。わたしはわりと身体を使ってきた人間で。最初に植木屋になったときも、大学生のときは不眠症かと思うくらいぜんぜん眠れなかったのが、朝5時に起きて一日たくさん動いて、青空の下でご飯を食べて帰ったら、ぐっすり寝られたんですよ（笑）。本当に運動不足で、ただ動いていなかっただけなんだと気づきました。そうした経験から、そんな当たり前のことに気付きにくくさせている社会構造に違和感を覚え、頭＝心の問題に対しても、本来持っている身体能力や五感を取り戻すような、身体からのアプローチが必要だと考えるようになりました」

この問題意識と、かつてから胸に秘めていた「香る庭」構想が接続して結実したのが、他でもないムジナの庭だ。

「たまたま福祉の業界に入ったことが、『香る庭』を作りたいという想いとつながりました」。そうして物件を検討していた、2020年春。世界がコロナ禍に突入しはじめ、日本でも最初の緊急事態宣言が発令されていた折にインターネット上でたまたま出会ったのが、小金井の家だった。

「ウェブサイトで見たとき、伊東豊雄さんの建築とも書いていなかったのですが、直感的にピンと来たんです。みんなが集える広いフロアが欲しかったのですが、住宅だとリビングが8畳だったりするので、こういう吹き抜けがある物件はそうそう見つからないんですよね。しかも、庭があって、できれば光も入ってほしい。小金井の家は、そのすべてを満たしていたんです。散歩ついでに実物を見に行くとまさにイメージ通りで、ここしかないなと思いました」

## 感情を発露し、生まれ直す

植物と身体感覚、そして福祉——愛希子さんが長年培ってきた関心が、重なって芽吹いた、ムジナの庭。設立時はあえて、施設の目的や骨子を明確化しなかったという。

「利用者の方々のやりたいことを

ちょっとずつ当てはめながら、今のコンセプトになっていきました。『お菓子屋さん』だったり『蒸留所』だったり、決まったコンセプトを定めないことに、葛藤はありました。最初は利用者の方や関係機関の方など、いろいろな方に『まずは骨子があったほうがいい』『やることが明確なほうがわかりやすい』と言われたんですよね。人にコンセプトを合わせていくやり方は、逆だと。でもわたしはどうしても、来てくださる方の顔を見ながら考えたかったんです」

ここで補助線として導入したいのが、フランスの精神科医ジャン・ウリが光を当てた「コレクティフ」というコンセプトだ。コレクティフはもともとジャン＝ポール・サルトルが用いた概念で、共通の目的へと組織化された集団としての「グループ」に対置される、単に群れ集まっただけの不十分な状態として捉えられていた。しかし、ウリはここに価値転倒を引き起こし、コレクティフこそが求められるべき人々の集い方の姿ではないかと提案する。崇さんは『モノノメ 創刊号』でこのコレクティフを「たまたま」と言い換え、弱さを本質とする生に向けられる民藝的なまなざしとも重ね合わせながら、この「たまたま」性こそが「枯渇した生の実感を、ささやかながらいまよりも与えてくれる」と論じた。愛希子さんもムジナの庭を運営する中で、このコンセプトに共鳴しているという。

「コレクティフの発想は、とてもしっくりくるものがあります。もちろん、実際にそれを運営しようとすると、2倍も3倍も手間がかかる。でも、そのおかげで最終的に、メンバーさんたちの心が満たされている手応えがあります。ここでは年齢に関係なく、生まれ直しや育ち直しが起こっているように感じるんです。幼いときに過酷な経験をし、感情を押し殺して生きてきたがゆえに、自分が楽しいのか、悲しいのか、怒っているのかがわからない状態になっているメンバーさんも少なくありません。そういう方々が、ここで初めて自分の感情に気づいたり、負の感情も含めて出せるようになったりしていくんです。最初にまず安心があり、ここが安全とわかって初めて、妬みや寂しさが負の要素としてバッと出てくる。その後にようやく、今までこんな経験をしてきたからこうなっていると気付いたり、自分が本当にやりたいことが見えてきたりする。これって、赤ちゃんの発達段階とも似ていると思うんです。最初におんぎゃーと泣けてこそ、感情をコントロールしていけるようになる。今日お話ししてくださった方々をはじめ、みなさん基本的に明るく穏やかですが、急に感情が激しく揺さぶられたり、攻撃的になったりすることもあります。でも、反抗期と一緒で、まずは外へ出せるようになることがとても大事だと思っています。表面的には笑っていたり、人当たりが良くても、実はいろいろと抱えている。ただ、これまではそれを出す場所、出せる場所がなかった。まずは感情を発露するところから、生き直しが起こっています」

生まれ直すための、感情の発露。〝たまたま〟集った人々を受け入れるコレクティフ的な共同体だからこそ、内なるものを露わにできる安心感があるのだろう。

「感情をそのまま発露する」とは、決して生やさしいものではない。取材時はたまたま総じてポジティブな雰囲気だったが、ときに軋轢も生まれるという。しかし、ムジナの庭では、人とぶつかること、逃げること、また立ち向かうことも、積極的に促している。ネガティブ感情を発露することで、結果的にケアが進み、ポジティブでいられる時間が増えるからだ。とはいえ、ムジナの庭から一歩外へ出れば、元通りのネガティブ体質に戻ってしまう可能性も高い。できるだけそうならないよう、「ゆるやかな坂道のように社会へとつないでゆく」のがムジナの庭の役割だと、愛希子さんは言う。

先ほど利用者の方々が語っていた「作業を選べる」という仕組みも、利用者が感情を表に出しやすくなるように凝らされている工夫の一つだ。

「『今日はあれがやりたい』『あの人がやっているあれ、羨ましいな』……たくさんの選択肢の中から作業を選べる仕組みだからこそ、そうした感情が自然と表に出てくる。もし一つしか作業がなかったとしたら、『あの人いいな』という感情も出てこなければ、自分がここで今日、本当に何がしたいのかの振り返りも行われません。初めから目的を定めないコレクティフ的な場だからこそ、自分の感情を表に出さざるを得なくなり、ケアが進むのだと思います」

## 光・音・風による「環境からのケア」

さらに重ねて崇さんは、感情の発露を促している環境的な要因として、建築が生み出す空間的な雰囲気もあるのではないかと推察する。

「この場の持つ空間的な雰囲気、言い換えれば開放性や明るさは、条件としてすごく大きいのではないかと思います。感情をセーブするのではなく発露するよう促してくれる、空間的な心地よさがありますよね」

この指摘は、実際に足を運んだ筆者の実感としてもうなずける。愛希子さんもムジナの庭を運営する中で、これまで考えていた心のケアと身体のケアに加えて、「環境からのケア」が自然と実現している手応えがあるという。

環境からのケアをもたらす要素として、大きく「光と音と風」の3つがあると愛希子さん。吹き抜けや窓が効果的に配置され、太陽光が燦々と入ってくる設計は言わずもがな。音についても、冒頭でも触れたように鳥のさえずりをはじめ生き物たちの息吹がよく聞こえる立地が大きく作用しているという。

「近くにある金蔵院さんに大きな木が多いのと、はけの森緑地という昔の緑地帯が残っていることもあり、このあたりは住んでいる生き物の数が自然と多くなっています。ここは小金井市の『坂下（さかした）』と呼ばれる一帯に属するのですが、エリア全体で見ても緑がすごく多くて、歩いて15分くらいの武蔵野公園には、みんなが遊べる川やはらっぱ、『くじら山』もある。宮崎駿さんの作品の舞台にもなっていて、東京とは思えない雰囲気なんですよ。小径とかもけっこうあって、幹線道路が近いのに、車の音がぜんぜん聞こえない。代わりに鳥の声がよく聞こえて、喋っている人がいないと、本当に静かなんです」

音楽によってリラックス効果や認知・運動機能の維持・改善をもたらす「音楽療法」という医療分野もあるが、生き物たちの声が聴こえてくる環境は、マインドフルネスにも似た効果をもたらすのではないかと愛希子さんは推察する。それも、瞑想や坐禅のように、多くの現代人にとっては日常から切断された営みとしてではなく、日常に接続した営みとして、だ。

「坐禅を組んで瞑想するというかたちでなくとも、静けさの中で作業に集中していたら、マインドフルネスは自然と起こるものでもあると考えています。瞑想だけポーンと生活に組み込もうとしても、続かない人は多いかもしれない。でも、生活に即した形で取り込むことができれば、汎用性の高い実践になるのではないでしょうか」

さらに風についても、開放的な設計がなされている。吹き抜けによって1階と2階の空気が断絶しないようになっているのに加え、できる限り外気も還流するようになっているという。

「植物も風を当てないと枯れてしまったりしますが、人間も同じだと思っています。風って、ないと淀むんですよね。もちろん、ある程度はパーソナルスペースが取れるよう、少し壁を残したり、一人用のソファやブースも作ったりしています。ただ、そもそも人がたくさん集まっているだけで怖いと感じてしまう人もいますし、自身の匂いが気になってしまう症状の方もいらっしゃいます。そのためのバリアを作る意味合いもあるアロマミストの香りも、メンバーさんと一緒にブレンドを考えてはいるものの、好みには差がある。そんなとき、少しでも外から風が入ってくると、バリアはちゃんとその人の心に残りつつも、香りは自然と揮発する。さすがに真夏はエアコンをつけますが、できるだけ窓は全部開けて、自然に風が対流するようにしています。金木犀が咲くと外からその香りが入ってきたり、1階でお菓子を焼いていると2階にまでその匂いが風に乗って上がってきてほっとしたり」

光・音・風によりもたらされている、「小金井の家」あらためムジナの庭の「環境によるケア」。崇さんはそこに、かつて建築家・小嶋一浩が提唱した「小さな矢印」を読み取る。

「小嶋さんが2013年に『小さな矢印の群れ』という本を出されています。20世紀は一つの最大公約数的な矢印でみんなを束ねる時代だったけれど、21世紀の建築には小さな矢印に身を応じることが必要だと。建築家が一義的・平均的に制御しようとするばかりではなく、小さな矢印――それこそ光や音、風など――にもう少し身をゆだねたらどうなのだろうと言っているんです。この伊東豊雄さんの建築は20世紀的なシステムで出来上がってはいるものの、光や音、風に対して身を委ねている感じがするんですよね」

## ケアと就労支援を両立し、生活と一続きに

昨今、福祉業界におけるケアのプログラムとして、オープンダイアローグや当事者研究など、対話ベースの実践が各所で行われている。また、従来の作業所で行われてきたような下請け的・ベルトコンベア的な単純作業ではなく、施設独自のオリジナル商品作りや、デザイナーやアーティストとのコ

ラボレーションも少しずつ増えているという。

ムジナの庭でも、そうした取り組みは一通り取り入れている。ただし、先述の環境からのケア、そしてお灸やアロマ、マッサージなどによって身体のケアが丁寧かつ緻密に実施されている点は、他の福祉施設にはなかなか見られない要素だ。先ほど紹介した利用者の声に、以前いた施設では「できれば話したくない」と思っていたが、ムジナの庭にはむしろみんなと話したいから来ている、というものがあった。ここでは場所やモノと対話することにより、結果として人との対話がよりスムーズに行えるようになっていると言えよう。建築と植物、そして手仕事という身体へのアプローチが作用することで、コレクティフな人間関係が実現できているのだ。

「たとえば、先ほど体験いただいたように枝を切ってもらうだけでも、香りが出てきて、そこにケアの効果が生まれます。触感もそうで、自然のものを触りながら『気持ちいいな』『こそばゆいな』といろいろ感じながら作業することで、一つのケアになる。わたしもかつて植木屋でのこぎりで木を切っていたのですが、最初は『植物ってこんなに匂いがするんだ』『切るとこんな感触があるんだ』と驚いて、それによってわたし自身も変化した記憶があって。植物のみならず毛糸や食べ物に触れながら手仕事をして、それぞれの身体が反応して感じ取る中で、いつの間にかもたらされる変化の大きさを確信しているんです」

そうして身体を媒介とした手仕事やプログラムに取り組んでいく中で、就労支援とケアが同時並行で進んでいくのが、ムジナの庭の真髄だ。

「世の中の福祉施設は、ケアはケア、就労支援は就労支援と、分断されていることが多いです。そこを横断的につないでいきたいという気持ちがあるんです。そして、それが生活とも一続きになっていてほしい。みんなここでやっている作業を家に帰ってやったりするようにもなるんですよ。ある意味で、〝仕事〟としてやっていない。これからの人生、もしここを卒業したとしても、自然とその人の手に職がついていて、一般就労したとしても、家の中で『これやったことあるな、久しぶりにやってみよう』と思えるようになっていてほしい」

一体となったケアと就労支援が、生活とも一続きになっている。さらに、それは閉じたコミュニティの中だけでなく、ムジナの庭を訪れたあらゆる人々にひらかれている。「作業やそこで作られているものをメディウムに、井戸端会議に参加しているような感覚で自然と輪に入っていける」と崇さん。先述のように、編集部メンバーが自然と作業の輪に溶け込めていたことからも、その指摘には納得がいく。

また筆者の実感として印象的だったのが、最初はスタッフと利用者の区別がつかなかったこと。愛希子さんは「それよく言われます（笑）」と微笑んだが、そのことからも、「たまたま」集った人が構成するコレクティフ的性格が端的に感じられた。

「いつ入ってもいつ抜けても大丈夫、そういう状態にすることを心がけています。ここに来てくださる方は本当にみんな穏やかで、新しい人にも自然と話しかけてくれるんですよ。先輩後輩は関係なく、いつ誰が入ってきても自然と馴染めていくのは、とてもありがたいなと思っています。そもそも、うちはメンバーと一対一になる時間をできるだけ少なくしていて、当事者研究としてみんなで話す取り組みもやっているんですね。以前、べてるの家での体験やオープンダイアローグをヒントにした実践を精神リハビリテーション

学会で発表したこともあるのですが、一対一で個別性や秘密性の保たれているカウンセリングや対話だけでなく、『みんなで聞く』ことを大事にしています。みんなで話したり聞いてもらったりすることによって、進んでいくものって大きいのかなと。今日みなさんが来てくださって、お話を聞いてくれたことによっても、ものすごく変化が起きているわけです。ですから、外の人にどんどん入ってきていただきたいなと思って、月に一回オープンアトリエを開催するなど、福祉や医療の業界以外の方々との接点も作っています。実際、この間オープンアトリエに初めて参加したメンバーは、こう言っていました。医療とか福祉とか以外の人に触れあったのがすごく久しぶりで、ドキドキしてしまった。それを今どう処理していいかわからないけれど、たぶん嫌じゃないんだと思う、と。今は建築業界の方々が訪れてくださることが多いですが、ハーブティーを注文してくださるファッション業界の方がいらっしゃったり、工芸関係の方とものづくりをしたり、さまざまな分野の方々に触れることはとても大事にしていますね」

## 小さなケアの積み重ねが、「分け与えられる余裕」を生む

そうして外部の人に「見られる」こと自体が、ケアの効果も生むという。べてるの家における当事者研究では、利用者がそれぞれ「自己病名」をつけて表明する取り組みが行われている。また、自分の考えが抜き取られていると感じる「サトラレ」の症状は、実はみんなに自分の存在を知ってほしい「サトラセ」だったという研究結果もあるとのこと。そうした先達も参考にしながら、ムジナの庭でもそれぞれの商品に制作者の個人名を付記するなど、個々の存在を知ってもらう仕組みも作っている。

「見てほしい、自分を知ってほしい、自分の存在に気付いてほしいという気持ちに応えることが、とても大切だと感じています。たとえば、商品に名前がついた途端に、自分のものとして認知される。それが購入されたら、自分を評価してもらえたというふうに、どんどん症状が良くなっていったりするんですよね。ただ、それが競争になってはまた逆効果になるので、その匙加減が一番工夫しないといけないところです。実際、ものづくりが好きな方々が自然発生的に集まってきてくださる場になってきていますが、表現が苦手な方でもいづらくならないよう、ルーティンワークとのバランスを大事にしています」

ケアと就労支援が一体化し、コミュニティの内外、先輩と後輩関係なく受け入れてくれる非・排他的な空間。そうした状態が保てているのは、なぜなのだろうか？

「何か一つ『これだ！　ドーン！』という要因があるのではなく、本当に細かいいっぱいあるのだと思うんですよ。身体プログラムは必ず週一回入れていたり、鍼灸師のスタッフのサポートによってみんな自宅でもお灸を据えられるようになったり、火・木は手作りのご飯とお味噌汁とおかずをお昼ごはんに提供したり。スタッフも、鍼灸師や調理師、掛け持ちでカフェの仕事をしている人、ものづくりがとても上手な人など、福祉経験のある人とそうでない人がごちゃまぜの、ちょっと特殊な構成になっています。空間から作業まで、それぞれが満たされているから、分け与えられる余裕が生まれているのだと思います。丁寧に作られたお昼ごはんを食べられたり、身体のケアをしてもらえたり……自分が大切に扱われた経験を、ポイントポイントで味わえているから、新しく入ってくる人にも同じようにしてあげたいと思える。愛着形成とも呼ばれますが、そう

して一人ひとりが根っこにあったかいものを育み、なおかつ人とのつながりも得ていくことが大事なのではないでしょうか」

もちろん「働いてお金を得ること」による回復の力の大きさも愛希子さんは認めている。その実感から、彼女自身、短期間で一般就労や障害者雇用を目指す現場にいたこともある。「単純に学ぶ・働く機会がなかった方には、とても効果があります」。しかし、どうしても一定数、既に働く能力は備わっているものの、就労だけではケアが追いつかず、精神的な症状がぶり返すケースがあるという。

「その要因は大きく二つあるように感じていました。一つは本人が長年抱えてきたトラウマによる影響、もう一つはプライベートでのつながりの少なさです。前者のトラウマについては、2022年からようやく日本でも『複雑性PTSD』の診断が始まりますが、一般的な認知度はまだ低く、発達障害や統合失調症、双極性障害、依存症、摂食障害、解離性障害などとの関連もあまり知られていません。過去の反省もあり、ムジナの庭では、トラウマや愛着の問題に対して、主治医や関係機関と連携しながら丁寧に対応しています。後者の人とのつながりに関しては、本人を中心に『人のネットワーク』を広げ、多様な方との繋がりを増やせるよう心がけています。日本は世界的に見ても圧倒的に精神科の入院患者が多く、地域でのセーフティーネットやシェルター機能が確立されていません。そんな社会を少しずつ変えていけるよう、安心できる家庭を持たない人や、症状が続きつつもチャレンジしたい人へ向けて、ムジナを『何度でも帰れる場所』としているんです」

崇さんはこうした効果を後押しする要素として、施設の規模感もあるのではないかと付け加える。「この規模感もいいのでしょうね。もう少し施設っぽくなってしまうと、この実家のような空気感はなかなか出しづらい」。すると愛希子さんも、「家」的な雰囲気が醸し出される不思議さについて言葉を継ぐ。

「『ただいま』『おかえり』といった言葉が自然に出てくるんですよ。これは、家という構造がそうさせるものがあるのかもしれません。『学校みたい』と言ってくれる方もいて、それはたぶん仲間のような存在ができはじめているからだと思うんですが、年代は本当にバラバラなんですよ。10代から60代までいて、障害というか困り事もそれぞれまったく違うのに、みんなふつうに仲がいいのがとても不思議で。希望が出たときなどは、年齢や診断名の近い人たち同士が交流できるようきっかけ作りをすることもあります。ただ、同世代チーム・当事者会のような、固定的な枠組みは作らないようにしているんです。あくまでも作業チームのパターンを増やし、さまざまな作業やメンバーの組み合わせを提供する。そうすることで、ある場面ではうまくいかなかった人同士が、ある場面では補完し合う状況が自然と生まれたり、揉め事が逆にいい方向へ働いたり、単なるカテゴリーとはまた別の関係性が見えてきます」

固定的な枠組みを作らないようにする背景には、先述したコレクティフの思想にも通ずる、「たまたま」性への眼差しがあった。

「家族問題に関わる機会が増えてから、家族そのものも〝たまたま〟揃った組み合わせに過ぎないと感じることが多くなりました。それは社会も同じで、〝たまたま〟出会った人同士、役割・環境・共有するものが変わるだけで、関係性や結果は大きく変わります。〝たまたま〟起きる不確かな状況を連

続的に経験していくと、自分がどんな状況にストレスを感じやすく、何を変えれば適応できるのかが見えてくる。そうして少しずつレジリエンスが育まれていくように感じています。非常にアナログですが、働き方や福祉サービスが複雑に細分化されはじめた現代では、そんな小さなマッチングが重要になると考えていて。手術や薬物療法など、科学的な治療の先に『対話』やタッピングなどの『ボディケア』があることにも象徴されるように、人の密接な関わりが、これからの日本の精神保健福祉シーンを変えていくように感じています」

## ムジナの庭という生態系

取材時点の2021年11月の段階で、オープンから半年と少し経ったムジナの庭。直近の課題を聞くと、「とにかく物理的に狭くなってきている」と愛希子さん。

「今どんどん人が増えてるので、怖がるメンバーも出てきているんですよね。人が人を認識する距離感はそれぞれありますが、感覚過敏や対人不安があると余計につらい。今はコロナ禍ということもあり、在宅勤務が認められていますが、通常は在宅支援はだめなんですよ。ここに一日20人プラススタッフとなったときには、ちょっと圧があるのではないかと感じます。この狭さが、今の人数には適しているけど、これからどうなっていくか。空間の作り方がより一層、問われてくるのだと思います」

加えて、事業経営の面でも、解決すべき課題があるという。

「国の支援策に変化が起きていて、今は利用者の平均工賃が高い施設ほど、報酬が高くなる仕組みになってきました。ムジナのように、週1や短時間から利用できるようにすると、どうしても報酬が少なくなり、スタッフや事業経営そのものに負担がかかってしまいます。そのため、工賃をもらえるB型事業所では働き続ける体力が求められ、まだその体力がついていない方は、デイケアや生活訓練など、工賃のない施設を選択せざるを得ない状況です。でも、ムジナでは、できるだけみんなが入院したり孤立したりせず、思い立ったその日から健康で幸せに働いてもらいたい。ですから、今のままの受け入れ体制を続けていけるよう、今後は寄付金などの制度も整えていこうと考えています」

居心地のいい空間でじっくり話を聞いていると、気付けば取材の終了予定時刻を大幅に過ぎている。利用者の方々も、午後の作業を終え、振り返りをして帰宅する時間だ。「今日もありがとうございました」という声が飛び交う。そんな中で最後に、実はふだんの作業時間帯に訪れたのは初めてだという崇さんに、感想をたずねた。

「（愛希子さんから）ちらほらと話は聞いているし、オープンアトリエも何度か行っているのですが、ふだんも、この場の持っている雰囲気は変わらないのだなと思いました。流れている空気感が、日常的にも損なわれることなく、トーンとして維持されている。やっぱり一番大きいのは、安心させる空気感ではないでしょうか。自分をさらけ出すというか、心を自分自身に対してさえも開けなかった方々が、開きなさいと言われずとも、思わず開いてしまう、そういう空気感がある。それは何かいろんなものが相乗効果で合わさった、生態系のようなものなのだと思います。建物があって、周辺の木立があって、来る人がいて。たぶん、どれひとつ欠けてもだめだったはず。幸いなことにここにはそれらが揃っていて、大きく外れない何かを維持させてくれているのではないでしょうか。そのチューニング具合が心地よかったで

す。みなさんが嬉しそうにしてくれるのが、こっちも嬉しかったというか。やっぱりちょっと緊張するじゃないですか。だから、『ああ、会うことを望まれている』と思って、とても嬉しかった。みなさんが『会いたい』という気持ちになれるような空間になっているのだな、と思いました」

さらに崇さんは、こんなことも付け加えてくれた。

「今回の取材そのものが、コレクティフ的だと感じました。というのは、通常の取材は既に出来上がった『答え』を求めにこられると思うのですが、今回は、取材を通じて一緒に『ムジナの庭』という空間を作っている感じ（一緒に答えを探っていくような感じ）がしたからです。ムジナの庭という空間が、取材に来られたみなさんに、自ずとそのようなスタンスを促したのかどうかは、正直おぼつかないのですが、もしかしたらそんなこともあったのかもしれません」

光・音・風に配慮して丁寧に設計された空間で、植物をふんだんに活用し、身体感覚を重視したプログラムや作業に取り組む。それによって日々の暮らしと地続きのかたちで、就労とケアの両立が実現している、ムジナの庭。情報社会の中で身体感覚を鈍らせる一方のあらゆる人々にとって、よりよく生きるための示唆を与えてくれる。

崇さんは、現代的視点から民藝運動に注目する理由として、運動の主導者である柳宗悦が民藝品に見出した「いとおしさ（親しさ）」があるのではないかと論じている。身体感覚をひらき、たまたま集った人たちと手仕事に取り組むことは、わたしたちに自然とこの「いとおしさ」の感覚をもたらしてくれるのではないだろうか。ムジナの庭で手を動かし、お喋りしながら、そんなことを考えていた。

**鞍田崇（くらた・たかし）**
哲学者。1970年兵庫県生まれ。京都大学大学院人間・環境学研究科修了。現在、明治大学理工学部准教授。近年は、ローカルスタンダードとインティマシーという視点から、現代社会の思想状況を問う。著作に『民藝のインティマシー「いとおしさ」をデザインする』（明治大学出版会 2015）など。民藝「案内人」としてNHK-Eテレ「趣味どきっ！私の好きな民藝」に出演（2018年放送）。

**鞍田愛希子（くらた・あきこ）**
「ムジナの庭」施設長。精神保健福祉士。1980年大阪府生まれ。植木屋、花屋に勤務ののち、2011年に植物と哲学の実験工房「アトリエミショー」設立。心と体に深く作用させる植物教室を各地で手がける。その後、福祉への関心を深め、就労支援施設やフリースクールでの活動を経て、2021年3月、「ムジナの庭」を開設。植物や身体を糸口としたケアの場の提供を試みている。

〔特別鼎談〕宇野常寛×佐渡島庸平×濱口竜介

# 「劇映画的な身体」をめぐって

## ——『ドライブ・マイ・カー』から考える

アカデミー賞の受賞をめぐって、
世界中で大きな注目を集めている映画『ドライブ・マイ・カー』。
村上春樹の短編「ドライブ・マイ・カー」を、
気鋭の映画監督・濱口竜介さんが脚本・監督を務めて映画化したものです。
濱口さんと大学の同級生だという佐渡島庸平さん（コルク代表／編集者）の
はからいで、モノノメ編集長・宇野常寛も交えた鼎談が実現。
現代の情報環境と劇映画の射程距離、言葉と身体、村上春樹の女性表象、
ショットの内と外、演技の「文体」の問題……
一本の映画から汲み出せる思考を、
とことん搾り取った議論になりました。

構成＝鷲尾諒太郎　写真＝石堂実花



全国ロングラン上映中

## 劇映画に「表現の課題」を取り戻す作品

**佐渡島**　実は僕と濱口は、大学の同級生なんです。『ドライブ・マイ・カー』を観て非常に感銘を受け、久しぶりに濱口と話したいと思いました。ただ、せっかくだからこの作品についてより突っ込んだ話ができる人がいた方が面白いし、濱口にとってもいいことなのではないかと第三者ながらに考えた。そうして濱口と会わせるべき人として思い当たったのが、宇野さんだったんです。

**宇野**　ありがとうございます。今日はこの映画を端緒に、劇映画という表現にいま何ができるのかをお話しできればと思っています。と、いうのも僕はこの作品を観て、「久しぶりに劇映画という制度の射程距離を問う作品に出会った」と思ったからです。少し大げさに言うと、今日の劇映画は、表現の課題を見失いがちな分野になってしまっていると僕は考えています。具体的には、視聴環境の変化への対応の問題に振り回されすぎている。いま、劇場に観客が足を運ぶ理由は、情報量的にリッチな画を見るか、リッチな音を聴くかしかほぼなくなりつつあるわけです。それが要らないのなら、自宅でNetflixを観ていればいい。その結果、比喩的に言えば劇場で見る価値をしっかり作れているのは、アニメ／特撮とミュージカルだけになってしまった。この流れを象徴するのが、たとえばMCU（マーベル・シネマティック・ユニバース）です。コッポラやフィンチャー、スコセッシといった20世紀を代表する巨匠たちがMCUを批判して話題になりましたが、彼らの新作がNetflixオリジナルとして配信を主戦場に公開されていることは、彼らが撤退戦を強いられていることを証明しています。そしてより深刻なのはそうして配信されたスコセッシの『アイリッシュマン』が事実上のセルフパロディでしかないことや、フィンチャーの『マンク』がハリウッドの自己正当化的な懐古主義の披露でしかないことです。要するに、「MCU的なもの」への対抗という態度から表現の課題が見出されていない。むしろ表現の課題の喪失を映画という文化に携わっていることそのものの価値のアピールで埋めようとしている。たとえばタランティーノの『ワンス・アポン・ア・タイム・イン・ハリウッド』のやや危うい「虚構だからこそなし得るポジティブな歴史修正」はいま、映画のような虚構が果たすべき役割を模索した結果なのかもしれないけれど、それがハリウッドという自意識にしか立脚できないことの閉じた弱さも感じざるを得ない。

そして『ドライブ・マイ・カー』を観たとき、そんなハリウッドの自意識から遠く離れたところから、表現の課題を探ろうとしている作品が現れたなと思いました。たとえば言葉の問題がそれです。異なる言語、つまり本来ならつながらないものがつながる世界を劇映画は構築できる。しかも劇中劇という設定を活かして、それを一見、自然主義的に見せてしまうことにも成功している。そして、その劇映画が可能にするコミュニケーションはやがて、劇中劇からロードムービーへ、つまり作中の虚構から現実に開かれていく。小説の言葉と演劇の言葉、そして劇映画の言葉をつなげることによって、重層的な表現を獲得できる。言い換えれば複数の言語を組み合わせることによって、劇映画の総合性を再発見しているのだと感じました。

**濱口**　ありがとうございます。これまでは「なぜ多言語にしたんですか」と聞かれると困ってしまっていたんですが、宇野さんのお話を聞いて、多言語にした理由がようやく腑に落ちた感覚があります。小説は当然、言葉で書かれているわけですよね。その小説を映画に置き換えると、書き言葉を発する生身の身体が立ち現れる。紙に書かれた言葉だけなら素直に意味が通じるものにも、身体が介在することによって「ひび割れ」が生じるように思うんです。「書き言葉」を口にすることで身体にはある種の無理が生じるし、そのことがカメラには映る。ただ、その違和感というのは、役者がそれまで生きてきた歴史とテキストが反作用し合うことで生まれるもので、そこではテキストによって強調される生身の身体があるとも言える。そして、結局この被写体を撮影するということから劇映画は逃げられないわけですよね。だとすれば、この生じる違和感みたいなものをむしろ映画を力づけるものとして撮っていかなくてはいけない。文体という言葉は「文」と「体」からできていますが、身体をしっかりとカメラで撮るということにこだわらなければ、小説の言葉に太刀打ちできないような気がしていたのかもしれません。とても言葉が多い映画ではあるのですが、自分としては言葉そのものではなく、あくまでも「言葉によって身体や空間に何を起こすのか」にフォーカスしていたのかも、という気持ちになりましたね。この多言語演劇では、自分にとっての母国語の特殊性というのが、他言語とコミュニケーションすることで、発話するその人に理解されるような気がしています。単純にその人にとって最もスルスルと言葉が出てくる、自己表現できるものとして母国語が感じられると思うんです。この母国語はさっき言ったみたいに書き言葉なんだけど、普通に喋ろうと思うと違和感のあるこの台詞というものが、この空間では一番自分を表現できる言葉だ、という逆説がここにはある。この多言語的な空間で、まったく違う身体性が、それぞれの歴史を抱えながら、互いに異質なまま自分を表現して存在しあう。それってとても豊かなことなんじゃないかな、と思ったということですかね。

**佐渡島**　身体といえば、ちょうどこの前経営者仲間で北海道の牧場に行って、馬とのかかわりを通じて、コミュニケーションについて学ぶ研修を受けたんだよね。その研修を主催しているのが、ソマティック心理学という、身体と心の関係を追求する心理学を学んだ方々なんだよ。もちろん、馬は人間の言葉を話せないから、僕らは身体を使ってコミュニケーションを試みる。そんな研修を受けている中で、言葉を超えたコミュニケーションをテーマにするとしたら、どんな物語になるかなって考えていたんだよね。僕らは言語に依存したコミュニケーションを取っているけれど、言語のスイッチを切って誰かと向き合うと、もっといろんなことが見えてくるかもしれない。それを表現するにはどんな物語になるのかなって。

**濱口**　日本映画の歴史を振り返ってみると、まずは撮影所の黄金時代のようなものがあり、その時代に活躍していたのが小津安二郎や溝口健二、黒澤明といった巨匠たちですよね。そんな巨匠たちの映画に対するカウンターとして登場してきたのが、大島渚や吉田喜重といった監督たち。彼らは日本映画の中心だった撮影所から離れていくことになる。その後、テレビが一般化したことの影響もあり、1970年代には撮影所が完全に勢力を失っていきます。すると、映画人にとって「いかに映画が映画であることを証明するか」が大きな課題になり、ショット（カメラを回してから止めるまでの間に収められた映像）の時代とも言うべきものがやってきた、というのが自分の見立てです。被写体とカメラののっぴきならない関係性というか、撮影現場で起こったことの記録としてのショットこそが「映画を映画たらしめる」要素だと考えられるようになった。日本におけるショットの時代を象徴するのが、相米慎二です。相米の特徴は、いわゆる「長回し」を多用することですが、カメラを長く回し続けることによって、被写体とカメラの間で生じる一度きりの固有の時間を収める。そのことで、少なくともテレビとはまったく違う「映画独自の体験」を生み出していたという気がしています。ただ、相米は特に前期においてそれを収めるために多くのリスクを背負いすぎた面もまたあると思います。単純に、被写体に危険なことをさせていたし、そのことが映っている。映っているリスク自体が、またショットをかけがえのない現実の記録にしているところがあるわけですが、現場には「下手すれば命が失われてしまうかもしれない」という相当な緊張感があったと思います。このようにリスクを負い続けることは、当の相米慎二もキャリア全体を通じてはできなかった。これに対して、相米慎二の撮影現場も見た上で「被写体をリスクにさらすような映画作りを続けるわけにはいかない」という認識を持っていたのが、僕の師匠でもある黒沢清さんですね。そして、黒沢さんの世代は映画をフィルムで撮る最後の世代になりつつあって、そこは我々の世代との断絶ですね。

あくまで感覚的な話なんですが、このフィルムというマテリアルがたった一回きりの現実の、かけがえのない記録としての「ショット」という感覚を成立させていたのではないかという気がしているんです。それが1コマずつにまったく異なる粒子が焼き付いているからか、はたまた高額であるために1テイクごとに尋常ならざる緊張感が撮影現場に生じるからか、それはわかりません。何であれ、そのときに映画を映画たらしめていた「ショット」の感覚は、フィルムと共に失われつつあるような気がしています。デジタルで映画を撮らなければならなかった僕たちの世代は、映画を映画たらしめていたものが何もなくなった地点から、映画を撮り始めなければならなかった。端的に言うと焼け野原みたいで、自分たちの世代に残されていたのは、被写体、言い換えれば身体だけだった。ゼロ年代後半に映画を撮り始めた僕たちが見ていたのは「身体しかない」風景だったのではないかと思うんです。だからこそ、被写体の身体から何かを引き出せなければ、観客の感情を動かせないのではないかといった危機感のようなものが常にあって。『ドライブ・マイ・カー』を撮ろうと思ったのは、そういった身体的なものを存分に引き出せる題材だと感じたことが大きい。宇野さんが感じた「ハリウッドの自意識から遠く離れたところから」という感覚は、そういっためちゃくちゃ貧しい、「もう残されたものが何もない」環境から生まれた映画であることに起因しているのかもしれません。

**宇野**　撮影所の時代のあとに日本映画は「何によって映画を映画たらしめるのか」という課題を抱えていたわけですよね。その時期、相米と共に活躍した監督の一人が、大林宣彦です。同じ「角川映画」のアイドル路線に参加しながらも、大林のアプローチは相米とは対照的だったと思います。たとえば『時をかける少女』では大林は自分の記憶の中にある尾道、つまり失われつつあったノスタルジックな風景を、ある種のファンタジーとしてロケと合成を組み合わせて作り上げた。そしてそこに、エンドロールがわかりやすいのだけれど、原田知世というシンデレラガールの実質的なドキュメンタリー的な映像を、重ね合わせていく。要するに、相米がショットの中で成立する被写体とカメラの緊張関係という、どれほど物語や設定が荒唐無稽であったとしてもそれ自体は揺るがない、のっぴきならない真実を根拠に映画を撮っていたのに対し、大林は合成、つまり完全なつくりものと現実そのもの、つまりドキュメントとの共存を可能にする魔法としての映画を撮っていたように思えます。では、1990年代以降の監督たちはこの課題をどう引き受けたのか。片方に黒沢清をはじめとするショットの力をいかに延命させるかを追求した人々がいて、一方で岩井俊二、山下敦弘がいた。後者のやったことのうち、わかりやすい例を挙げるとフェイクドキュメンタリーの手法の導入があります。ハンディカメラの「手ブレ」映像を盛り込むことでリアリティを出すといった定番の演出がよく知られていて、これは当時としては情報環境の変化を活かした気の利いたものだったのかもしれないけれど、誰もがスマートフォンを持って動画を撮れる現在においては、もはや「手ブレしている映像／しない映像」の落差を用いて素人の撮ったものを偽装する効果は極めて薄い。これは一例ですが、比喩的に述べると黒沢的なアプローチはフィルムと共に延命が難しくなり、岩井・山下的なものは情報技術の進化に追い抜かれてしまった。ここが日本映画の現在地なのだと思います。

また、身体という問題を考えると、原作にある村上春樹的な身体をどう開いていくかという課題があったと思うんですね。村上春樹の小説の主人公の男性は、自己抑制的なナルシシズムを抱えていて、その自己の維持のために身体がストイックに鍛えられている。ここで発生しているのは普通のマッチョイズムとはちょっと違っていて、プロレスラーの筋肉よりは長距離ランナーの筋肉に近い。この独特のマチズモが、その物語世界の鍵となる女性への依存と結びついているわけです。村上春樹の作品には車がよく出てくるわけだけど、それは男性的な身体の延長になっている。「ドライブ・マイ・カー」の主人公である家福は、女性が運転手になることに抵抗を持っていたけれども女性ドライバーであるみさきに運転を任せるようになったことで、傷ついた心を回復していく。ただし、原作と映画ではその回復の内実が異なっていて、原作のみさきが家福の自己肯定を追認するのに対し、映画では、家福の身体の延長だったサーブがみさきにハックされることで、開かれていく。この男性主体の解体は、村上春樹の強い文体に規定された小説の言葉が、多言語に開かれていく過程でもある。つまりここでは男性身体の延長だった自動車が、視覚言語の一つに変換されている。車という物体を、ある種の言語として用いることができるのは、劇映画のアドバンテージの一つでしょう。そしてこの重層的な変化の過程を描き切るために、時間芸術としての映画が機能している。3時間という時間が必要だっただろうし、視覚表現でなければ難しかっただろうと思うんです。そういう意味で、この作品は劇映画のアドバンテージを活かした構造になっていると思いました。

**濱口**　そうですね。たとえば配信映画の企画だったら成立していない、というかそもそも構想されないタイプのストーリーテリングだと思います。「劇場で観ることで発揮される観客の高い集中力」を完全に当てにしている映画ですね。一応、今後のために言っておくと、配信などでも十分楽しめると思ってはいます。十分に観客側の集中力が保たれていれば、という条件付きにはなってしまうかもしれませんが（笑）。

村上春樹作品の中に反映された書き手の身体性についてコメントをするならば……脚本を書くときはどうしたって村上春樹的な登場人物、つまりは言い回しを書くわけですよ。ただ、これがただの真似であってはいけなくて、本当に何度も読む。読むだけではなく、書くことを通じて、村上春樹的なテキストの強度というものがより感じられるような気がしました。テキストの強度というのは、物語の内容ではなく、文章そのものの精緻さのことです。僕自身はいわゆる「ハルキスト」のような村上作品の熱心な読者とは言えなくて、長編小説をだいたい読んでいる、というくらいなのですが、僕が読んだものはどの作品を読んでも、すごく内的な感覚を伴った文章が出てくるんですよ。最近の『騎士団長殺し』で言えば、絵を描いているシーンですね。僕は絵なんてちゃんと描いたことはないのに、絵を描いている人の感覚の中に引きずり込まれていく感覚がある。村上さんだって絵画は描いてないでしょうから、これは想像力の精度がすごい、ということです。絵描きの身体感覚を、文章を使って彫刻のように掘り出していく。『女のいない男たち』を何度も読み返しつつ脚本を書いていたとき、そういう強度の高いテキストには書き手自身の身体性が宿っていることを感じました。その身体性によって自分自身も「書かされている」感覚があって、とても面白い体験でしたね。すごくスッと書けるんですよ。それは今まで自分が書いたことがないような種類のテキストで、やっぱり「村上春樹」的なものだと思うし、同じような想像力の精度を備えていることを願って書かれたものです。実際、そのテキストに宿った想像力の精度が個々の俳優の身体に振り分けられて、彼らを誘発する、ということがあったような気がしています。俳優のみなさんと本の読み合わせを通じて、テキストを身体化する。で、実際の撮影現場では、やっぱり自分がそれまでに見たことがないようなレベルの演技を見た気がする。俳優がテキストに宿る他者の身体性を受け入れると、こんなにも引き出されるものがあるのかと驚きましたね。でも、それはどんなテキストでも起きるものではなくて、やはり村上さんや、チェーホフのような内的な精度を備えている必要があるんだと思います。

**宇野**　村上春樹がデビューしたときは、これはアメリカの少し前の時代の小説の翻訳文のパロディーだと批判されていたわけですよね。もちろん本人は、自覚的に翻訳文を模倣していたのだろうと思います。要するに、一度異なる言語を経由

して、自分たちの言葉に回帰させたかのような文体を生み出した。それは三島由紀夫が「無機的な、からっぽな、ニュートラルな、中間色の、富裕な、抜目がない」と形容したような戦後日本の空疎さなのだけど、その土着性を排した日本語は、彼が描き出した消費社会の風景を描くための最大の武器になった。日本から20年ほど遅れて、中国で村上春樹の小説が流行し始めた理由はそういったところにもあると思っています。その意味において、村上春樹は、「オリエンタルなもの」としての日本文学から脱している数少ない書き手だと思います。その達成は彼が獲得した文体の力に支えられている。だから村上春樹の小説を映像化するときは、この文体を映像表現にどう置き換えるか、そしてアップデートするかが鍵になっているのだけど、『ドライブ・マイ・カー』はそこに果敢に挑戦し、そして慎重に距離を詰めて突破した映画だと思います。

## 多言語的なものが決定するリアリティ

**濱口** 僕は村上さんに対しては、小説よりも創作論からより影響を受けているかもしれません。柴田元幸さんと翻訳について対談している『翻訳夜話』という書籍があって、その中で語られている翻訳論が、「演じる」というテーマととても近いところにあるような気がしたんです。村上さんは「翻訳者は原文の『声』を聞かなくてはならない」と言っていて。文章に宿る声を聞き、それを日本語に訳していくのだと。もちろん違う言語なので、完璧にその声を再現することはできないのだけれど、「自分はこの文章を正しく翻訳できるただ一人の人間である」といった感覚になる小説に出会えたら、自分はそれを翻訳できると語っているんです。そういった「文章と自分の間に親密なトンネル」があるような感覚を頼りに、翻訳をしていると。この言葉は、そのまま「役者が役を演じること」にも通じると思っていて。これはご本人もよく言われていることですけど、村上さんのテキストって、生身の人間が口に出すと違和感がある言葉なんですね。この違和感は最終的には決してなくせないものだと思います。ただ、このことは人物を演じることの究極的な不可能性は、翻訳の「書き言葉」一般の傾向とも言えるし、現実的に根本的な不可能性の話とも近い。脚本の読み合わせやリハーサルを繰り返すのは、この「書き言葉」としてのテキストと俳優の演技を即物的に結び付けるためなんですけど、村上春樹的テキストを使うとやっぱり「村上春樹的存在」として俳優が現れるような感覚がありました。それはつまり、その言葉を語る俳優が、英語話者でもない、日本語話者でもない、とても抽象的な人間として浮かび上がってくる感覚というのかな。僕の映画には登場したことのないような人物像が生まれている。海外でも演技を評価してもらう声は聞くのですが、俳優がそういう村上春樹的テキストを身体化して、具現化してくれたから、というのはあるように思います。単に自然な演技というのではなく、もうちょっと抽象的かつ普遍的な存在に、人物が見えていたのではないかと思っているんです。

**宇野** 僕が特に素晴らしいと思ったのは、演劇祭の主催者役の女性の演技ですね。あの計算されたぎこちなさが素晴らしい。国内で言うと、1990年代の小劇場ブームの影響が大きいと思うのですが、できるだけ「ナチュラルな」演技を求められるわけじゃないですか。そういったちょっといびつな日常芝居至上主義みたいなものからは、ああいった演技は絶対に出てこないと思うんですよ。

**濱口** 安部聡子さんですね。僕も素晴らしいと思っているんですが、やはり日常的な感覚に照らして違和感を持つ方もいるようです。ただ、これはまさに彼女の素晴らしい役解釈の賜物だと思っていて、彼女に与えられたセリフって、全然人間的ではないものが多い。基本的に、システムの側に属している者としての言葉を語っているわけなので、ああいう喋り方になる。でも、その語りによって「あえてそのように発話している」キャラクターの人間性を感じさせるような演技をしてくれたと思っています。人によっては呆気に取られるみたいですけど、それはそれで爽快です。僕はとても好きですね。

**宇野** この演技を見たとき、これはちょっと水準が違う映画だなと感じました。要するに、僕たちはそれまでの芝居や映画であまり見ないからこそ、「ナチュラルな」演技をリアリティのあるものだと感じてしまうけれど、実際の日常生活はああいった「演じない」コミュニケーションで成り立ってはいない。人はもっと芝居じみた生き物だし、抽象的な次元のことを語るときは書き言葉のように思考し、語るわけです。この違うノリの芝居の共存も、ある意味では多言語として機能している。多言語的なものは単に劇中劇の演出として用いられているのではなくて、この映画のリアリティそのものを決定しているんですよね。

**濱口**　いわゆるナチュラル系演技に対しては、僕は単純に何か気恥ずかしいんですよね。それは端的に言うと、宇野さんと同じく、「実はみんなそんなふうにしゃべんないよね」ということで。先程の話で言うと、演技の不可能性みたいなものを無視している。「自然」に演じることができると少し無邪気に信じられすぎている気がして、かえってそのことがすごく意識されてしまうというか。僕が参考にしているのは、クラシックな映画のかなり抽象度が高い演技だったり、黒沢さんや万田邦敏さんによるその現代解釈の方です。明らかに「これって演技ですよね」とわかる演技の中にこそ、最初に言ったようなその俳優の身体性が表れるし、それまでの人生のようなものをかえって感知しやすい。そのほうが全体的に面白いと思ってやってきました。それに実のところ、日常的なナチュラル系演技の身体というのは、劇的な飛躍ができないんですよね。というか、その瞬間にそれまで隠蔽していた「演技性」が露呈する。それをしたくなければ、非ドラマ的なドラマを語っていくしかない。僕は、飛躍のあるストーリーテリングが好きだし、さっきも言ったように自分たちには被写体の身体しか残されていないという感覚があるので、ナチュラル系演技でそれを貧しくするわけにはいかなかったんですよね。

**宇野**　登場人物が全員あの同じモードでコミュニケーションしてしまうと、それによって役者の身体が画一化されてしまいますからね。

**濱口**　ただ、一方で日本のテレビドラマの世界では現状、過剰な演技が流行している。これは端的に『半沢直樹』の大ヒットの影響だと思うんですが、この流れが映画界にもやっぱり影響を与えていますよね。たとえば舞台において歌舞伎を楽しむこと自体は全面的に賛成ですし、劇的な身体は確かに面白いんですが、現状よく見る演技は画一的なものが多いような気はしています。１９９０年代にある種、そういうメチャクチャ劇的な身体が抑圧されていた反動が来ているのかな、とも思いました。もうすぐ中間に、揺り戻しがこないかなと思いますね。

**宇野**　先程触れた村上春樹の文体に関する話にたとえれば、日本の映画は文体の開発をサボってきたと言えると思います。撮影所では、歌舞伎から続く定型の演技を受け継ぎ、それはそれで一つの洗練されたカルチャーを作り上げたわけです。あえて単純に整理するならそのカウンターとして、小劇場に端を発するナチュラル系芝居がある。そういった、演技の文体を開発する営みがいま、途切れてしまっているように感じます。だから、「演技の文体をいかに再発見するか」が、劇映画における表現の課題だとも言える。

## 映画の総合性に回帰するために

**佐渡島**　僕が『ドライブ・マイ・カー』を観て興味を持った部分と、二人の興味範囲が全然違って面白いなと思いながら聞いていました。たとえば、僕がすごいなと思ったのは、わかりやす過ぎないストーリーを通して、複雑なことをしっかりと考えさせる作品になっていること。どうやったらそんな脚本が書けるのか、画作りができるのかに興味があるんだよね。前半部分では、「愛し合うってどういうことなんだろう」ということをすごく考えさせられた。亡くなった家福の奥さんは浮気をしていたとはいえ、家福を愛していただろうし、家福もそのことはわかっていた。そして、観客にもそのことはしっかりと伝わっていたと思うんだよね。「形式的には浮気をしていたけど、そこには愛があった」ということをちゃんと読み取ってもらうのは簡単なことではないし、なぜそんなことができたのだろうと考えていて。

**濱口**　そう受け取ってもらえたのなら、とても嬉しいですね。繰り返しになりますが、根本的に演技って無理があるわけです。家福を演じた西島秀俊さんと、妻役の霧島れいかさんは現実には夫婦ではないし、普段一緒に暮らしているわけでもなければ、愛し合っているわけでもない。それが、お二人の現実的な身体のありようですよね。もちろん、劇中のセリフを言うことで、観客に設定を伝えて、それを情報として積み上げるストーリーテリングはできますが、明らかに身体が発する物

語とは異なるメッセージ自体を消すことはやっぱりできない。その身体をどう観客に提示するのかは、とても難しい問題。だからこそ、俳優のみなさんはそれぞれに役作りをして、リハーサルなどで演技をすり合わせていくのですが、実際のところ、そういった役作りが齟齬を生むこともある。なぜなら、映画の中では共通の歴史を持っているはずの二人が、役作りの中で異なる歴史を想像してしまうことがあるから。これは根本的な問題なので、決して解決しない。ただ、わずかながら抵抗するぐらいのことはできる。こういった齟齬を生まないためには、共通の体験をするしかない。撮影に入る前、二人の過去を描いた物語を書いて、実際に演じてもらったりしました。「20代の頃、演劇サークルで出会った」ことを想定して書いた脚本に沿って演技をしてもらいました。もう一つ用意したのが、娘が亡くなった一年後ぐらいを描いた脚本。深い悲しみから回復できない精神状態にある二人を演じてもらいました。実際に演じることによって、西島さんと霧島さんの中に、家福悠介と家福音にはこんな歴史があったんだなということが身体的に共有されるわけです。だから、西島さんは家福悠介として「音はいろんな男性と浮気をしているけれど、こんな歴史があるからこんな行動をしたのだな」と理解できる。すると、身体が発するメッセージが変わってくるんですよね。映画の世界だと「順撮り」というものがあって、役者にとって実際に演じた場面が、次の場面の解釈の足場になることがあるわけですね。これは生身の情報量を持つことになるので、想像とか設定より、演じる上でのずっと具体的な基礎になる。実際撮影の後半は前半と見違えるような人物が生まれることがある。ただ、一本の映画の中で演技の質がまったく違ってしまうとしたら、いいことばかりではない。だったらそれをリハ段階でやっておこう、ということで。あとは、ベッドシーンを撮るときも、着衣の状態で「まずはこんな体勢になって、そのあとはこうで」とやっていく。やっぱり人間性がいい人を選ぶとですね、互いを気遣い、コミュニケーションを取りながらリハーサルができる。そんなことをやりながら、シンプルな信頼関係を構築できたことも大きいのではないかなと思っています。

**佐渡島**　そこまで演技や身体が発するメッセージにこだわっている人っているのかな。少なくとも、そこへのこだわりを強く感じた映画ってあんまりないような気がする。

**濱口**　僕の場合、ショットで観客を説得しようとしていないですからね。世の中にはとても強烈なショットを撮るカメラマンがいて、そういう人が撮る画は見ただけで「OK」と言ってしまいたくなるんだけど、僕の場合はできるだけ画の強度を上げないようにしていて。画の強度が高すぎると、そこで起きている身体が発するメッセージが伝わりにくくなってしまうから。

**佐渡島**　身体のメッセージをどう考えるか、みたいなことって他の監督とかと話したりするの？

**濱口**　いや、あまり話さない。そもそもそんなに他の監督と話さないということはあるけれど、そこをシビアに気にしている人はそんなに多くないのかな、という印象は持っている。

**宇野**　その中で、濱口さんが「画の力を抑える」という発想に至ったのが、とても面白いと思っています。

**濱口**　単純に才能の問題という側面もありますが、被写体とカメラの関係だけで画面を成立させるように撮るには、相当強力なビジョンが必要だし、そのビジョンを関係者全員にしっかりと落とし込む必要がある。だから、最高のショットを撮るのは、めちゃくちゃ時間がかかるんですよね。時間がかかるということは、その分お金もかさむということです。ただでさえ貧乏なので、一つのショットにこだわり抜くのは難しい。それを映画全編貫くように撮ることはほとんど不可能に近い。だから、僕は、できるだけシンプルな画面のみで構成するし、それでなんとかなる方向に舵を切っていく必要があったのだろうと思います。

**宇野**　ショット至上主義って、ある種のミニマリズムですよね。「映画の本質はショットだ」と、その力のみで映画を映画たらしめようとした相米から二世代、三世代下の濱口さんたちは、ショットの力を制限することで、映画の純粋性ではなく、総合性に活路を見出したと。

**濱口**　力のあるショットって、究極的には被写体の身体を単なる存在へと還元していくようなところがあります。つまり、人をモノのように見せる傾向がある。それは実はすごい達成なんだけれども、一般的に言えば、モノを見続けるのってつらいんですよ。自分とは関わりなく、そこに存在していて、それを見る負荷は観客の側に預けられている。僕自身も観客として、被写体に対して「どこか自分たちと通ずるものがある」と感じられないと、見続けられない。そんな怠惰な観客だったからこそ、おっしゃっていただいているような「総合性」を求めたのかもしれませんね。そこでしか勝負ができなかったということだとも思います。

**宇野**　要は、日本映画はこの20年くらい「近接ジャンルから何を取り込むか」ばかりを考え、「劇映画のポテンシャルそのもの」に目を向けて来なかったのだと思います。演劇やアニメ、ドキュメンタリーといった近接ジャンルからさまざまな要素を取り込んで表現を確立する、というゲームはやり尽くされ、しかもそのある種の完成形としてのハリウッドのＭＣＵが君臨している。そんな状況のいま、日本映画でやることがここにまだあるかと言うと結構しんどいのではないかと思う。だから、ハリウッド以外で映画を撮る人間に残されたのは、「劇映画そのものは何を成し得るのか」という課題なのでしょう。

**濱口**　世界的に見たら、日本映画業界はとっても貧乏なんですよね。自分や、自分の属している世代はその中でも、ひときわ貧しく映画を撮ってきた。だから、カメラとマイクで被写体を捉えることだけで、いかに力のある映像を作るか、という勝負になっているんだろうと思います。でも、僕が置かれているこの「演じる身体を撮るしかない」という状況は、実のところ日本の劇映画全体が置かれている現状であるとは思う。

## 劇映画とトーキーのあいだ

**宇野**　そこで重要になるのが、映画の「音」という要素だと思っていて……。

**濱口**　サイレント映画とトーキーは、まったくの別物ですよね。ショットは基本的には、サイレント映画的な発想で撮られていると思う。トーキーが登場したとき、サイレント映画を撮っていた一部の人たちは「サイレント映画の美学が完成しつつあるのに、なんて要らないことをするんだ」と反発したそうなんです。「音なんて余計な要素を入れるな」と。トーキーが登場して１００年ほど経っていますが、映画界の中には、未だに「サイレント映画の美学 vs トーキーの総合性」の構図が存在しているような気がします。ジャン・ルノワールという映画監督のドキュメンタリーを見て、リハーサル方法の参考にしているのですが、ルノワールは「トーキーによって、映画があるべき形に近づいた」と言っています。トーキーが登場したとき、身体の内部の運動を「表現できるようになった」と考える人と、「暴露されてしまう」と考えた人がいたということです。僕はルノワールの言葉を「声は映画に観客を被写体の身体の内部まで想像できるよう、一段深いレイヤーを与えた」と解釈しています。それまでオフ（見えない）空間だった身体内部と「声」はつながっているわけですよね。ただ、このことを嫌がった人たちがいたことはよく理解できます。セリフを言えば言うほど、俳優が「役本人ではない」ことが直接的に感知されてしまって、観客が醒めてしまう。映画界はこの問題にずっと向き合ってきたと思うんです。トーキー以降、徐々にリアリズムが演技に侵食してきます。できるだけ現実に即した演技によって、この問題を処理しようとしていた。ジェームス・ディーンやマーロン・ブランドが出てきたころに流行していた「メソッド演技」が代表的なものです。でも、これはフェイクドキュメンタリーの問題とも近いと思うのですが、できるだけ自然な演技をしようとすればするほど、「演技であること」がある瞬間にむしろ強調されてしまう。だって演技は現実そのものではないわけですから、現実に近づけようとすればするほど、その違いはどこかで浮き彫りになってしまう。だから、むしろ「これはセリフであり、作り物である」という認識から始めなければならないし、その認識を観客と共有したほうがいいとは思っています。そういった認識があれば、観客は俳優の声を映画の登場人物の声として受け入れやすくなる。演技が演技でしかないことを認め、そこから始める。これが基本戦略になると思います。一方で、演技には実際のところ、ある種の神秘があって、確かに虚構と現実の区別がなくなるような演技、つまりそういう声が発されることは経験的に言えば、ある。ただ、それはある種の偶然としてしか起こらない。そういう偶然が撮影現場で起こりやすいように、準備をしているのが現在かな、という気がします。

そういう点で、キャスティングは最も重要なプロセスです。当たり前ですが、その人物を演じる上で、何か精神的に役者と役に共有する部分は必要になると思います。俳優の声に含まれるその人自身の内面と、登場人物の内面が重なる部分があれば、それが大きな力になることもありますから。

**佐渡島**　そういうことを意識するようになったのって、いつくらいからなの？

**濱口**　ドキュメンタリーを撮ってからだね。『なみのおと』『なみのこえ』を制作するとき、東日本大震災で被災した方々を中心にインタビューをして、その方々が発する言葉の生々しさに驚いた。それまでの「セリフとして書き、俳優にしゃべってもらう」言葉とは、まったく違うものだと感じました。カメラを固定し、2〜3時間インタビューをして、撮れた映像を20分くらいに編集して、それらを繋ぎ合わせて映画にしていく。いろんな画角で撮っているわけではないので、編集するとき、何を残すかという拠り所はほとんど声しかないわけだよね。だから、撮影中も声に意識的にならざるを得ない。そうすると耳が鍛えられるというか、「本当はこんなこと思っていないんだろうな」とか「周りに合わせて言っているんだな」と感じる声と、そう感じない声があることがわかってきた。今この人、本当のことを言っているんだなと感じられるような、クリアな、フォーカスの合った声というのかな、そういうものがその人から出てくれば、そのインタビューは成功だし、映画にできるという感覚があったのを覚えている。

**宇野**　これは言い換えると「カメラの前で起きていることをそのまま映す」リュミエール的な発想と、映像を「三次元を二次元に移し替えた嘘っぱち」と捉え、虚構だからこそ表現できるものを追求したメリエス的なものとの違いでもあると思います。そして今の濱口さんの話は、トーキーの登場でこの対立は、別の次元に導かれたということですね。言ってみればどれだけ情報技術を駆使し画面を処理しても、声の次元まで降りた役者の身体をコントロールはできない。画をコントロールする技術が映画の本質に存在しているからこそ、コントロールの難しい「音」に、リュミエール的なものの根拠を求める作り方が有効になっていく。このときむしろ芝居を作り込むことで、はじめて引き出される本当の「声」こそが、その台詞自体がどれほどアンナチュラルな「書き言葉」だったとしても、いや、だからこそカメラの前で「本当に起きた」ことの力を生むわけですね。

**佐渡島**　同じ映画を10回も20回も観る人っているじゃないですか。「何度でも観ること」に耐えうる映画だと感じているからそうしていると思うんだけど、逆に言えば、制作陣は「何度も観られること」を前提に、映像や音を作っているのかもしれない。でも、僕は『ドライブ・マイ・カー』を傑作だと思っているんだけど、この鼎談を収録するために「もう一回観よう」とは思わなかった。頭の中で最初に観たときに感じたものや受け取ったメッセージを思い返してはいるんだけど、次に観るのは10年後か20年後かなという感覚がある。今年で編集者になってちょうど20年目なんだけど、編集者になったばかりのときに触れて、衝撃を受けた映画や漫画を見返して、自分の作るものについて考え直しているんだよね。20年ぶりに出会い、いま見直そうと思える作品ってやっぱりめちゃくちゃ強度が高いのだけれど、じゃあそれらの作品を来年も見返したいかと思うかと言うと、そうではなくて。また20年後でいいかなと思う。

　そこから感じたのは、作品としての強度が高いから、あるいは内容が濃いから、短期間に何度も反復できるのではないということ。むしろ、強度が低い、これまでの話に即して言えば、一回性が取り除かれた、反復されることを前提とされた声に溢れた作品だからこそ、間を空けず、何度でも見返せるのではないかと。では、なぜ何度でも観られてしまう作品が多くなっているのかと言えば、興行収入と評価が直結してしまっているからではないかと思うんだよね。何回でも観てもらうことによって、売上をよりアップさせることを目標にしている映画が多くなっているんじゃないかな。『アナと雪の女王』の制作に関する美談のように語られている話があって。あの主題歌ができたときに、あまりにも素晴らしいから「この曲がもっと活きる映画にしよう」と、脚本が変わってしまった、というもので。

**宇野**　『アナと雪の女王』も『ラ・ラ・ランド』も『ボヘミアン・ラプソディ』も、比喩的に言えば「Apple Musicを楽しむための映画」ですよね。元を辿れば、テレビドラマ『glee』などがあ

ると思うのですが、これらの作品が前提にしているのは、声が反復可能であるものとする考え。これらは、観客に劇場に足を運ばせる価値を生むというゲームには勝利している。しかし、ここで反復してストリーミングサービスで再生される「音源」は、声の一回性を忘却させるわけです。そこには当然、声の一回性を忘却させるわけです。そこには当然、トーキーが音を得たことによって生まれたレイヤーは覆い隠されてしまう。これはとても皮肉な話です。音楽を前面化した映画だからこそ、トーキーが切り開いた次元を、覆い隠すような効果が生まれてしまっている。

## 村上春樹の特異点としての「みさき」

**宇野**　『ドライブ・マイ・カー』のストーリーについても、もう少し考えてみたいと思います。個人的に、『女のいない男たち』の面白いところって、「シェエラザード」以外の短編がことごとく、主人公の男性に男友達ができるのだけど、うまくいかない、というところだと思っているんです。ちょっと仲良くなりかけても、死んじゃったり、自ら突き放してしまったりする物語が並んでいる。だから、実は『女のいない男たち』って、「男のいない男たち」なんです。ここから導き出せるのは、「村上春樹が本当に求めているのは直子なのか、鼠なのか」という問題です。村上春樹がマルクス主義からのデタッチメントから始まって、そこからどう社会や歴史への新しいコミットメントを模索してきた作家であるというのは自他ともに認めるところだと思うのですが、この「1960年代に失われてしまったもの」を象徴するのが自殺した恋人の「直子」（『ノルウェイの森』などに登場）と、同じく自殺した友人の「鼠」（『羊をめぐる冒険』などに登場）です。そして、村上春樹がコミットメントを前面化させたのは1995年に完結した『ねじまき鳥クロニクル』。このとき鍵になるのが、巫女的な能力を持った女性です。村上にとって、女性とはコミットメントのための蝶番のような存在で、彼女たちの力を借りて主人公は歴史や正義にコミットしていく。でも、作品の中でコミットメント、具体的にはときに暴力を伴う正義の執行の責任を取るのはそうした女性たちで、主人公は責任を取ることなく、ただ自己実現を手にしていく。この構図がずっと反復されていたのだけれど、『女のいない男たち』には、久しぶりにかつての鼠や、『ダンス・ダンス・ダンス』の五反田君のような男友達が登場します。この二人はどちらも、時代の変化に上手に対応できず、あるいは過剰対応した結果として精神的に追い詰められて自殺してしまうわけですが、ここで男友達が再召喚されていることに僕は注目したい。この連作短編を読むと、村上春樹が、女性性に救いを求めるのではなく、男同士の関係から突破口を見出そうとしているものの、本人がそれを信じ切れていないのではないかと思えてくる。「ドライブ・マイ・カー」に出てくる高槻もそうですが、『女のいない男たち』に所収された短編に登場する男性たちは、鼠や五反田君とは少し違う。鼠や五反田君は、主人公の分身であり、主人公の負の可能性が表出されているのだけど一方『女のいない男たち』の男性たちは、主人公にとって完全な他者なんですね。もしかしたら、自分を新しい世界に連れ出してくれるかもしれない存在として描かれている。でも、そんな男性たちは物語の中で死んでしまったり、主人公が自ら遠ざけてしまったりする。だから、「ドライブ・マイ・カー」が映画化されると聞いたとき、僕は男性をめぐる物語になると思ったんです。でも、いい意味で裏切られた。主人公を救済するのはやっぱり女性なんですよね。でも、女性なんだけれど、これまでの村上作品に出てくる女性とは少し違った描かれ方がなされている。みさきの存在って、原作よりもはるかに重要度が高いじゃないですか。映画版『ドライブ・マイ・カー』のみさきは、明確な他者としての女性なんですよね。だからこそ、みさきの物語も、映画ではちゃんと語られる必要があったのだろうし、家福の身体の延長である車が、他者であるみさきに譲られることによって、家福自身が別の場所に連れて行かれる物語になっている。

**濱口**　制作現場の実感として言えば、映画に落とし込むとなると、『女のいない男たち』にはできないんですよね。なぜなら、小説では単なる言葉である「女性」が、映画では実際に生々しい身体を持って現れるから。そして生々しい身体を持った役者さん一人ひとりに、キャラクターが本当にそこにいるかのように演じてもらわなければならないわけです。そうなると、その人自身の尊厳みたいなものをやっぱり、尊重する必要ができくるわけです。実際の人間は誰かの分身でもなければ、蝶番でもないじゃないですか。だから、みさきはみさきという個別の存在として、生きていることを描かなくてはいけない。『女のいない男たち』に収められている作品の中の3編ほどを参考にしたので、映画のタイトルとしては『女のいない男たち』にしたらいいのに、みたいな感想をもらったことがあったんですが、そもそも『ドライブ・マイ・カー』というタイトルに惹かれたところがあったし、何より身体を持った女性がそこに映し出されているので、「女のいない男たち」にはなり得なかった。

**宇野**　単純に考えると、原作に即して男性の話として、高槻の物語として描いた方が簡単だったのではないかなと思ったのだけれど、みさき側からアプローチしているじゃないですか。もちろん、高槻というキャラクターも魅力的に再構成されているけど、原作の中では役割が先に立つみさきというキャラクターを肉付けし、中心に据える方向で攻めてきたことが興味深かったです。

**濱口**　単純にみさきというキャラクターがとっても魅力的だと思ったんです。原作を読んだとき、みさきと家福のあいだには深い交流があるんだけど、それは性的な磁場を含んではいない。少なくとも、みさきの側からは一切ない。「みさきは絶対に彼とセックスをしないんだろうな」と思ったんです。そういう意味で、村上作品に登場する他の女性キャラクターとはどこか異質な魅力を感じて、この小説なら映画にできるかもと考えたようにも思います。

**宇野**　素晴らしいピックアップだと思います。その意味でみさきは例外的な存在ですよね。村上春樹作品の中に現れた、小さな特異点だと言える。

**濱口**　そうなのかもしれませんね。だからこそ、発展させられると感じたような気もするし。

**宇野**　みさきという特異点に、さまざまなものたちが流れ込んで来ているとも思うんです。たとえば、土地性。それを感じさせないことが村上作品の特徴の一つだと思うのですが、『ドライブ・マイ・カー』は広島という土地の歴史や、瀬戸内や北海道の風景が無ければ成立しない映画じゃないですか。みさきという特異点にフォーカスをすることで、村上春樹の世界観の中で意図的に省かれてきたものを、その世界観を壊さないように再接続していく。そんな作業が『ドライブ・マイ・カー』という作品を支えているように感じました。

## 表現の課題と人生の課題

**佐渡島**　今後は何を撮っていくの？

**濱口**　そこが本当に難しい。「次に何を撮りたいですか」と聞かれることは多いけど、自分から「これが撮りたい」というものが湧き出てくるものがあるわけじゃないから、困ってしまう。『ドライブ・マイ・カー』のおかげで、確かにいろんな話は来る。でも、どれもそんなにしっくりこない。妙にブーストがかかってしまって、自分をどこに向かわせればいいのか、よくわからなくなっている感じはあるんだよね。ただ、まあそれでいいのかなと思っている。何をすべきかというのは自ずとわかってくる、というのがこれまでの経験上もあるので。

**佐渡島**　濱口はいい意味で変わっていないよね（笑）。大学時代と変わらず、謙虚で、緻密で、丁寧なまま。『ドライブ・マイ・カー』にはそんな濱口の良さが表れているなと感じた。いい原作と出会い、その作品を丁寧に、緻密に読み解いた先に、自分らしさや作家性みたいなものに気付くことがあるんじゃないかなと思うんだけど。

**濱口**　「描きたいものはないんですよね」って言う漫画家と出会ったらどうするの？

**佐渡島**　延々と話すよ。でも、結局描きたいことなんてなくてもいいんじゃないかと思っていて。「これが好きかもしれない」レベルのことでもいいから、とりあえず深掘りしていけばいいんじゃないかな。そんなことをしているうちに、伝えたいことが見つかるかもしれないから。

**濱口**　確かに、描きたい物語はなかったけど、映画が好きだったから「表現の課題」にチャレンジすること自体が好きだったんだよね。だから、そこにフォーカスするようになった。実際、表現の課題に取り組んでいると、やっぱり進んでいきたい方向性が出てくる。そこでようやく「自分はこういうことがやりたかったんだな」とか「こういうことは嫌なんだな」ということがわかってくる感じがある。

**佐渡島**　人生の課題と、創作の課題、表現の課題を連携させることが大事だと思うんだよね。たとえば、濱口の次回作にプロデューサーとして参加することになったとしたら、まずは濱口の作品を一緒に観ながら、解き切っていない課題を一緒に見つけていく。その中でも、特にその課題に向き合う時間が、濱口の人生に影響を与えるであろう課題を抽出していくんだよね。哲学的な問いでも興味は持てるかもしれないけど、やっぱり自分の人生に関係すると思えない課題は長時間考えられないから。たとえば、濱口自身が大切な誰かの死によって大きな喪失を抱えているとしたら、『失う』ってどういうことだろう」とか「死とは何だろう」とかね。それくらいまで考えたあとに、ぴったりくる原作があればそれを使うし、なければイチから物語を作っていく。そして、その物語を表現するための手法を考える。そんな順番で何をどう撮るか考えていく気がするな。

**宇野**　映画監督という職業は、表現の課題が人生の課題になり得る呪われた、しかし幸福な職業に僕には見えます。というか、その二つは勝手に不可分になっていくのかもしれないですね。

**濱口**　そうです。これからもその問いを探していきたいと思っています。

**佐渡島庸平（さどしま・ようへい）**
株式会社コルク代表取締役社長。1979年生。東京大学文学部卒。講談社を経て、2012年にコルクを創業。三田紀房、安野モヨコ、小山宙哉ら著名作家陣とエージェント契約を結び、作品編集、著作権管理、ファンコミュニティ形成・運営などを行う。従来の出版流通の先にあるインターネット時代のエンターテインメントのモデル構築を目指す。

**濱口竜介（はまぐち・りゅうすけ）**
1978年生まれ。長編『ハッピーアワー』（15）が複数の国際映画祭で主要賞受賞、商業映画デビュー作『寝ても覚めても』（18）はカンヌ国際映画祭コンペティション部門選出。短編集『偶然と想像』（21）はベルリン国際映画祭で銀熊賞、脚本作の黒沢清監督作『スパイの妻〈劇場版〉』（20）がヴェネチア国際映画祭銀獅子賞を受賞。

**宇野常寛（うの・つねひろ）**
296ページ参照

妄想企画

# 「水曜日は働かない」

イラスト＝endo

水曜日は働かないと、火曜日が楽しみになる。
水曜日は働かないと、土曜日が近くなる。
「週の真ん中、水曜日」に休みの日を設けるだけで、
365日すべての日が休日に隣接する――。
これは、そんな世界の真実に気がついた僕たちが、
ありったけの妄想をふくらませて作り上げた
人類解放のプロジェクトである。

# 僕たちはなぜ、水曜日は働くべきではないのか？

宇野常寛

近年、週休3日制を導入する企業が散見されはじめている。そして実は僕も3年ほど前から「水曜日は働かない」という提案をしている。もちろん、これは半分は冗談なのだけど、もう半分は本気だ。なぜ水曜日なのかというと、それは水曜日が休みになると365日すべてが休日に隣接するからだ。もともと僕はずっと、日常の中の非日常、ケの中のハレを大事にしたいと考えていて、そのためには同じ週休3日制でも金曜日や月曜日を休みにして3連休にするのではなく、週の真ん中に休みをつくるほうがいいと思ったのだ。要するに、しんどいウィークデーと楽しい週末がはっきり分かれているのではなくて、毎日が楽しくなる方法を探したい、と考えたのだ。

そこにコロナ禍がやってきて、リモートワークが普及していった。その結果として、それまではあまりそういうことを考えてこなかった人も、自分の「働き方」を見つめ直すケースも多くなったのではないかと思う。なぜ家でもできることを出勤してやっていたのだろうかとか、無駄な会議や飲み会って本当に多かったなとか、そういうことからはじまって、最終的には「働き方」を超えて、「自分の生活を自分でデザインすること」の重要さを考える機会を、コロナ禍は与えたのだと思う。

僕がこう考えるようになったきっかけは、3年前からはじめた習慣だ。僕は、毎週水曜日にある友人（僕より少し年上の男性）とちょっとした「朝活」をしている。朝の出勤時間にカフェに集合して、10キロ走る。その間僕たちはいろいろな話をする。とりとめもない話題も多いけれど、僕にとってはとても大切な時間だ。

僕たちが集合場所にしているカフェはオフィスビルが密集しているエリアにある。平日の朝は、こう言ってはなんだけれど死んだ魚のような目をした会社員たちが、早足で掃除機に吸い込まれるようにビルのエントランスへ消えていく。ある朝、友人はそんな会社員たちを見て「NPC（ノンプレイヤーキャラクター）のようだ」と言った。ちょっと辛辣な表現だなと思ったけれど、その意図はよく分かった。少なくともこの瞬間、彼らは自分の人生を自分で舵取りできているようには見えない。いま彼らはPC（プレイヤーキャラクター）ではなくNPC（ノンプレイヤーキャラクター）なのだ。

そしてある日（2019年7月某日）僕が昼食を買うためにコンビニに寄りたいと言うと、友人は自分も買い物があるとついてきた。会社（彼はフリーランスの編集者だが、某社の業務委託スタッフとしてよく出社している）に行かなくていいのかと言うと、棚からストロングゼロのロング缶を手にとってこう述べた。

「水曜日は働かないことにしているんですよ」

レジ前に長蛇をなすNPCたちに混じって、友人は並んだ。僕も牛丼弁当とサラダを手にとって、その後に並んだ。水曜日は働かない。彼がそう宣言したとき一瞬だけ、しかし確実にその場を静かな緊張が支配した。しかし次の瞬間に並びの会社員たちは、僕たちがまるで存在していないかのように、丁寧な無関心を装いはじめた。僕は少し考えて、思った。ああ、自分も水曜日は働かないようにしよう、と。もちろんそんなことはまだできない。僕は小さな出版社のリーダーで、若いスタッフたちが一生懸命働いているのに僕だけは水曜日は働かないと勝手に宣言することはちょっとできない。でもいつか、近い将来にそうしようと思った。今はまだ難しいけれど、もちろん僕だけではなくて、スタッフみんながそうできるようにしたいと思った。そうやって、週の真ん中の平日にまさに（NPCではなくPCとして）「遊ぶ」時間を設定することが、特にこういうものをつくる仕事にはとても大事だと思ったのだ。

#水曜日は働かない

まだ実現できそうにないけれど、とりあえずはこう、宣言したい。

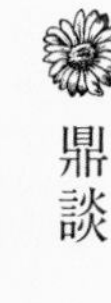

鼎談

# 「水曜日は働かない」という提案をめぐって

芦埜佑亮×高坂友理恵×辻音里

リモートワークの浸透や週休3日制の導入――
猛スピードで「働き方」の環境が変化しつつある今、
僕たちはこんな提案を始めました。
「水曜日は働かない」。
この一見すると冗談みたいな主張を
ほんとうに実行するためには何が必要なのか。
そしてなぜ人類は水曜日に働くべきではないのか。
こんなことを話し合うために、今回は僕たちの周りにいる
会社員のみなさんに集まってもらいました。

司会＝宇野常寛

構成＝徳田要太　写真＝岡田久輝　イラスト＝endo

## 人類はなぜ水曜日に働くべきではないのか

――今回は「水曜日は働かない」という僕の提案を本当に実行するには何が必要かを考えるために、実際に一般会社員として働いているみなさんをお呼びしました。まじめなことも話すんだけれど、楽しくお話しできればいいと思っているので、よろしくお願いします。まずは一人ずつ自己紹介をお願いできますか？

**高坂**　はい、高坂友理恵と申します。よろしくお願いします。仕事はマーケティング関係で、明治設立の古い企業に新卒から今まで10年以上勤めています。２０２０年にコロナが流行したことでテレワークが進みました。……進んだんですけど、昭和の気風が残る企業なので、元の環境に戻そうという動きもあって、いろいろと疑問に感じるところがあります。今日はおもしろい議論ができればいいなと思っています。

**芦埜**　芦埜佑亮と申します。社内ＳＥや情シスと言われるポジションで、社内のシステム開発やデータ分析などを担当しています。うちはコロナ以降、ほぼ１００パーセントテレワークでも仕事が回るような状態で、もとの労働環境に戻そうという動きもあまりないです。一応部署単位では週に1日は必ず出社日を作るようにしているんですけど、それでも実際に出社する人は6割くらいですね。もともと僕はかっちりとスーツを着ていやいやながら電車通勤をしていたんですが、２０１８年の末頃に宇野さんがNewsPicksに連載されていた記事の「サラリーマンのコスプレ」という表現が妙に刺さり、「早くこの環境を脱したい」という欲求が生まれました。そのためにはどうしたらいいのかとずっと考えていて、例えば今は私服でリモートワークをしたり、出社するにしても自転車通勤をしたりしています。なるべく自分の理想に近づこうとしているのですが、何か物足りないというか、どこかに違和感を抱いていて、今日の座談会では何がこんなにずれているのか、そのヒントが見つかればいいかなと思っています。

**辻**　辻音里と申します。仕事は広告代理店で、もともと私服で通勤するような業態ですし出向なども多いので、あまり決まったオフィスに常駐することもありませんでした。コロナ禍になってからも週4～5日は在宅勤務をしています。以前の職場環境に戻すような動きもまったくなく、「これを機にフリーアド

**辻音里（つじ・ねいり）**
広告代理店勤務（デジタル領域）
コロナ禍をきっかけに週３～４日在宅勤務、週１～２日オフィス出社へ切替。デスクワークがほとんどで、会社のメンバーの中心も２０代～３０代がメインで比較的カジュアルな職場勤務。

**高坂友理恵（こうさか・ゆりえ）**
新卒からマーケティング関係の業務に従事。趣味は料理・ランニング・ドラマ鑑賞。コロナ渦でも問題なく趣味活動ができており、特に不満はない。プライベートで経験していることこそ仕事に生きると思っているため、コロナ前から、毎月１回は、意識的に有給休暇を取得するようにしている。

**芦埜佑亮（あしの・ゆうすけ）**
独立・開業メディア（Web）で情シス担当。2020年3月頃からほぼフルリモートで勤務。妻と息子の３人暮らし。妻もフルリモートのため、打合せが重なるとどちらかがベッドルームに移動する生活にも慣れた。山形県出身。コロナ禍以降、実家に帰れてないため、実家に帰って肉そばを食べることが願い。

レスにしよう」とか「オフィスを縮小しよう」というような提案が出てきてます。あとはウィズコロナになってから業務に余裕が出てきて、週休3日に切り替える人も増えてきています。私も週5で働くのは、オフィスだとできていたけど家だとちょっときついなと思っています。自分のプライベートとのメリハリがなくなってしまって、5日間働くことでむしろ生産性が下がっていると感じていることもあるので、「水曜日は働かない」というのは意外と腑に落ちる部分があるなと思いながら参加しました。よろしくお願いします。

――ありがとうございます。改めて「水曜日は働かない」というこの謎の提案についてどう思うかというところから話をしたいんですけど……いかがですか？

**辻**　もともと週の真ん中である水曜日にミーティングが集中しがちだったのが、リモートワークが浸透してから意外とそれが必要ないことにみんなが気づき始めたこともあり、有給を水曜日に取る人が多くなりました。月曜日に休んで週休3日にするのとは別に、水曜日か木曜日あたりに一回休みを挟むような休日の使い方をしている人は増えてきていて、私も単に3連休が欲しいというよりは、「連勤をしたくない」という気持ちのほうが強いです。

**芦埜**　僕は水曜ではないですが、木曜の昼休みに筋トレに行っているんですよ。1時間程度の筋トレなんですが、それを1回木曜に挟むことでリセットされるというか、少し気持ちが切り替わっていいサイクルかなと思ってかれこれ1年半くらい続けていています。

――それはなぜ木曜なんですか？

**芦埜**　たまたま上司の役員会みたいなのが木曜にあるので、僕のほうに問い合わせが来ないタイミングなんです。

**辻**　水・木って、言葉が悪いかもしれないですがどうでもいい業務が集まりがちというか、それがウィズコロナになって削れたぶん「意外と水・木暇じゃない？」「いらない業務多かったよね」という話をすることもあります。例えばただ数字を挙げるだけのミーティングなんかもそうです。

**高坂**　ミーティングは確かに。

**芦埜**　わかる。うちは火曜にやっています。

**辻**　もちろん会社によって違いますが、月曜日は祝日が多いのでミーティングを設定しづらい、金曜日は納期があるので設定しづらい、火曜日は月曜日の残り仕事で忙しいというようなことがあるので、ミーティングとかよくわからない資料作成とか、本当に必要かどうかわからないような訪問が水・木に集まりがちでした。でも今では「対面の業務をなくしましょう」とか「ミーティングは少なめにしましょう」とかいう提案があり、そうすると「そもそも水・木いらないじゃん」という話になってきて、みんな水・木で休みを取ると周りに迷惑がかからないということをここ1年ぐらいで学んだんだと思います。

**高坂**　私も「意外とこの1日いらないな」と思うことが増えていて。わりと1日の中で余計な時間は多くて、今までオフィスであれば同僚と雑談していたり、コンビニにコーヒーやお菓子を買いに行ったりでもしていたんだろうなと思うんですけど、純粋な労働時間だけをぎゅっと凝縮すると平日5日のうち、丸1日なくても何とかなるんじゃないかと思うことがあります。

**辻**　リモートワークになって可視化された「無駄な仕事」の時間がちょうど1日分くらいあると思っていて、例えば特に何も決まらない「情報共有」と言われているだけの会議だったり、クライアントに会うための移動時間だったり、出社をするとそういうことにけっこう時間が取られていました。それがすべてリモートになったら、例えば2時間だらだらやっていた会議が1時間になるし、それに付帯していた前後1時間の移動時間なんかを含めると、それだけでも週4時間くらいは余計な時間を削れることになると思います。

**高坂**　私も「待ち時間が長かったな」と改めて気づいて、隙間時間には家事をしたりしています。一方で、私の場合は逆に打ち合わせが増えました。移動時間を考慮しなくてもよくなったというのと、情報共有が気軽にできなくなったという理由から、定例の打ち合わ

数年前から百貨店のアンバサダー活動をしています。平日がお休みになると、こういう活動もたくさんできるようになりますね。
(PHOTO:Natsuko Okada)

せを増やそうという動きがあって、自分で発言することがないとしても定例の打ち合わせが設けられてしまっています……。しかも、少し参加メンバーが違うからというだけで、同じことを話す会議が実は3つくらいあったりして、そこは無駄が増えたなと思うところです。それがなくなればちょうど1日休むらいの時間はできるんじゃないかな?

**辻**　あと時間だけではなくて、出社して働くとなると「労力」にもわりと無駄なことが多いと思います。例えば自分が女の子だからというのもあるかもしれないけど、身なりを整えて化粧をして通勤するのもそうだし、「何時までに出社しなきゃいけない」という時間の強制にもけっこう精神力と体力が使われてしまいます。そういった無駄な消耗がなく、起きて最低限の身支度をしてからすぐ始業できるとなると、意外と仕事のスタートダッシュとしてはリモートワークの方がいいなと思っていて。私は出社していた時期、けっこう午前中がしんどかったんですよ。意外とエンジンがかからなくて、やっとお昼前くらいからエンジンかかってくる感じだったんですが、リモートになってから、例えば朝始業前にパッと走りに行ったりするんですけど、そうするとすっきりしてしっかり午前中に業務が消化されていくので、8時間もフルタイムで働かなくても大丈夫だと実感しています。あるいは業態によるかもしれないですが、誰かの横槍が入ってこないぶん自分で優先順位をつけて自分のペースで仕事できるのもいいことだと思います。出社すると、言葉が悪いけど、口が強い人のどうでもいい対応をしていたので。

**芦埜**　はいはい。

——平日休みがなかなか浸透しないということの背景には、要するに我々は「こんな仕事、無駄だからないほうがいい」と思っているけど、「それは無駄じゃない!」と思っている人たちもいることがあるはずなんですよね。僕が会社員時代に思っていたのは、自分の年次が上だったり役職がついていたりして、優位な立場で人前で喋ることが楽しくて仕方がない寂しい「会議の好きなおじさん」が一定数いるということ。30分で済む話を2時間半かけて聞かされるようなことを会社員時代にたくさん経験しているんだけど、そういう問題ってないですか?

**辻**　そういう人は私の周りにもいて、「この人自己満でやってるじゃん」と感じる場面がたくさんあったので、リモートワークが導入されるときにZoomに招待しなくなった。

**一同**　(笑)。

**辻**　会議室でのミーティングだと誰が参加しているのかがあやふやになるけど、Zoomだと誰がどれだけ必要な発言をしたかが可視化されますよね。それで会議の人数は減ったかなと思います。あとGoogle Meetでミーティングを設定するとその時間がGoogleカレンダーに表記されて、会社側が会議の時間をチェックするようになっています。そして「1時間のミーティングを30分にしましょう」とか「決めることないなら1週間に1回じゃなくて、2週間に1回にしましょう」とかいう動きは増えてきました。

――そもそも我々は8時間×5の労働を当たり前のようにしていますが、ほとんどの場合そんなにいらないですよね。8時間×4で十分なはずなんですよ。その余計な8時間はどこから生まれているかと言うと、仕事ではなく仕事をスムーズにするための人間関係の調整とか、会社の体面を保つための出社とかによって生まれていて、それは現代の環境であればなくせると思います。

**辻**　正直、仕事ベースで考えると絶対出社もいらないし、週5で働く必要もないけど、メンバーシップを重視する少し上の世代の方々は週5も働いてほしいと思っているんだろうし、出社もしてほしいと思っているような気がしています。

**高坂**　そうですね。「出社してこい」と言ってくるのは一部の管理職の人たちがほとんどで、現場のことをよくわかっているリーダーであればそこまでしつこく出社を強制してこない。

**芦埜**　ここは会社のタイプにもよるなと思っています。業績も重要なんだけれど、メンバーシップも重要だと考えるところはありますよね。ある種のチームとしての一体感が欲しいときに、リモートだとそれを演出するのが難しい。

――その一体感のために、つらい思いをしている人のことも考えてほしいなと僕は思うんだけど……。あと、チームワークって、出社のための出社や、会議のための会議がなくても生まれるはずなんですけどね。

## 「3連休の方がいいんじゃないか説」？

――僕がこの話をすると、よく「いや、金曜日のほうがいいじゃないか」と言われるんです。つまり「3連休のほうがいいんじゃないか説」ですね。でも僕があえて「水曜日」と言っているのは、週の真ん中に休みがあったほうが、オンもオフもなく、自分の日常生活全体を自分でデザインすることにつながりやすいと思ってのことなんですよ。金曜日や月曜日を休みにしてしまうと、「オフをいかに充実させるか」という話になって、働き方や暮らし方全体の見直しにはあまり繋がらない気がしているんです。

**辻**　私も3連休より週の真ん中に平日休みが欲しいタイプで、金曜日に街に出ても意外と平日感はないし、例えば美容室なんかも案外混んでいてあまり好きではないんです。旅行

2020年5月、緊急事態宣言下で保育園が登園自粛になり、リモートワークをしながら家で子供の世話をしていたときの写真。息子がカメラを持ち出して撮っていました。（写真：本人提供）

することもここ2年くらいないので、有給をどういうふうに使っているかと振り返ってみると、例えば11月は3連休がなくて体力的にしんどいから間に挟もうとか、それこそ美容室に行くとか、いつもより丁寧に掃除するとかいうふうにして平日の真ん中あたりに休んでいます。あとは一応休みを取ってみたけど予定は特に入れないとか。3連休を取るとなるとたぶん旅行など大きなイベントのために費やすことになると思うんですけど、平日の真ん中に休むほうが自分のために使えている感があって好きです。

**高坂**　週の真ん中が休みだと平日5日間にメリハリが効きますよね。

**芦埜**　うちの会社は業務が属人化しやすくて、週の真ん中が休みになると問い合わせが結局僕に来るんだよね。「休み取っても休めないじゃん」と思うんですが、「業務が回らないんだからしょうがないだろ」と考える勢力がいて。だから多分そういう人たちは水曜だろうが木曜だろうが金曜だろうが、いつ休日になってもあまり変わらず仕事してしまうと思うんです。

**辻**　広告代理店だと有給を各々のタイミングで好き勝手に取ってもあまり問題なくて、例えば毎日のルーティーンが決まっているというよりは、数日～数週間単位で〆切が設けられている場合が多いので、意外と好きな曜日に休みを取ってしまってもそこまで周りから反対されることはないです。

**芦埜**　そういう、半分個人事業主のように自分の裁量で納期を決められるような業務だったら調整しやすいと思うんですけどね。

――もっとも僕は水曜を休みにすることと、月金のどちらかを休みにすることには一長一短あると思っていて、それは要するに回復力の差ですね。3連休だとしっかり「休んだ」と思えるけれど、2連休だとそうでもない。だから3連休派の言うこともまったく敵視してはいないんです。

　一方で水曜休みのメリットは「ごまかしが効く」ということですよね。僕も締め切り仕事なので、金曜日までに絶対に送らないと週をまたいでしまって一気にスケジュールが遅れるものって結構あるんです。実際にそういう「週をまたいだ」案件の処理で月曜日と火曜日はすごく忙しい。やっぱり一番休んでもダメージがないのは水曜日なんです。そういう実務的なメリットも実はあると思います。

**芦埜**　少し話がずれるかもしれないですけど、リモートになってからのほうが労働時間が増えたような気がしていて。働けるだけ働いてしまう。

**辻**　リモートワークだと最悪パソコンさえ開いてしまえば仕事ができてしまうので、ダラダラ働いているというか、心を休める場所がなくなってしまったような時期がありました。出社をしていたときは、退社すれば絶対仕事しないと切り替えられていたんですけど、在宅だと定時後にチャットが来ると返したくなってしまったりして……。さっき高坂さんが隙間時間に家事をすると言っていましたが、たしかに今まで週末まで溜めていたことが平日にできるようになったのはいいことなんですけれど、仕事の合間に家事をするとオン・オフの切り替えがないままに夜になる日もよくあります。「いま終わりだ」という区切りのようなものが、前に比べるとなくなっている気がします。

**芦埜**　まさしくそれ。

**高坂**　場所がスイッチしないですよね。寝るのも働くのも、ご飯を食べるのも同じ場所となると。

――だから僕は、「水曜日は働かない」とあえて「宣言する」ことが大事だと思います。そうやって「この日は働かない」と決めることによって初めて精神の自由が確保されると思っています。

## 「時間的サードプレイス」としての水曜日

――あとは「週3も休みがあってもやることないから働いちゃう」というようなこともよく言われるんですが、みなさんは水曜日が休みになったら何をしますか？

**高坂**　私は二つ考えていて、一つはランニングや料理など趣味にあてる時間にする。もう一つは、ぼんやりとですけど副業を始めるためのヒントをその日に探せたらいいなと考えています。

**芦埜**　最近休みの日には、朝から青山のジューススタンドまで奥さんと散歩をして、ジュースだけ買って帰ってくるというような過ごし方をしています。こういうふうに大人だけの時間を作ることは子供がいると難しいんですけど、平日に休みがあれば子供を保育園に預けている間に時間を作りやすいなと思っています。

――「水曜日にやりたいことがない」という人たちもたくさんいると思うんですけど、そういった人たちについてはどう思いますか？

**芦埜**　気持ちはわかります。仕事が憩いの場になっているような人たちは、そういう考えになりやすいのかなと（笑）。

――芦埜さんは冒頭で、今の自分のリモートワーク環境に正体不明の違和感や物足りなさを感じているとおっしゃっていましたが、そのへんはどうなんですか？

**芦埜**　そうですね。僕は『PLANETS vol.10』で読んだ、ライフスタイルスポーツとしてのランニングを扱った特集「都市を走るひとたち」が、自分にとってとても衝撃的だったんです。というのは、それまでの人生を体育会系の習慣で過ごしてきたので、「走る」と言えばストイックに自分を鍛えるためにやることとしか捉えていなくて、そうではない走り方があるんだということを知ってとても印象に残っています。そういうライフスタイルを実践するためにランニングを始めたし、友人たちといろいろなイベントをしてきてそれなりに形になってきているなと思うんですけど、それでも満たされないものがどこかにあって。やはり自分の中で、どこかで「仕事を頑張りたい」「成功したい」という思いがあるんですよね。成功というのがどういう定義なのか、例えば収入が倍になったらいいのか、役職がついたらいいのか、あるいは自分で起業してベンチャーから上場するようなスタートアップを起こせれば解決するのか。どれも違うなと思いながら試行錯誤しています。会社から求められる要求に対しては1・5倍くらいの成果を返したいし、もっと頑張りたいというような欲望はあるけれど、そういった成果を度外視したところで、生活は生活でもっと充実させたいという思いもあります。そして生活を充実させると人生が豊かになると思っていたけれど、たしかに豊かにはなっていると思うんですけれど、それだけでは何かが満たされていないとも感じています。

――僕、実は「休日を充実させなきゃ」と思って必死になる人が苦手なんですよ。昔、講演の仕事で大きめのオフィスビルに行ったことがあるんですが、それが金曜の夜だったんです。そして僕が19時ごろに講演を終えてその会社から出ていくと、同じビルに入っていた大手商社の社員さんたちが血走った目で足早に出ていくんです。たぶん「金曜の夜は絶対充実させなきゃいけないんだ」と思っていて。そういう「俺は仕事も遊びもバリバリやっているから人生充実しているんだ」というノリがどうも苦手で……。

**芦埜**　いるいる。

――そういうのは少し違うなと思っていて。僕がなぜ週の真ん中の休日を提案しているかと言うと、その日を自分の「メンテナンス」の日にできたらいいなと思っているからなんです。ゆっくり休んで、仕事はもちろん遊びの予定すら入れずに自分自身をメンテナンスする日ですね。今の芦埜さんの話も、仕事と生活どちらを充実させるのがいいかという問題ではないと思うんですよ。バリバリ遊ぶ日や新しい別の仕事に使う日があってももちろんいいのだけれど、僕の個人的なおすすめは本当に「何もしない」。そういう時間があると、いま芦埜さんの言った「満たされなさ」が少し違った角度から見られたりするのではないかと思います。

**辻**　土日が1週間で2日間しかないからこそ、私は「使わないともったいないな」と考えてしまいます。土曜日に13時とかに起きてしまうともう「やってしまった……」と思う。そして夜ギリギリになって、「何もできなかっ

たからせめて映画を一本見ようかな」とか考えます。純粋にその映画を見たいということよりも、「土日を何かに使わなきゃ」という気持ちが出てきてしまいます。でも、今の休日が2／7だからすごく貴重に思えるけど、3日間あれば1日くらい何もせず過ごしていいのかなと思えますよね。今でも3連休ならその初日に「ちょっと遅く起きちゃっても3連休だからいっか」という気分になりますし。

**芦埜**　わかる。何もしてないと「なんでこんなに時間を無駄にしちゃったんだろう」という気持ちはたしかにある。

**辻**　だから無駄に土曜の午前中や日曜の午前中に予定を入れたりして、休日なのに休めていないことがよくあります。特にリモートワークになってから月曜から金曜まで家にいると、「土日は外に出なきゃ」という気持ちになる。逆に出社していたときは、週5で外に出ているから土日は家にいる、というかたちで、どうしても働いている月～金との差が欲しいというふうに考えてしまいます。よく自宅と職場に対して「サードプレイス」という言葉を使いますよね。たぶんこれは時間にも必要なんだと思います。月曜日から金曜日が職場で土日が自宅の時間だとしたら、そのどちらでもない時間、仕事をするわけではないしプライベートで何かをするわけでもない、「サードタイム」的な時間が欲しい。

――第3の時間としての水曜日、いいですね。

**辻**　私が3連休よりも週の真ん中に休みが欲しいと考えるのも、セカンド（プライベート）とサードの切り替えが欲しいからなんだと思います。もし水曜日は働かないとなったら、水曜日は仕事の連絡もプライベートの連絡もしないでほしい（笑）。

## 水曜日は何もしない

**芦埜**　今は「仕事」と「休み」の二択を迫られているような状態にあると思います。僕が少し考えていたのは「水曜にしかできないことがある」というインセンティブを与えることで水曜を休日にする、というようなことだったんですが、今までのお話を振り返るとそれとはまったく逆ということですよね。

――まったく逆で、むしろ何も決めない。週の真ん中にいきなり休みと言われても中途半端で困る人もいると思うんですよね。でも、例えばキャンプが趣味の人が1日ではキャンプに行けないから代わりの趣味を探すように、その中途半端さから創造性が生まれるかもしれないと思っています。発想としては「安息日」なんです。あれは本来「何もせずに祈る」のに時間を使うような日だったわけですよね。

**高坂**　いま有給を年に最低5日取らなければならない義務がありますけど、忙しぶってい

横浜にて。休日には、時々友人とランニングをしたりして過ごしています。（写真：本人提供）

るのか本当に忙しいのか、なかなか取らない人がけっこういて。だから、ちょっと言い方が幼稚ですけど、そういう何もしない日を週に一回作ることがかっこいいと思わせるような何かがあれば、と思います。「休み返上で働いているのがかっこいい」というような考えが根強い気もするので、そこをまず変える必要があるのかな、と。

**辻**　たまに、週5労働、週2休みはシンプルにバランス悪くない？　と思うときがあります。

──3：4ぐらいであるべきですよね。本当は逆転すべきなのではないかと思っていて、月、火、木、金が休みで、土、日、水だけ働くほうが、人として本来の姿なんじゃないかと。もしくは水曜日「しか」働かない（笑）。

**高坂**　宇野さんがHANGOUTのラジオをやっていたときに、お悩み相談で「仕事がうまくいかなくてどうすればいいですか？」というような質問に対して「この人は仕事に自己実現の夢を持ちすぎだ」という話をしていたのを覚えています。私も当時仕事が思っていたよりも全然うまくできなくて「こんな社会人生活嫌だな」と思っていたんですけど、そのときにそのお悩み相談の回答を聞いて、私もきっと自己実現を今の会社の求めすぎていたんだなと思い直してすごく気持ちが楽になったんですね。でも、自分の所属している組織で自己実現を果たしたい、果たすべきだ、という考えを持っている人もたくさんいると思うので、もしその考えで苦しんでいるのだとしたら同じような気づきを与えることで、週に1回何もしない日があってもいいなと思えるように変えられるのではないかと思います。

──例えば社会の公平性についての真面目な議論では「人間が持っている能力を発揮できない社会は不幸だ」という話が出るわけです。もちろん人々が持っている能力が社会的な不公平や機会の不平等によって疎外されることは、基本的にあってはいけないことだと思います。でもそれって、スタートであってゴールではないはずで、それと同じぐらいに「別に能力を発揮したくない」という気持ちに目を向けてもいいと思うんです。言い換えれば人間は「〇〇しない自由」についてももっと考えていいのではないかと思っているんですよ。今は「〇〇する自由」のことばかり考えられている気がするんですよね。

**芦埜**　自分だけ休んでいると、周りから置いていかれる感とか、ある種の罪悪感を抱いてしまいます。その気持ちが薄まったらもうちょっと気軽に休めるのかなと思います。

──能力を使いたいという気持ちもあるけど、その一方で能力はあってもあまり使いたくないという気持ちもある。それらが共存してるのって人間にとって当たり前のことですし、それで別にいいんだというメッセージも発信していきたいと思っています。みなさん今日はありがとうございました。

# 「水曜日は働かない」ための働き方改革

坂本崇博
（コクヨ株式会社　働き方改革プロジェクトアドバイザー）

「水曜日は働かない」、つまり週のど真ん中に「目の前の仕事から離れる機会」を新たに設定する。まるで週の半ばに日曜日を持ってくるという斬新な考え方です。

しかし、私たち意識が高くないオタクサラリーマンの多くは、実は過去からこの「水曜日を日曜日に持ってくる」という経験をしてきました。そうです、水曜日といえば「週刊少年サンデー」の発売日です。私たちは学生時代、月曜から火曜まではルーチンな授業や部活に時間を費やしつつ、水曜日になれば分厚い雑誌をカバンに納め、休み時間や放課後に『らんま1／2』や『GS美神』、『うしおととら』の「虚構世界」に触れ、興奮や萌えを感じ、友人らと語り合い、学生生活を豊かにしていったものです。さらに家に帰れば、夕方には『エヴァンゲリオン』、夜は『ドラゴンボール』と、平日の中でも特別な日であったように思います。

「水曜日は働かない」という提言に共感を覚えるのは、私たちに「ワクワクしていた水曜日」を思い出させてくれるからかもしれません。

そして「水曜日はワクワクする」ことこそが、「水曜日は働かない」の本質であると、私は考えます。

ともすれば、私たち日常に疲れたサラリーマンは、「働かない」という言葉を「何もしない」ととらえてしまいかねません。

たとえばとある研修の場で、「もし残業が減って早く帰ることができるようになったら何をしたいか？」と質問を投げかけたところ「寝たい」という回答が返ってきたことがありました。これは「何もしたくない」ということではないでしょうか。「寝る時間」なんて本来はなるべく少なくしたい時間のはずで、「どうすれば短時間の睡眠でも気力体力を適切に回復できるか」を勉強し、より良い質の睡眠がとれる習慣・環境づくりに時間を費やした方がお得だと思うのですが。働かない水曜日が「何もしない水曜日」になるようではもったいないです。

拙著『意識が高くない僕たちのためのゼロからはじめる働き方改革』（PLANETS）でも述べさせていただいている通り、働き方改革とは「何かやりたいこと（志事）」のために、仕事のやる事・やり方・やる力を見直し、働きかけ、時間を生み出すこと」です。水曜日は働かないという働き方改革を進める上でも、まずは水曜日に何をやりたいのかを見出すことが重要です。それは家事や仕事（目の前の処理しなければならないこと）ではなく、志事としてワクワクすることであるべきです。

そしてたとえ現実的に水曜日に1人だけ休むわけにはいかないとしても、仕事の合間や朝や夜を使って「他の曜日にはやっていないこと」かつ「ワクワクすること」を少しでも実行できるようになったならば、一歩が踏み出せると思うのです。

もちろん私もまだ毎週水曜に年休とるわけにも行きません。それでも、水曜日には打ち合わせやアポイントは入れないようにして事務作業などの「どこでもできる作業」をスケジュールすることはできます。そうすることで、朝はのんびり散歩して、昼休みは秋葉原を巡り、夕方からはとりあえずバスに飛び乗ってどこか知らない街にいったりして、自分にとってワクワクする時間を過ごすことができるようになります。すなわち、水曜日に働かないという「私の働き方改革」はすぐに始められるのです。

「水曜日、ワークはしないでワクワクしよう。」

なんとも残念なキャッチコピーが浮かんだところで筆をおきたいと思います。

**坂本崇博（さかもと・たかひろ）**
働き方改革PJアドバイザー。2001年コクヨ入社。資料作成や文書管理、アウトソーシング、会議改革など数々の働き方改革ソリューションの立ち上げ、事業化に参画。残業削減、ダイバーシティ、イノベーション、健康経営といったテーマで企業を対象に働き方改革の制度・仕組みづくり、意識改革・スキルアップ研修などをサポート。

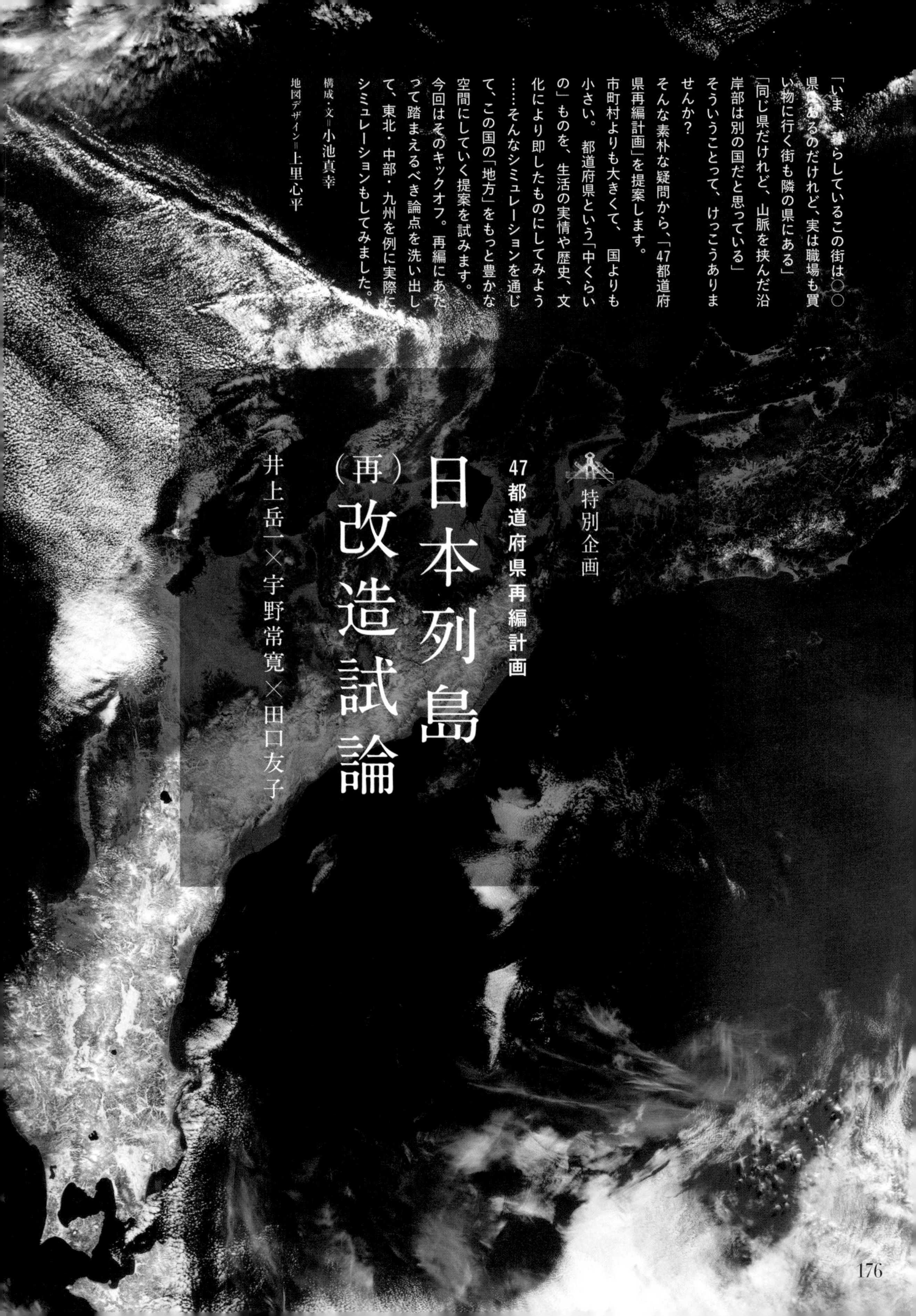

特別企画

47都道府県再編計画

# 日本列島（再）改造試論

井上岳一×宇野常寛×田口友子

「いま、暮らしているこの街は○○県にあるのだけれど、実は職場も買い物に行く街も隣の県にある」「同じ県だけれど、山脈を挟んだ沿岸部は別の国だと思っている」そういうことって、けっこうありませんか？

そんな素朴な疑問から、「47都道府県再編計画」を提案します。市町村よりも大きくて、国よりも小さい。都道府県という「中くらいの」ものを、生活の実情や歴史、文化により即したものにしてみよう……そんなシミュレーションを通じて、この国の「地方」をもっと豊かな空間にしていく提案を試みます。今回はそのキックオフ。再編にあたって踏まえるべき論点を洗い出して、東北・中部・九州を例に実際にシミュレーションもしてみました。

構成・文＝小池真幸

地図デザイン＝上里心平

問題設定

## なぜ47都道府県の再編が必要なのか

**宇野**　この企画の出発点には、僕が常々抱いてきた、行政区分に対する違和感があります。現在の行政区分は、人々の商業圏や生活圏、文化圏と合致していない……言い換えれば、僕たちの生活実感と大きくズレているのは間違いありません。例えば、僕は生まれが青森県の八戸市なのですが、青森県は西側と東側でまったく別の商業圏と文化圏を形成しています。正確に言えば津軽エリアと南部エリア、下北エリアの3つに分かれているのですが、中でも西の津軽地方と東の南部地方は、地域間の政治・経済・文化的な対立にまで及んでしまっている。なので例えば南部地方は、経済的にも文化的にも近い岩手県東北部と合わせて一つの都道府県にしてしまったほうがいい、というふうに考えていく。こういうシミュレーションをしてみたいわけです。

もちろん、実際に行政区分を変更するとなったら、おそらく事務コストだけで膨大になるので、本当に現実的な議論かと言われれば怪しいでしょう。そもそも、過去にも明治から平成にかけて何度かの市町村の大合併が実施されてきたように、地方再編の議論や取り組みは繰り返し行われてきた[01]わけです。ただ、こと都道府県レベルとなると、遷都論や道州制が時折ロマンチックに唱えられてきたことはあるものの、やはり中央と地方をめぐる権力構造は強固で、戦後は大がかりな再編は実現していないのが現実です。しかし、そうした制約を一度横に置いておいて、あくまでもシミュレーションとして47都道府県を再編する議論をすることにも、意味があるのではないかと思います。そしてこうして全国の都道府県の再編をシミュレーションしていくと、今の地方の抱えるさまざまな問題が、たぶん芋づる式に出てくるはずです。地方創生[02]、人口流出[03]、ジェンダー[04]、教育……現在の地方社会には、根深い問題が山積みなわけだけれど、今回のシミュレーションによって、これらの問題をまた違った角度から浮き彫りにすることができるのではないかと思っています。要するに行政区分にまつわる歪みを見直すことで、地方経済の行き詰まりや住民の生きづらさ、土地利用のあり方にまで踏み込んだ議論が、それも各論ではなくてそれぞれの地域ごとの総合的なパッケージとしてできるのではないかということですね。

そんな問題意識のもとで、これまで仕事で全国各地の地方行政に携わってきた井上さんと田口さ

**宇野常寛（うの・つねひろ）**
296ページ参照

**田口友子（たぐち・ともこ）**
某日系シンクタンク研究員。1988年神奈川県相模原市生まれ。早稲田大学大学院建築学専攻（都市計画）及び国立台湾大学建築與城鄉研究所（工学）修士課程修了。2014年日系シンクタンクに入社後、産官学民をはじめとする様々な立場の人々との連携・協働による地域経営や豊かな暮らしづくりの実現に向けた研究、事業の企画・運営に取り組んでいる。

**井上岳一（いのうえ・たけかず）**
日本総合研究所シニアスペシャリスト、山水郷ディレクター。1969年神奈川県藤沢市生まれ。林野庁、Cassina IXCを経て2003年から日本総合研究所。豊かな山水の恵みと人の知恵・技術を生かした多様で持続可能な地域社会をつくることをミッションに研究・実践活動に従事。著書に『日本列島回復論』（新潮選書）、共著書に『MaaS』『Beyond MaaS』（共に日経BP）等。南相馬市復興アドバイザー。内閣府規制改革推進会議専門委員。東京藝術大学非常勤講師。

んをお招きしました。まずは簡単に、お二人がこれまでどんな地域に関わってきたのか、お話しいただけますか？

**井上**　今日はよろしくお願いします。僕は南は熊本県から北は東北まで、いろいろな地域に転々と関わってきました。最近では、モビリティのプロジェクトで神戸市の北区に携わったのと、東日本大震災以来ずっと福島県には関わり続けています。

**田口**　刺激的な議論になりそうで楽しみです。私は主に総合計画や地方総合戦略の策定を支援する仕事をしてきたのですが、静岡県、青森県、それから山口県や富山県などと関わりを持たせていただきました。

**井上**　宇野さんの構想を聞いて、ちょうど最近岸田文雄首相が掲げた、地方でのデジタル環境整備を進めることで地方と都市の格差を是正するという「デジタル田園都市構想[05]」を想起しました。このモデルケースとなっている、1980年に大平正芳首相が掲げた「田園都市国家構想」には、地域を200〜300くらい、つまり藩と同じくらいのレベル感に再編しようと書かれているんです。当時はそれ以上の具体像が描かれないまま終わってしまったのですが、デジタル田園都市構想を掲げる今こそ、どういうまとまりで生活圏を考えるのかという議論をしていかなければいけないと思っています。

　そもそも、庭付き一軒家を買うことこそ至高だと自明視する「土地信仰」だって、地租改正で個人が所有権を持つようになってからの社会状況ありきですよね。また廃藩置県の後にも何度か都道府県の形は微妙に変わっていて、今の形になったのは1947年の地方自治法制定時のことです。たかだか直近150年から70年くらいのことに、僕たちはあまりに縛られすぎているのではないでしょうか。

**宇野**　〝廃県置藩〟じゃないですが、基礎自治体の一個上のランクの都道府県を、昔の藩ぐらいの規模・単位で分割した方がいいのではないか、という話ですね。

**井上**　もちろん、藩の形にそのまま戻せばいい、という議論は乱暴だとは思います。江戸時代に築かれた文化意識はいまだ残存しているとはいえ、当時は水路が主だったので、陸路メインの現代に江戸時代の流域単位の文化圏を復活させても、なかなかうまくいかないでしょう。そもそも藩の数自体も、江戸時代を通してだいぶ変わっていて、かなりの紆余曲折があった。

　とはいえ、自分が生活実感の持てる自治体をどう括っていくのかという議論は、とても大事だと思います。もともと都道府県は、問屋のような中間流通機構として設置されました。国が末端の基礎自治体と直にやり取りするのは行政コストがかかりすぎるので、情報や物資、税金を、都道府県に一度集約したというわけです。しかし、今はこうした中間組織としての存在価値がなくなってきていて、むしろ都道府県が基礎自治体の邪魔をするようなケースもある。ラディカルに考えれば、

KEYWORD 01

## 地方再編の議論や取り組み

地方再編の議論や取り組み自体は、何もまったく新しいものではない。都道府県を廃止し、より広い区域を管轄する「道州」を設置することを説く道州制の議論は、戦前から繰り返し展開されており、とりわけ2000年代以降は東京一極集中を背景に盛んになった。また市町村合併は、明治・昭和・平成の三度にわたり、中央政府主導で一定期間に集中して進められてきた。

　反面、明治初期の廃藩置県以降、都道府県が実際に大きく再編されることはなかった。その背景には、市町村が地域社会に根ざした具体個別の行政サービスの実行主体として、時代に応じた線引きの見直しに切実性があった一方で、都道府県は中央から分配される財源や権限の枠内で、主に広域的な共通利害や民意の代弁、インフラ経営や大規模開発の実施など、国家と市町村の間の補完的な機能に留まってきたという、日本の地方自治システムの二層制の安定性（硬直性）がある。

　しかし、平成期の政治改革の帰結として、特に都市型の自治体では大阪都構想のような対中央の分権志向が高まってきており、また都道府県の実質的な役割も地域間再分配、災害や保険といったリスクへの対応、小規模市町村に対する補完機能にまで拡大しているケースもある（参考：曽我謙悟『日本の地方政府——1700自治体の実態と課題』）。こうした住民意識や自治体機能の変化もまた、本計画が掲げる都道府県再編の一つの機運になっていると言えよう。

都道府県を撤廃する方向に議論が進むのが自然ですよね。するとどうしても、基礎自治体をどの範囲で括ればいいのかという問題にぶつかります。さらに今、デジタル庁が主導して自治体のシステムの統合を進めているのですが、そうなるとより一層、自治体の括り方が問題になってくる。

**宇野** 現実問題として、地方の基礎自治体の多くは、実質的には最低限の自立も自己完結もできていないですよね。例えば、京都府の伊根町に住んでいる人は、お隣の宮津市がないと生きていけないだろうし、青森県で言えば三戸町の人は八戸市が必要不可欠なはず。そうした状況だからこそ、基礎自治体の一つ上の単位で国土利用や行政を考えていくことが重要なのだと思います。

## 論点 交通

**井上** そもそも生活実感って、どこから生まれるものなのでしょうか?

**宇野** 一つは「日常的に車で買い物に行ける範囲」が、自分の生活エリアだと思える範囲なのだと思います。僕が青春期を過ごしたのが、ちょうど大店法の規制が緩和され、**ロードサイドに大型店舗が次々と生まれていった**[06]時期の地方なのですが、「週末に親の車で買い物に行ける範囲が地元」という実感がかなりありました。

でも今思うと、この感覚自体が、駅前商店街から郊外の大型店舗に地方の商業圏の中心が移っていく過程で現れた、けっこう新しいものだったのかもしれません。実際、長崎の大村市に住んでいた小学生の頃は、駅前のアーケードがふつうに賑わっていて、週末はそこに買い物に行っていた一方、ときどき足を伸ばしていた諫早は別の土地だと思っていました。つまり、駅前と自分の生活の中で実感できる「地元」がイコールだったわけです。

ただ、北海道に引っ越したときに、その感覚が変わりました。そもそも北海道は鉄道網が弱くて、モータリゼーションが日本で最も先駆けて進行した場所です。加えて僕が移り住んだのは、ちょうど大店法の規制が緩和された時期でもありました。

**井上** 生活実感を形作る要素として、交通は一つ大きな論点ですよね。例えば、バス問題は、生活実感と行政区分に乖離が生まれてしまっているわかりやすい事例だと思います。今の行政区分は商業圏を無視してできていて、「A町にいるんだけれど、買い物は全部B市。でも、バスはつながっていないから困る」といった公共交通機関の問題がよく生じています。

**宇野** 確かに、テレビ東京の番組「ローカル路線バス乗り継ぎの旅」でも、「県境で県営バスがなくなってしまい、5~10キロ歩く羽目になってゲームオーバー」というケースが多いですよね。

**井上** もともと国交省が都道府県単位でも交通計画を立てられるようにしたのは、市町村単位の最適化ではダメとの認識があったからです。でも、今度は都道府県境の問題が出てきて、また最適化がなされない。この行政区分と人の動きがズレて

KEYWORD 02

### 地方創生

地方の人口減少対策や雇用創出などを狙い、2014年に政府が打ち出したスローガン「地方創生」。その前史が、1988年から1989年にかけて、竹下登内閣のもとで行われた「ふるさと創生事業」だ。地域振興を目的に、全国3000超の市町村に一律で「使い道自由」の1億円を交付。結果、無計画な箱物行政やモニュメントの建設・制作に充てる自治体が相次いだ。

そして東日本大震災後の2010年代、内閣府に設置された「まち・ひと・しごと創生本部」が舵を取り、地方部へと移住した都市部出身者なども加わりながら、「地方創生」が推進された。ふるさと創生事業の反省も踏まえ、土地固有の文化を尊重した地域振興を実現した点で大きな意義がある一方、オリエンタリズム的な視線の内在、地方に巣食う閉鎖的コミュニタリアニズムが温存されるリスク、中核都市への一極集中を食い止められていないなどの課題を宇野は再三指摘している。本文では割愛したが、本計画の前提にはこうした現状認識がある。

画像：Adobe Stock

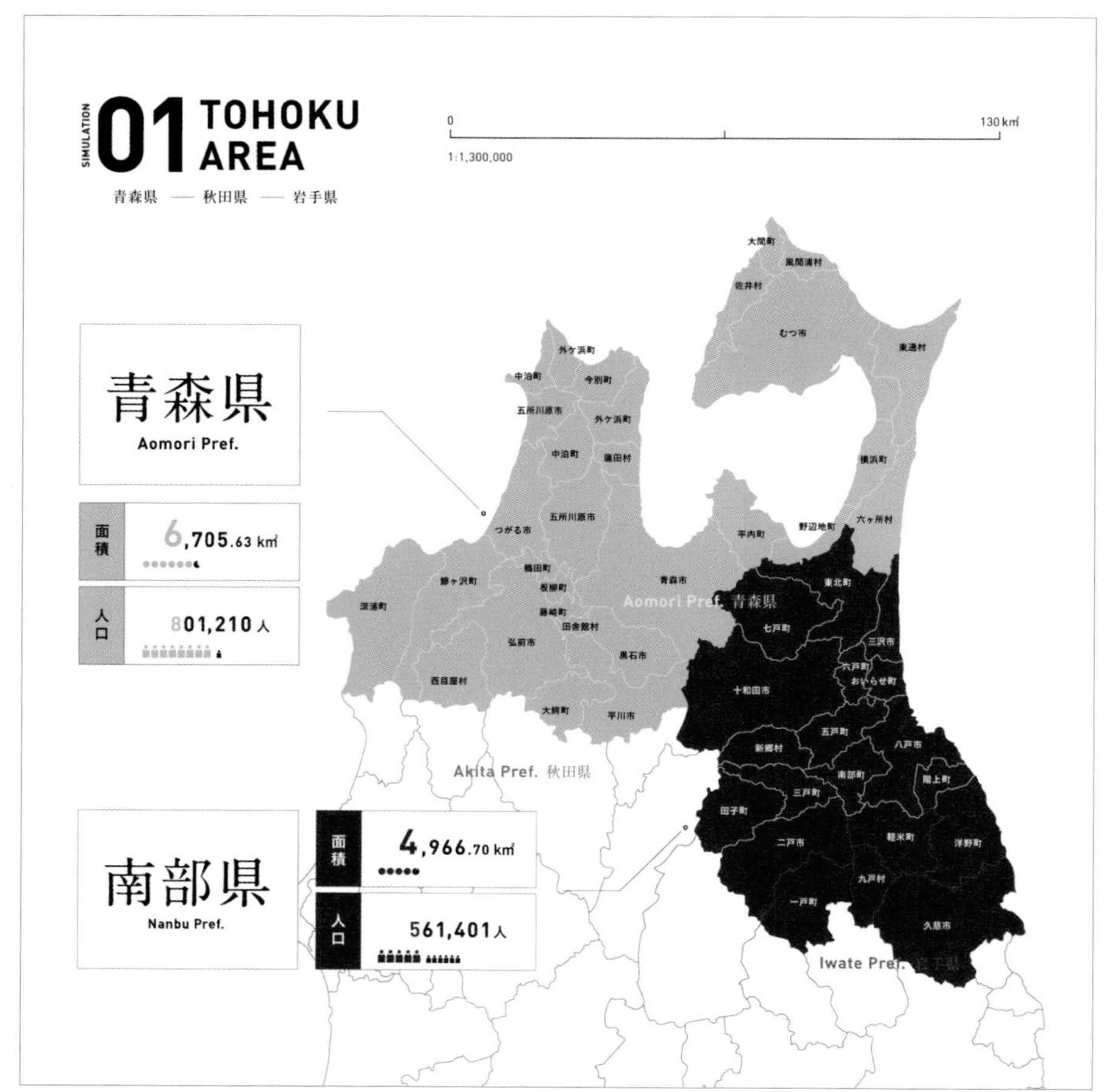


企画協力＝栗本千尋・盛岡やまち

## 青森県を東西に分割。東側を岩手県北東部と合併し「南部県」を創設する

青森県は、大きく3つの地方に分かれている。まず県西部の「津軽地方」。弘前市を中心地として、県庁所在地である青森市も含む。方言は津軽弁で、日本海側の気候で豪雪地帯だ。江戸時代には、津軽氏が治める弘前藩の領地だった。続いて、県東部の「南部地方」。中心地は八戸市で、方言は南部弁。太平洋側の気候で、雪は比較的少ない。南部氏が治めた八戸藩がルーツだ。そして、県北部の下北半島を中心とした「下北地方」。むつ市を中心地とし、方言は下北弁。藩政下では南部氏の支配下に置かれたが、海運の要地として上方文化を取り入れた独自の文化を発展させてきた。この3地方は同じ青森県内にありながら、異なる文化圏・商業圏に置かれており、購読新聞も全域仕様の「東奥日報」、南部の「デーリー東北」、津軽の「陸奥新報」と分かれている。とりわけ戦国時代の津軽氏と南部氏の抗争以来続く、津軽地方と南部地方の対立は根深い。昨今ではバラエティ番組などでネタとして扱われることも多いが、地域間の政治・経済・文化的な対立にも及んでしまっている。例えば、八戸市は県内第二位の大都市であるにもかかわらず、津軽地方に県庁を持つ県政から冷遇されているとも言われている。県農協中央会の幹部ポストをめぐって、津軽出身者と南部出身者の間での争いも勃発した。

そこで、南部地方を中心に岩手県北東部も加えた地域を統合・独立し、新たに「南部県」を創設することを提案したい。これらの地域はもともと八戸藩に属しており、現在においても八戸市の商業圏内にあり、文化的にも近い。岩手県の民放は八戸でも映り、「デーリー東北」でも岩手北部のニュースが多数報じられるという。南部県は八戸の強みを引き継ぎ、豊富な水産資源を活用した漁業を中心に、昭和後期より発展した工業、平成期より発展した情報サービス産業にも強い県となるだろう。人口約56万人と都道府県にしては小さめのサイズではあるが、約55万人の鳥取県よりは大きい。

しまう問題を最適化する方法が、現状はないんです。

**宇野**　以前、法事で父親の実家の山形に行って、夕方までには仕事で東京に戻らなければいけなかったのですが、大雪で山形新幹線が止まってしまったことがあったんです。ネットを使って調べ尽くした結果、バスで仙台まで行って東北新幹線に乗るというのが、唯一間に合う方法だった。もっと自動車道と鉄道が有機的に結合したモビリティへの再編が必要だと思わされました。

**田口**　物流もきっと同じですよね。いわゆるJAなどの基幹物流は東京が中心になっており、例えば青森から仙台に運ぶときでも、一度豊洲に持ってくるそうです。大型の10トントラックでひたすら同じ作物だけを豊洲に運んできて、それを仙台の市場に送る。途中で積み降ろしをするとロスになってしまうので、一見非効率なそのルートが最適解になってしまっている。合理化の結果として、ある意味でもともとの地域同士のつながりが解体されている。昨今高速バスや新幹線を活用した貨客混載が増えているのも、その反動かもしれません。

**井上**　以前、その問題についてヤマトや佐川の人たちに話を聞いたのですが、結局はアルゴリズムの問題だという話になって。アメリカではUberが普及したおかげで、ちょこちょこ途中で降ろしても最適化できるアルゴリズムが発達している。しかし、ヤマトや佐川は拠点間の移動をベースに最適化を図ってきたので、ちょっと立ち寄ることになった途端にわけがわからなくなってしまうそうです。

ただ、日本でも人流データが蓄積されれば、ある程度活路が見出せる可能性があります。その意味では、MaaSに期待できる側面はある。新幹線を作る代わりにバスの路線を変えるだけでも、生活圏はけっこう最適化されるはずなんですよ。MaaS界におけるGoogleみたいなプレイヤーが出てきて、最適化できるアルゴリズムが普及すれば、道路網や鉄道網をもっと効率的に接続できるようになるかもしれません。

**田口**　前にドイツの都市計画について現地調査をしたことがあるのですが、日本とは発想が異なっています。旧市街地のように起点になるところを中心に、そこから30分圏内や1時間圏内といった時間距離圏の中に、必要な医療や学校教育を整備していくという考え方を取っている。日本は「今ある行政区画の中でどう維持していくか」という発想ですが、ドイツでは時間距離で都市圏の大きさが決まっていて、基礎自治体よりは大きく、都道府県よりは小さいくらいのサイズ感なんです。

**井上**　本来、都道府県はそのレイヤーの役割を果たすべきなのでしょうが、機能していないですよね。ドイツもフランスも、複数の自治体が共同で都市圏を作って、一緒に最適解を考えていこうとするじゃないですか。あの発想が、日本人にはなぜかない。

それからポートランドやシリコンバレーで面白いのが、「リージョン」という考え方。基礎自治

KEYWORD 03

## 人口流出

本計画でも重要な論点として話題に上ったが、地方から都市部への人口流出は地方行政が抱える大きな問題の一つだ。NTTデータ経営研究所の報告によると、2015年から2020年にかけて人口増加した都道府県は、首都圏4都県や大阪府、福岡県を含む9都府県。減少から増加に転じたのは大阪府のみだった。さらには2000年以降、人口が多い地域ほどさらに増加し、人口が少ない地域ほどさらに減少している傾向もあるという。

本計画の前提には単純に「人口流出＝悪」と考えるべきでないという宇野のかねてよりの主張がある。公共事業や大都市からの工場の誘致によって、半ば無理矢理に人口を維持することが、はたして地方都市を幸福にするのか。守るべきはそれぞれの土地固有の自然や文化であり、それらの維持を担う最小限の住民だけが、本当にそこに暮らし続けるべき人だと宇野は指摘する。本計画の前提にはこのような認識がある。

画像：Adobe Stock

体だけでは対応できず、でも州だと括りが大きすぎるという問題に取り組むために、基礎自治体と州の間でリージョンというまとまりを作り、ある種の法人格を持たせています。そのリージョンで、経済政策や交通などを持続可能にしていくために必要なものごとを決めている。ちゃんと議会もあって、議員も選出したりするんですよ。基礎自治体の枠を超えて最適化するためのデザインを行う機関があるというわけです。これは自治的に生まれてきたものですが、都道府県の再編を考える上でも参考になるかもしれません。

**田口**　ドイツでは地理的な要因が大きいという話は聞きましたね。そもそも日本みたいに都市がベタッと広がっておらず、「都市―山林―都市」というように、地理的に都市同士が離れている。電車に乗っていると、街をちょっと抜けるとすぐ山林の風景に囲まれるんですよね。つまり、都市の大きさや認識が地理的に規定されている。また、住みやすい都市として名高いポートランドは、都市部と農地や森林などの土地利用を区分する「都市成長境界線（Urban Growth Boundaries）」により、都市の大きさを予め定めていることで知られています。

日本にも、「定住自立圏構想」（編注：中心市と近隣の市町村が連携して日常生活に必要な機能を確保し、人口の定住促進を目指すという構想）や「連携中枢都市圏構想」（編注：一定の規模と中核性を備える圏域の中心都市が近隣の市町村と連携するという構想）のように、都市圏単位で考えていこうというアイデアはあります。しかし、「人口推計を踏まえて経済や都市を将来こういうふうに成長させていく」という経済成長目標に基づき、必要な開発範囲や都市圏を規定するドイツやポートランドの計画プロセスとは、根本的なところが違っています。日本でも20世紀後半に策定された「全国総合開発計画」（編注：国土利用や社会環境の整備などについての長期計画）では経済成長目標が掲げられていましたが、現在の計画ではそれがなくなってしまっている。数値的な目標を共有していないから、都市圏のあり方を見通すことが難しくなっている側面はあると思います。その結果、都市圏を構成する自治体が次々に自治体サービスを削減・撤退してしまい、最後に残った自治体が背水の陣でインフラを提供し続けるしかないといった事態も起きてしまっています。

## 論点｜アイデンティティ

**宇野**　それから、このシミュレーションに際して、アイデンティティや住民感情の問題を無視するわけにはいかないと思います。単純に商業圏で区分してしまうと、かなり恐ろしい結論が出てしまう。例えば恐らく佐賀県の、少なくとも佐賀市は福岡市にほぼ吸収されて消滅することになるし、山形県も山形盆地のかなりの部分が仙台に吸収されてしまうかもしれない。地方の100万都市に隣接しているところだと、都道府県庁所在地ですらも吸収されてしまうケースは少なくないはず。とはいえ現実問題として、佐賀や山形が消滅すること

KEYWORD 04

## ジェンダー

地方行政に巣食う最大の〝癌〟の一つとして、本計画内でも強く問題視されたのが、旧態依然としたジェンダー意識だ。都道府県の再編というアプローチでの解決が難しいため、本文への掲載は見送られたが、地方行政の改革を考える際、避けては通れない論点だろう。

地方の政治分野における都道府県ごとの女性の参画状況をマップ化した「女性の政治参画マップ」（内閣府作成）を見ると、女性の政治参画が進む都道府県は首都圏や大阪・京都周辺に集中しており、都市部と地方部に如実なジェンダーギャップが存在することがわかる。本計画の議論においても、「女性」であるというだけで酒席ではコンパニオン扱い、お祭りでは「男性が飲み食いする傍ら、その奥さんたちが厨房で料理を続ける」光景が当たり前――地方部に根強く残る、20世紀型の男性中心文化を背景とした男尊女卑の価値観が問題視された。

画像：Adobe Stock

を手放しで肯定する議論は難しい。単純に商業圏と行政区を一致させることが、住民感情や文化的な豊かさといった観点からどうなのだろうという議論が、また別に必要だと思うんです。

　井上さんが冒頭でおっしゃったように、都道府県レベルの再編はここ70年ほどは起こっていませんが、市区町村レベルの再編は断続的に行われてきたわけです。その結果として小倉（福岡県）とか大曲（秋田県）とか、全国的に知られた地名まで自治体名としては消滅している。一見、なんでもないことに思えるかもしれないけれど、意外と住民感情やアイデンティティの形成に大きな影響があったと思うんですよね。

**田口**　アイデンティティの問題は、中の人の視点と外から見る人の視点の乖離が原因となっている側面も大きいのではないかと思います。中から見て自分たちの地域がどこに属しているのかという意識と、外からの行政区域を含めた区分けが一致していない。私は以前三鷹に住んでいましたが、東京都区部、要するに吉祥寺より先に行くとき「東京に行く」と言っていました（笑）。行政区域や商業圏ともまたちょっと違う観点で、23区内の人と比較して、多摩地域住民としてのアイデンティティを感じる部分があった気がします。

**井上**　地方の人たちは中の視点だけで見るのが難しくて、外、というか東京の視点を内面化している問題もありますよね。東京と比較して自分たちの地域はイケてないと思い、地域に誇りが持ちづらくなってしまう。

**宇野**　以前、『PLANETS vol.9 東京２０２０ オルタナティブ・オリンピック・プロジェクト』の中で、この企画の着想を得る原型にもなった「東京5分割計画［07］」という企画を実施したことがあります。意思決定主体としては巨大になりすぎたメガシティ・東京を大まかに5つのエリアに分けて、それぞれの課題に応じた適切なサイズへの再編をしようという提案だったのですが、そのとき「多摩県」としての独立を提案したんです（笑）。このエリアは、選挙になるとどの候補も「23区の東京の中心部と多摩の格差をなくす」と選挙カーでガナるわけで、23区への強い従属意識がある。この地域の住民にとって、アイデンティティの問題はどうなっているのだろうと、いつも思うんですよ。多摩にアイデンティティがあって独立したいのか、東京の二級市民だから一級市民として認めてほしいのか、どっちなのだろうと。

**田口**　多摩としての独立性のほうが強い気がしますね。三鷹はもともと農村地帯ですが、いまだに昔から養蚕や農業で栄えた大地主が土地を継承していて、彼らが地元の市議会や都議会で活躍していたりしますから、土地との結びつきが23区よりも色濃く残っているように感じます。

　ただ、23区への従属意識が強い理由としては、メディアの問題も大きいかもしれません。多摩地域には４００万人を超える人口がいるにもかかわらず、多摩地域として独立した新聞やラジオ局などのメディアがありません。

**井上**　ローカルメディアの存在は重要ですよね。アメリカの研究で、ある地域のローカルメディアがほとんど滅んで一つだけになったら、投票率が大幅に下がったり、同じ候補者がずっと固定的に当選するようになったりしたということを実証したものがあります。ローカルメディアはアイデンティティのみならず、政治意識や投票行動にも影響を与え得るものなんです。

**宇野**　僕自身がメディアの人間だからこそ、とても考えさせられます。だって逆に言えば、メディアによって土地のアイデンティティを半ば捏造することもできるわけですよね。はたして、それが人間の土地との付き合い方として正しいことなのかどうか。生活実感があって、メディアがそれを補完するのは問題ないと思いますが、メディアによって既存の境界を補完していくのは本末転倒な気もしていて、そこは慎重な態度を取りたい気もします。

## 論点｜防災

**宇野**　ここで少し角度を変えて、生活に必要な行政機構やインフラの最適化という方向性でシミュレーションをしてみたいです。

　医療［08］や警察［09］など、考慮すべき観点はたくさんありますが、基礎自治体や中央官庁の管轄ゆえに、都道府県の再編だとアプローチしづらいものもある。そこで考えたい論点が、防災です。冒頭で井上さんが、江戸時代は水運がメインだったので、流域単位である程度の文化圏が形成されていたと指摘していましたが、都道府県の再編を考える上で、流域というのは一つの論点になってくると思います。ここで参考にしたいのが、進化生態学者・岸由二さんが打ち立てている、「流域思考［10］」というコンセプトです。岸さんのこの議論が今、再注目を集めている理由は、防災です。川の中流や下流だけで防災や治水を考えるのはほぼ不可能で、上流の森を整備することが、治水に際しては必須条件になってくると。こうした議論も、都道府県の再編を考えるにあたって参考になると思います。

**井上**　山梨県の道志村は横浜市の水源だったりするのですが、何か生命線がつながっているような感じがしますよね。そうした観点から、神奈川県と山梨県の再編を考えてみてもいいかもしれません。

　そういえば、1990年代に都市計画家／建設官僚の下河辺淳が打ち立てた「定住圏構想」が、流域を踏まえながら地域を区分けしていこうという発想だったんですよ。その後、林野庁が国有林と民有林を流域単位でまとめて管理していくためのシステムも作ったのですが、これがまぁ見事にコケまして。単純に国有林の関係者が民間に心を開けなかったのと、物流や人流のシステムが流域と関係のない形になっているから、流域でまとまって一緒にやっていこうとなったときに全然うまくいかなかった。しかし、防災という観点を導入することによって、そうした齟齬を飛び越え、上流から下流までつながっていくことができるかもしれません。

**宇野**　商業圏と流域が大きくズレてしまっていたと。しかし、そもそも「流域＝人々が自分の土地だと思える範囲」という岸さんの話が成り立つのは、日本のような島国だけな気もするんですよ。平地があまりなくて山と海の距離が近いからそう思えるだけで、例えばライン川では、下流と上流で同じ地域だとは思われていない気がします（笑）。いや、利根川ですら無理かもしれません。実際問題、生活実感として南関東と北関東を同じ地域だと思っている人は全然いないはずで。

**井上**　この前、母親の実家である沼津に行ってびっくりしたんです。沼津に狩野川という川があって、どこから流れてきているのかと思ったら、水源が伊豆の天城山だと。「えぇー！」と驚いて、地図上の実感とは遠い感じがしました。

## 論点｜教育

**宇野**　国が地方自治体に委任している、国家行政の代行業務をどう最適化するかといった問題についても考えたいです。

**田口**　そこで最も重要な論点の一つは「教育」だと思います。都道府県の再編によって、ここになんとかメスを入れられないでしょうか。特に高校の力学が、地方社会には色濃く残っている。県内進学校に行き、電力・ガスなどのインフラ企業かメディア、あるいは金融機関か地方自治体に就職するのが成功だと思われている地域は多いと思います。

　以前仕事で関わった地域で教育関連の方々にお話を聞いたときも、とにかくステレオタイプだなと思ったんです。中学生になると「あそこの学習塾に入る？」という話が出るのを出発点に、その

KEYWORD 05

## デジタル田園都市構想

　デジタル田園都市構想とは、地方にデジタル技術の実装を進めることで地域課題を解決し、首都圏への一極集中を改め、地方と都市の差を縮めていこうとする構想。2021年10月に発足した岸田文雄内閣が、成長戦略の柱として掲げている。構想の原点にあると考えられるのは、岸田が率いる宏池会出身で、1979年から1980年まで成立していた大平正芳元内閣が提唱していた「田園都市構想」。第1次石油危機後の不況の中、地域の自主性と個性を活かし、均衡のとれた多彩な国土形成を目指したものだ。

　岸田政権はこの構想に総額5・7兆円を投入すると表明。5年間で230万人の人材確保、5Gの人口カバー率の向上、高齢者へのデジタル教育を行う人材の確保、地方におけるデータセンターの増設、高速通信の基盤となる海底ケーブルの整備などを掲げる一方、住民をないがしろにした企業目線になることも懸念されている。

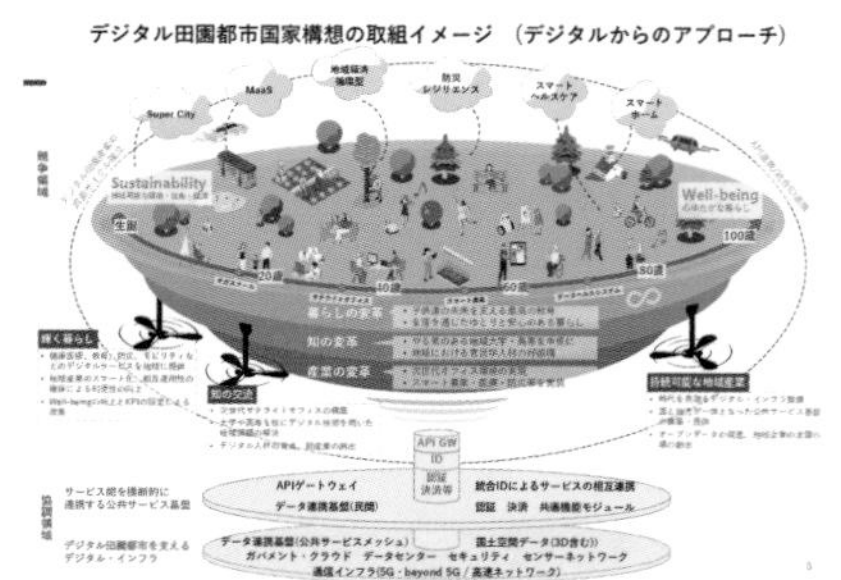


画像：内閣官房ホームページ

後どこどこの高校に入って、そこからどこどこの大学に行って、王道コースに入ることが誉れだという話をたくさん聞いたんですよね。

**宇野**　高校の力学は独特ですよね。僕のような転勤族の子供でさえ、出身高校にだけはとても愛校心があります。寮生活だったことも大きいのかもしれませんが、「俺たちは仲間」という気持ちが異常に強く醸成されている。鹿児島の姉妹校なんか、その県ですごく幅を利かせていて、ライバルの県立で一番ランクの高い高校への対抗意識がとても強いそうです。県のトップがその学校の出身者になると、県立の人は冷遇されて……ということを繰り返しているとか。本当に恐ろしい世界で、これは明らかに地方社会の癌なのだと思います。

**田口**　山口でも似たような話を聞きましたね。地元企業の名刺に「○○高校○期生」と入っていて、「ああ、今日は君が後輩だから君がお酒を注ぐ番だね」というコミュニケーションが行われていてびっくりしました。

**井上**　僕は神奈川の湘南高校出身なのですが、やはり高校への愛着心はとても強い。ただ、その理由を考えると、高校というのはそれまでの自分にとって、ある種のオルタナティブな可能性を見せてくれた場所だったからだと思うんです。それまでの日常が打ち砕かれて、何か新しいものを得られそうな気持ちになれる場所。

　今の地方の問題は、このオルタナティブ性がないことだと思うんです。オルタナティブや前衛を許さない空気があるから、閉塞していく。選択肢のなさが地方の閉鎖性を生んでいるし、それは日本全体にも広まりつつあるので、そこを変えたい。行政区画を変えることによって、オルタナティブを排斥してしまうような教育のシステム・文化に風穴を空けることが可能なのかどうかは検討したいですね。

**宇野**　学区制の存在や、教育委員会が都道府県別であることによって、地域社会に閉塞性がもたらされているのだと思います。少し前まで山形県は「山形東にあらずんば人にあらず」な世界だと言われたりもしました。こうした文化を緩和する介入ができるといいですね。例えば、少なくとも山形盆地エリアについては、商業圏・生活文化圏的にはすでに仙台という百万都市にある程度従属してしまっているので、そこに暮らす生徒たちが宮城県の高校に行ったっていいはずなんです。別にそのことによってそこまで生活実感から外れたものにもならないはず。ですから、山形盆地に住んでいる高校生がふつうに仙台の高校を受験できるようになるだけで、山形の地域社会をかなり変えられるかもしれません。

**井上**　さっき議論していた交通の問題も、大きく関係してきますよね。山形盆地の人が仙台の高校を受けられるようになるためには、そこの高校に行きながらもしっかり生活ができるための交通基盤も必要です。

**宇野**　今の都道府県が持っている行政機能、ここで言えば教育を組み替えることによって、間接的かつ長期的に、今の地域社会の固着化を攪拌して

KEYWORD 06

## 大店法の規制緩和

　大規模小売店舗における小売業の事業活動の調整に関する法律、略して「大店法」。1973年に制定され、翌年に施行。戦前より続く〝地元商店街〟と戦後新たに誕生したスーパーの対立構造を背景に、中小小売業者の保護を目的として、スーパーなどの大規模小売店舗の出店を調整——事実上の規制——するものだった。施行後も、規制強化の方向性で改定が加えられた。

　しかし、1980年代以降の日米貿易摩擦を背景に、輸入品を多く販売する大型店への市場開放を求めるアメリカからの、規制緩和への圧力が徐々に強まる。結果、1990年代以降は、出店規制を緩和する方向性での改正へと舵を切り、いわゆる「ロードサイドの大型ショッピングモール」が日本国内で急増するようになった。それにより交通混雑やごみ問題といった新たな問題が生じたほか、評論家・三浦展による「ファスト風土化」批判などを筆頭に、画一的な「郊外化」批判の議論も活発化していった。

画像：Adobe Stock

いくと。それはこの再編計画の一つのコンセプトとして置いておきたいですね。

**田口**　いまブームになっている関係人口の文脈でも、東京に出てしまった人たちを高校の同窓会名簿をベースにどのように集めるか、という話はよく聞きます。結局、高校の重力に頼らざるを得ない。もちろん、そうしたつながりがあることはいいことでもあると思うのですが。

**井上**　何かしらの共通項を介して親密になること自体は、決して悪いことではない。例えば、僕はラグビーをやっていたのですが、それを明かすだけで、学校を飛び越えて「ああ、お前もか！」という〝同じ釜の飯を食った〟感が途端に出る。学校の枠を超えた、ある種の親密圏の作り方を考えていく、ということなのかもしれません。

**宇野**　都市化によって地域コミュニティがテーマコミュニティに再編されたとき、あまりにもテーマコミュニティ偏重になると、かえって社会が安定せず、ポピュリズムやカルトなコミュニティの発生の温床になってしまう。それゆえ、地域コミュニティが再評価されているのが現在の傾向だと思うんです。

　そのとき、特に地方においては、地域コミュニティをどう開放的なものに再編していくのかということを考えないと、単に封建的な地域社会を保守してしまうことになると思います。このとき教育にしっかりメスを入れておくと、地方の固着した「世間」そのものを、土台から「ほぐす」ことができるかもしれないですね。

## 論点　ガブテック

**宇野**　ガブテックの問題も押さえておきたいです。現代において行政機構やインフラの最適化を考えるとき、必然的にデジタル化についても考える必要がありますからね。例えば、行政のデジタル化を民間のコンサル企業に丸投げし、本当に成果が出ているかどうかの検証が十分になされていない状態の自治体も少なくないと思うんです。

**田口**　自治体がコンサルにお金を払って丸投げし、民間は儲かるけれども実際の仕組みとしては持続的なものにならずに終わってしまうという問題は、以前から指摘されていました。構造的に自分もその一端を担っているので、その問題をどうにかできないかと悩み続けています。特に昨今取り組みが進むデジタル化に関しては、分野も市町村圏域も横断的に推進しなければならないケースが増えているので、より問題が顕著になってきている。

**井上**　スマートシティもそうですが、補助金をバラまいた結果ベンダーやコンサルにお金が流れていく構図をなんとかしないと、地方が良くなるわけがないですよね。数年に一度、あの手この手でテーマを変えて新しい補助金を作り、それをコンサルやベンダーが受注する構造ができあがってしまっている。

**宇野**　公共事業を中心に、自治体を通して国のお金を地方社会に流すシステムが、今は完全に目詰まりを起こしているのは明らかでしょう。その結

KEYWORD 07

### 東京5分割計画

宇野常寛の責任編集で不定期に刊行している批評誌『PLANETS』。2015年刊行の『PLANETS vol.9』では「東京2020 オルタナティブオリンピック・プロジェクト」と題して「東京2020」の代替案を示し、あるべき新時代の大会と東京の都市計画の姿を提案した。その一企画が、「東京5分割計画——分断と遭遇の都市再生」だ。

　建築家・門脇耕三プロデュースのもと、意思決定主体としては巨大になりすぎたメガシティ・東京の、適切なサイズへの変革をシミュレーション。①「日本のシンガポール」たるべく設計された未来都市「湾岸特区」②日本的クリエイティブ・クラスのための職遊住隣接空間「都心区」③旧住民と新住民、外国人がモザイク状に共存する「東区」④スノッブな住宅地を弱者受け入れの土壌へと転換した「西区」⑤「東京」から独立した日本48番目の都道府県「多摩県」への分割が提案された。

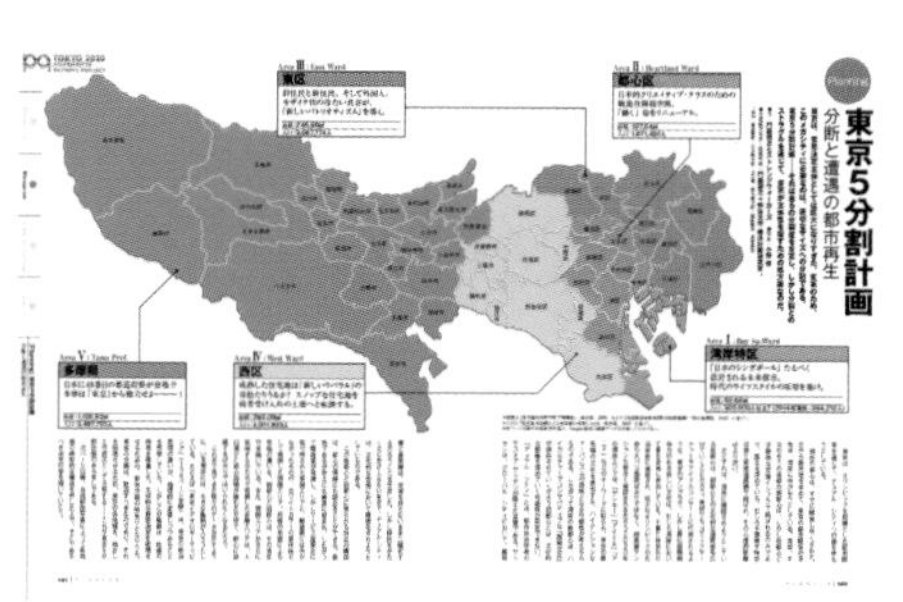

果、地域全体を潤すことがないだけでなく、特定のコネクションの利益だけが確保されてしまい、地方社会の封建的な体質を強化してしまっている。そして国から落ちてくる予算頼みの経済構造は才能と情熱の都市への流出を加速し、さらに地方の中央に対しての依存性を高めている。それが行政のデジタル化についても言えると。

**井上**　土建でも同じような問題はありますが、デジタル化に関してはよりタチが悪いと思います。土建の場合はゼネコンが窓口になりながらも、地元の工務店や土建屋にお金を落とせたのですが、ITに関してはそれがありません。

**宇野**　より悪化した「第二の土建」になりかねないということですね。各自治体にアプローチした、個別の中央の民間業者が重商主義的に潤っていくこの構造を破壊するためにも、都道府県の再編によって従来の結びつきをシャッフルすることが必要です。またその際に、制度的に透明性を導入していくことも求められるでしょう。

**井上**　現状、中央の資本がすべて総取りしていく構図になっていますからね。デジタル人材を育てていくことは大事ですが、その養成を中央から人を派遣することでまかなっている。「DXをしないとまずい」ということで推進しているけれど、そのノウハウを持っているのは結局大手のSIerだけなので、そこにお金が流れてしまっています。

**田口**　例えば、スーパーシティの認定を受けるための要件として、全体を統括するプロデューサーが必要なのですが、結局それを大手のSIerが担っていたりする。だからといって、地域の中で何十年もかけて人材育成をしていくことが最適解なのかもわからず、本当に難しい問題だと思います。

**井上**　フィンランドをはじめとする北欧諸国のIT化の進め方がいいなと思ったのは、公共調達によって市場を育てるという方針を取っていること。MaaSでも何でも、新しくてよくわからないものだからこそ、逆に政府がスタートアップの製品やサービスを積極的に購入することで一緒にその世界を育てていく、一緒に試行錯誤していくというやり方を取っている。一方、日本では自治体の人はみんな数年で担当が変わってしまうじゃないですか。しかし、SIerやコンサルなどの民間企業の担当はなかなか変わらない。すると、役所の人よりも民間の人のほうが業務をわかっていることになり、役所にすると民間に丸投げせざるを得ない構造になっていく。

**田口**　私が自治体のお仕事に関わるときにも、コンサル慣れしている自治体とそうでない自治体があると感じます。コンサル慣れしている自治体は補助金とコンサルをうまく使って華々しい実証事業を実施し、それを成果にして翌年の予算を取っていく。一方で外部のコンサルに委託した経験があまりない地域ではコンサルにまるっと業務を委託し、コンサル側も外からアドバイスをするだけでは構造的な問題を解決することはできない。よりよい地域づくりのためにはいずれのパターンで

KEYWORD 08

## 医療

地方行政の課題解決を考える際、社会インフラとしての医療をいかにして最適化していくのかも、外せない論点だ。コロナ禍に際しても、医療における自治体ごとの差が如実に顕在化している。

そもそも日本は世界各国の中でも飛び抜けて人口あたりの病床数が多く、医療費削減などの目的で、政府による地域医療の縮小が進められてきた。そして本計画において「ここ10〜20年で地方で起こった大きな問題の一つ」として議論に上がったのは、「採算の合わない病院から誰が撤退するか」というチキンレースについて。地域に一つはある程度の機能を備えた大病院が必要だが、20世紀後半に大量設立された病院の多くが、過疎化などによって不採算に。それゆえ多くの地域では、"最後の病院"にならないよう、「先に撤退したもの勝ち」の状況になっているのだ。

画像：Adobe Stock

も不十分で、自治体と民間企業とが委託・受託の関係を超えて地域に根づく仕組みを作っていくことが必要だと感じます。

**井上**　1990年代のシリコンバレーが取ったプロセスが参考になるかもしれません。あの頃のシリコンバレーでは、NPOが大きな役割を果たしていたんですね。市民に加え、産業界の人と自治体の人が入って、市民の視点でインターネットの社会実装を構想・実現していくためのNPOが設立されました。そのNPOが主導する形でインターネットの構想・実装が進められていったので、供給者目線に陥らない、ユーザー目線での実装が実現したと言われています。そのような動きを裏で支えていたのは、ヒューレット・パッカード社のようなIT企業たちだったのですが、フロントはあくまでもNPOでした。企業も自治体も人と金をそこに出して、市民と一緒になって考え、汗をかきながら、必要なテクノロジーを実装していった。学校のIT化においては、企業がパソコンを寄付したり、先生たち向けのIT教育を無償で実施したりしていたそうです。

NPOがフロントに立つことで、企業に搾取されない形でのテクノロジーの実装が実現していったのです。またそのプロセスの中で、人も育ちました。日本でも、Code for Japan のようなシビックテック［11］のプレイヤーと民間のSIer、そして自治体の職員と市民とが非営利の組織を作り、そこが主導する形でデジタル化を進めていけば、企業に搾取されず、人も育つデジタル化を実現できるはずです。

**田口**　行政の枠組みの外側に、必要な人材が共同で入るプラットフォームがあり、それが市町村よりも広い範囲で、透明性を確保した状態で機能していくと。

**井上**　はい。福井県なんかはすごい面白くて、次年度の予算や事業を決めるときに、県内のデザイン事務所を集めて「この政策、どう思いますか？」と意見を聞くことを始めました。役人は課題はわかるけれど、解決のためのアイデアは弱いし、どうしても供給者目線になりがち。デザイン事務所はアイデアを出すのが得意ですから、「もっとこういうやり方をしたほうが面白いし、課題解決に近づくのでは？」と提案してもらって、それをプロジェクト化していくんです。デザインの視点が入ることで、ユーザーに届くコミュニケーションやサービスのデザインができるので、結果、実効性の高い事業になっていく。そういう仕組みが動き始めています。

**宇野**　僕もこの議論は、シビックテックの話とセットだと思っていて、結局特定の自治体を再編したとしても、市民側の監視が効いていないと、中央の特定の業者に全部吸い取られてしまう。オープンにすべきデータはしっかりと開示して、シビックテック的なものが「あの自治体のシステムはしっかり運用されているか」と監視する緊張関係があって初めて、行政のデジタル化は機能するのだと思います。行政のデジタル化とシビックテックの文化醸成を両輪でやっていかないと、今

KEYWORD 09

## 警察

医療と同じく、地方において外せない社会インフラの一つが警察だ。鼎談でも重要な論点として話題に上がったが、警察庁が各都道府県警察に委任している業務であるため本計画の介入余地が少なく、本文掲載は見送られた。

ただ、財政負担の割合や専従公務員数の規模では、地方自治体における警察分野の比重は教育と並んで高く、極端な言い方をすれば都道府県の最大の役割は警察と教育の金銭負担であるとも言える（曽我謙悟『日本の地方政府――1700自治体の実態と課題』）。そのため、警察庁には実態としてあまり命令権限がなく、現場で最終的に責任を取るのは都道府県警察となる。本計画内では「交通管制のシステムが各都道府県に準拠するがゆえに、スマートシティ化を考えたときに、県を超える最適化がしづらくなる」「強大な権力を持つ警察機能を国家に全任することにもリスクを伴うため、システムは各都道府県ごとに同一の規格で構成しつつ、権力分散や市民監視を機能させる必要がある」などの意見も出た。

画像：Adobe Stock

SIMULATION 02 CHUBU AREA

1:1,300,000

— 福井県 石川県 — 富山県
— 岐阜県 — 長野県 — 新潟県

金沢県
Kanazawa Pref.

| 面積 | 11,949.63 km² |
|---|---|
| 人口 | 2,767,555 人 |

企画協力=御立尚資・鷲尾諒太郎

## 石川県を拡張し、「金沢県」を創設する

人口114万人の石川県における中核都市、金沢市。近隣の3市10町2村も合わせた金沢都市圏は人口約75万人にものぼり、県の大半を占める。太平洋戦争期に空爆を免れたこともあり、江戸時代に幕府に次ぐ大きさを誇った前田百万石の加賀藩期以降の文化が色濃く残存。アイデンティティ意識も強く、出身地を聞かれたら金沢市民の多くは石川ではなく金沢を挙げるという。その存在感は、周辺の富山県や新潟県、岐阜県にも及ぶ。とりわけ富山県を実質的に"従属"させているという話は有名だ。例えば、2015年の北陸新幹線の延伸によって東京金沢間の所要時間が大幅短縮された一方、北陸と大阪を結ぶ特急「サンダーバード」の金沢富山間の運行がなくなり、富山と関西の往来時には金沢での乗り換えを余儀なくされることに。この"主従関係"は歴史的なもので、そもそも富山藩主は加賀藩主の分家だった。

そこで提案したいのが、金沢を中心とした「金沢県」の創設だ。石川県の全域、さらには富山県・福井県の大部分と福井県の東部、岐阜の北部も含む、巨大な県を創設するのだ。約280万人という、広島県に次ぐ全国第13位の人口を誇る都道府県が北陸地方に誕生することになる。金沢市を中心とした加賀藩伝来の文化的土壌に加え、石川県の産業に富山県・岐阜県北部・福井県東部の産業も内包し、農業・水産業・林業から工業まで強固な産業基盤を持つ県となるだろう。

上越文化圏に属している富山県の黒部町以東は新潟県に、丹後文化圏に属している福井県西部は京都府に統合。富山県と福井県は、消滅することになる。そのサイズの巨大さもあり、以前ほどの強さで県に対するアイデンティティを保つことは難しくなるだろう。しかし、この再編案はそもそも富山、福井の県というレベルでのアイデンティティの弱さに端を発している。これらの土地では広域の金沢県の下で基礎自治体レベルでのアイデンティティを追求することを提案したい。

の堂々巡り的なサイクルからは抜けられないのではないでしょうか。

**井上**　箱物行政に対しても同じですよね。市民の監視をきちんと働かせる必要があります。

**宇野**　そうですね、シビックテック的なアプローチによる監視を常態化することができたら、他の多くの領域にも応用できます。ある種の聖域として奉られてきた土木行政にも、メスを入れられるでしょう。こういう発想があって初めて、日本の地方の権力構造を、行政的なアプローチで改変できると思います。

**井上**　監視や睨みを効かせる、ある種の市民自治が働く状態を目指すとなると、必然的に規模感も決まってくると思っていまして。そんなに大きなサイズ感ではないと思うんですよ。そこを住民自治の基本単位にすると、もしかしたら基礎自治体の数は、今の市町村よりも多くなるかもしれません。

　市民が監視する経済圏として、例えば西粟倉のように1500人くらいの規模だとちょうどよいのかもしれませんが、それだと今度は市民の側に人がいなさすぎる。もしかしたら2～3万人くらいが、ある程度いろいろな人もいて、かつなんとか睨みを効かせられる範囲なのかもしれません。その上で、それでは最適化できないものを補完する存在として都道府県のあり方を考えていく。そういう順序での議論が必要になるのでしょう。

## 論点　県庁所在地

**田口**　また実装にあたっての論点としては、「県庁所在地のあり方」も外せないと思います。今の県庁所在地は、廃藩置県の際、かなり政治的な要因の影響も受けて決められたそうなのですが、ボトムアップで持続的な地域のあり方を考えると、また違った置き方になると思うんです。

**井上**　群馬県は、前橋と高崎でどちらを県庁所在地にするかでもめて、それが今も尾を引いているという話がありますね。

**宇野**　青森県で言えば、津軽と弘前、八戸のいずれでもなく、その中間として青森市が県庁所在地になったわけですからね。

**井上**　藩が無理矢理合併してできたような都道府県の場合、角が立たない中間地点が県庁所在都市として選ばれていったところもありました。私が知っている神奈川県のある町は、A町とB村という二つの自治体が合併してできたのですが、名称はA町のままにした。その代わりではないけれど、庁舎はB村に置いた。でも、A町と接している場所にした。結果として、中心地から離れた変な所に庁舎が置かれて、どちらの住民も行きにくい……そんなことが起きてしまったけれど、同じ問題が県庁所在地においても起きているということですね。

**宇野**　再編計画の中で新しい区分を検討するときに、中心都市を考える必要は間違いなくあって、県庁所在地はまさにその問題であるということで

KEYWORD 10

### 流域思考

　進化生態学者で、三浦半島小網代や鶴見川流域でNPOの代表として理論・実践活動も行っている、慶應義塾大学名誉教授・岸由二が提唱する概念が「流域思考」だ。日本では、流域ではなく「里山」に準拠した自然保護、河川という自然公物を管理する河川法と下水道という都市施設を管理する下水道法に立脚した治水が進められてきた。しかし、岸は「流域」を枠組みとして環境を保全し、治水・防災を進めていくことを説き、1976年以来、保全活動と啓蒙・言論活動を続けている。

　2015年にPLANETS編集部が取材した際、岸はこう語った。首都圏で言えば、関東平野をつくっている利根川流域、荒川流域、武蔵野台地の細かな流域、神田川流域、渋谷川流域、目黒川流域、多摩川流域、鶴見川流域……最後はいずれも海に流れ込むかたちでジグゾーパズルのように、「地球上の雨が降る土地は、例外なく流域に区分できる」のだと。

岸由二『生きのびるための流域思考』（筑摩書房2021年）

すね。

**井上** でも、これからの時代、そもそも中心都市って必要なんでしょうか？ ２１００年に向かって人口がすごく減っていって、どんなに子供を増やしても６５００万人程度になるわけじゃないですか。するとピーク時の半分ですよね。そうなったときに、はたしてみんなが集約して住んでいくのか。さっきも話したようにある程度監視できる範囲で自治が行われるようになり、比較的分散的な形になっていくのではないでしょうか。

**宇野** 意見が分かれるところですが、僕は必要だと思っています。おそらく、コストの問題でインフラを維持できなくなり、よほどの高コスト・高リスクを引き受けた人じゃないと、現在と同じような形で同じくらいの人口が農村や漁村に暮らすことは難しくなると思います。現実的に考えて、これからの日本国民は基本的に人口30万以上の中核都市に集中して住むべきだと僕は思っています。土地の自然や文化を守るだけなら、しっかりと能力が備わって意欲がある人たちが数百人いれば十分なはず。そういう人たちを税金で保護しつつも、工業化の過程で増大した人口は中核都市が吸収すべきだと思っています。

そうなると、実際の地方人口の7～8割が中核都市に住むようになると思いますね。明治維新前くらいの人口が各集落にいて、残りの人口――すなわち工場を誘致し、本来は必要がない道路を整備することで無理矢理に養っている人口――を中核都市が吸収するというイメージです。公共事業を誘致して、山奥や半島の先っぽに人口1万人単位の自治体を無理矢理に維持することが、そこに暮らす人やその土地の自然や文化にとっていいことだと、僕には思えないですから。だからこそ、僕は現在とはまったく異なるシステムで非都市部に人間が暮らす環境を構築する運動「風の谷を創る」にも参加しています。

**田口** 中核の都市、エリアができたときに、何の機能があればいいのでしょうか？ 宇野さんのおっしゃるように、都市型の生活を営む人口を受け止める機能と、あとは圏域全体の医療や警察といったサービスを提供する機能が残っていくイメージですかね。

**宇野** もちろんそれは必須ですが、僕はこうした中核都市はちゃんと外の世界とつながっていることが大事だと思います。例えば田舎の進学校では、「立派な仕事＝医者と弁護士と学校の先生と役人」という世界がいまだに残存しているはずです。こうなっているのは、外の世界とつながっていないからですからね。海外で仕事してもいいし、一次産業から三次産業までどんな仕事に就いてもいい。多様な価値観や機会と能力さえあればグローバル化する世界のどの場所に生きてもいいのだとちゃんと思える環境が必要だと思います。今の日本の地方はこれが明らかに欠けているので、例えば21世紀とは思えない男尊女卑の文化が生き残ってしまっているわけですから。

**井上** 確かに、人口が10万人くらいになってくると匿名性が働いてきて、猥雑なものも含めて多様な文化が育ちやすい。ただ、最近は小さな村がそのまま海外とつながる例がけっこう出てきていることを鑑みると、ある程度人が集まらないと外とつながれないかというと、そんなこともない気もします。むしろ中核都市が保守的な価値観の権化になっていく懸念もあると思うのですが、いかがでしょうか。

**宇野** もちろん、昔に比べてグローカル戦略は取りやすくなっていて、そのために必要な単位は小さくなっているとは思います。それでも僕は、都市の匿名性は大事だと考えています。やはり、人口１５０万人の村では、匿名になることは不可能ですから。結局は地方出身者は、県庁所在地や人口数十万の都市に移住して初めて、匿名性に触れることになります。しかし、この回路が、きちんと機能していないのが問題で、先程の教育の議論のような介入が必要なのだと思います。日本の人脈主義・封建主義的な地方社会を打破していくためにも、地方中核都市の段階である程度の匿名性を担保することは大事だと思います。

**井上** 自分のことを周りの人が誰も知らない世界に出た時の解放感はすごいですよね。昔は東京に出てくるだけでそう思えましたが、インターネット空間はその代わりにならないでしょうか？

**宇野** 今のインターネットは、Facebookをはじめ半分は実名になっていますし、それを自己表現に使おうと思うと匿名機能は捨てなければいけない。ですから僕はやはり、匿名でいられる場所が実空間にあることは大事だと思います。

**井上** だとすると最低でも10万人、望むべくは30万人ほどの人口が必要な気がします。仙台のように１００万人くらいになると、かなり匿名性が

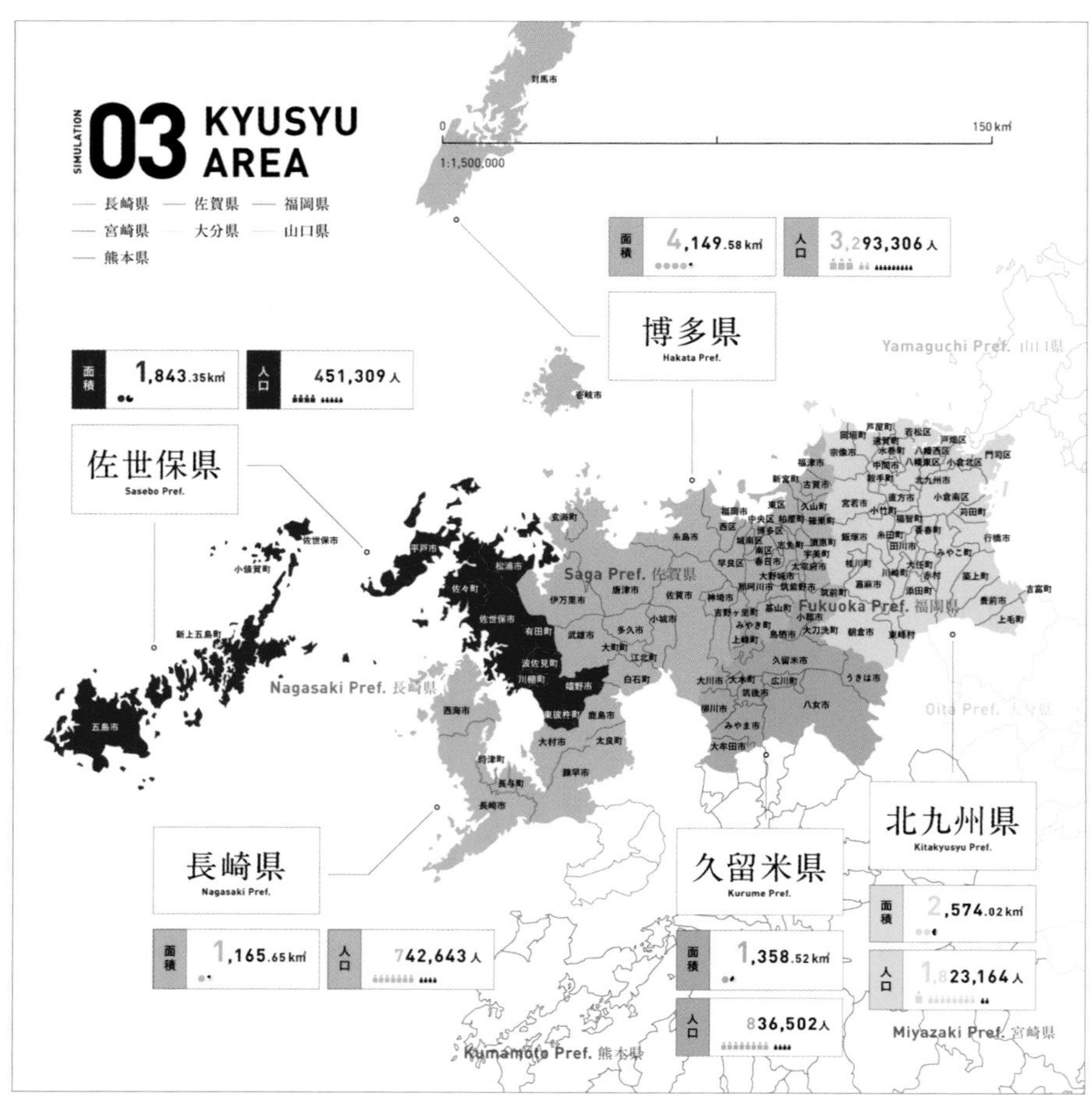


企画協力＝橋口一

## 福岡・佐賀・長崎を解体、新たに5県を新設

九州北部では、2020年には推計人口が160万人を突破した福岡市への「一極集中」が進んでいる。福岡市の商圏は佐賀県や長崎県方面まで拡大、県内の北九州・久留米地域から引っ越す動きも増えているという。そこで今回は、福岡県・佐賀県・長崎県という九州北部の3県を解体し、5県に再編することを提案したい。結果的に福岡県・佐賀県は消滅するかたちになるが、土地の歴史の結びつきを土地ごとにアピールすることで、地元へのアイデンティティを担保することは可能だろう。

①博多県。博多区を中心とする福岡市周辺に加え、佐賀県の大部分を吸収。実質的に福岡の文化圏・商業圏に含まれている壱岐・対馬も編入する。②北九州県。産業構造の転換に伴って没落してしまったが、もともと北九州市を中心に重工業の街として栄えていた、北部の小倉エリア。もともと筑豊炭田を中心に炭鉱業の街として栄えていた、南部の筑豊エリア。関門海峡を挟んで対岸にある山口県下関と一体となり、漁師町の海峡文化を形成している、企救半島上の門司区エリア。これら3つのエリアを合わせた、鉄と炭鉱の県になる。③久留米県。いわゆる筑後と呼ばれるエリアで、ブリジストンをはじめゴム製品を中心に工業で栄える地域。九州の中でも特に肥沃な土地で、平野部で米もたくさんとれる。もともと久留米市は福岡市と距離的には近いにもかかわらず、住民は博多には出ていかないという。ゴム（工業）と米（農業）を基幹とした県に再編していく。④佐世保県。長崎県は南北の差異が大きく、これを分割する。これに佐賀県の有田町、嬉野市がくっついた形だ。コンパクトだが、佐世保市を中心に平戸や五島も含んで外にひらかれた、造船業・観光業がさかんな県になる。⑤長崎県。現在の長崎県の一部。県北の佐世保エリアは佐世保県として独立、雲仙市以南の島原半島は、熊本県の天草エリアの文化色が強いため、そちらと統合する。長崎市を中心に、水産業・観光業・造船業を主力とする県になるだろう。

出てくる感じがする。そうなった時、教育面では、中心的な学校を分散させていく戦略を取るのがいいと思います。中心に強い学校を作る戦略はできる子にとってはいいけれど、そうではない子は決定的にやる気を失っていき、全体的なレベルは下がっていくというドライブが働く恐れもありますから。以前、サッカー日本代表の岡田武史元監督に聞いたのですが、彼は今、今治で理想のサッカーチームと理想の教育を作ろうと頑張っている。でも、今治に行って最初の5年間は本当に大変だったそうです。例えば、彼がチームを作れば、優秀な子はみんなそのチームに来ちゃって他のチームのレベルや士気が下がる。そういう懸念があったから、あえてチームを作らずに周りのチームや高校のクラブを巡回指導することにしたと。それぞれのチームが岡田メソッドを取り入れて、全体的なレベルが底上げされてきてようやく、地元の人たちから「岡田さんそろそろチームを作っていいんじゃないですか」と言われるようになったと語っていました。

**田口**　今の県庁所在地はみんな同じようなミニ東京的な機能を持っていますが、地域ごとに全然違う機能を目指していく方向性は一つありそうですよね。A市は○○に特化していて、B市は××に強い……というような。

**井上**　とても重要なポイントですね。それで言うと、ドイツが面白くて、20～30万都市がそれぞれけっこう違う機能を持っているんです。役割分担しているから、どの都市もそれぞれに面白い感じになっていく。

**宇野**　対して、今の日本の県庁所在地的な数十万都市は全部同じ駅前になっていて、東京というよりは近くの１００万都市のコピーになっている。

**田口**　文化的な画一化に抗おうとするとき、高等教育の果たす役割はすごく大きい気がします。人口が減る中で、地域の基幹産業の担い手を育てる教育機関も縮小する動きがあると聞いたことがあります。例えば、りんごの産地として知られる青森県弘前市で、りんごの生産方法を学ぶコースをなくす話が出ている。これからはそういったレベルの問題が日本のいろんなところで起きていく。他方、匿名性をどう担保できるのかを考えたとき、今までの地縁の延長にはない進路の選択肢ができることも大事です。そうすれば、人口10万人くらいの都市でも都市の匿名性が担保できるかもしれません。地域の文化・特性を生かした高等教育を維持していくのと同時に、匿名性が担保された新しい世界をひらくきっかけとしても高等教育を機能させる必要があるのだと思います。

**井上**　徳島県神山町が今度高専を新設するのですが、それが地域の文化・特性を生かした独自の教育をする高等教育機関になっていけるのかどうかが議論になっています。都会と同じような教育を目指すなら都会に出ていく人を育てるだけだし、意味がないのではという意見もあります。

**宇野**　難しいですよね。僕は一地方出身者として思いますが、駅前にヨドバシカメラとユニクロと無印が入っていてほしいという欲望を、否定することはできないと思うんですよ。田舎の人は田舎らしく生きろというのは乱暴な議論だし、機能面で各中核都市がある程度同じ機能を背負ってしまうのは仕方ない。

その上でその土地それぞれの文化を出していくためには、やはり歴史と自然なのだと思います。どちらかと言えば、都市デザインやランドスケープデザインの問題。その土地のアイデンティティを自覚し、それを担ったデザインを作り、文化を育んでいこうというコンセンサスができていることのほうが大事だと思います。

**井上**　となると、やはり単純に交通の利便性のようなもので中核都市の配置が決まっていくことになるのかな。人口何万人に対して一つ、といった形で。

**田口**　結果的にできあがっている城下町、みたいな感じですよね。計画をするのではなく。

**宇野**　結局これは、人間と土地の関係、アイデンティティの持ち方の話だと思うんですよね。例えば、現実問題として、今の地方自治はほぼ民主主義が機能していないじゃないですか。大体の首長と与野党は相乗りですしね。自分たちの住んでいる土地にコミットしている感覚をいかに再編するかという問題。自分の生活圏にあることを自分たちの参加で決めていくのだという政治的アイデンティティの形成が大きな問題なのだと思います。

## ――論点――財政

**井上**　実装にあたってもう一つ考えなければいけ

ない論点が、財政だと思います。これまで語ってきたすべての論点が、財政の話とも不可分ですよね。言い換えれば、再編を進めるにあたって、限られた財源をいかにして分配していくか。

**宇野**　今でも日本に残り、固着してしまっている封建的な制度、人間関係を解きほぐすために、都道府県の再編という発想が有効だという議論を今日はずっとしてきました。それを実践フェーズに移す、つまり区分けを再設定しようとするときには、財政的に自立度が高いものになることが望ましいし、それによって国からの再分配の規模が決まっていくので、そこには生々しいポリティクスが発生するでしょう。この問題に対して、ある種の指針を出しておかないとまずいですよね。でも、それだとまずはやっぱり「脱土建国家」のような話になると思うのですが……。

**井上**　そうですね。でも現実問題として、地方の財政を考えるとき、作ってしまったインフラのメンテナンスコストを考えると、いかにコストがかからない仕組みに変えつつ防災体制を作っていくかという話になる。例えば、コンクリートのものを石積みに変えるとか。

**宇野**　そもそもあんなに公共事業で一生懸命に道路を作って定期的に補修している理由は、トラックを通すためなわけです。ふつうの乗用車が通るだけなら、あんなに立派な道はいらないし、あそこまで一生懸命にメンテナンスしなくていいはずなのだけれど、10トンや15トンのトラックが通っても大丈夫にするためには必要になってくる。そうした問題から始めて、取捨選択していくことが必要ですよね。「風の谷を創る」の中では「つなぐ道」としての幹線道路と、「つながる道」としての生活道路の区分けが必要だという議論がなされていますが、そうした土木行政も含めた上での再編計画が必要になってくるでしょう。

**井上**　「土木」という言葉自体は、「土」と「木」ですから、とてもいいと思うんです。昔は本当に土と木で工事をしていた。それが鉄やコンクリートを使う土木工事になって、永遠にその工事で潤っていくであろうシステムを作ってきたのが昭和です。でも、それが機能しなくなってきた今、「土」と「木」だけでできていた世界にもう一度戻していけばいい。それではどうしてもダメなところだけ、コンクリートで固めればいいんです。

## 想像の共同体と生活の共同体の「中間」を考える

**宇野**　基礎自治体というのは生活の共同体であるのに対して、国家というものは想像の共同体であり、都道府県はその中間にある。思想的には、生活の共同体と想像の共同体の中間はどう構成されるべきか、という話が今日の議論の根底にあったのだと思うんです。生活の共同体は否応なく自然発生するもので、想像の共同体はトップダウンで作られるものである。そして都道府県のような中間の共同体というのは、ちょっとがんばってそこに暮らしている人たちがボトムアップで作っていくべきサイズなんだなと、これまで話してきて思

KEYWORD 11

### シビックテック

シビックテックとは、「市民（Civic）」と「技術（Technology）」をかけ合わせた造語。インターネットをはじめとするデジタルテクノロジーを活用することで、これまで関わり方が限られてきた公共領域への参加の方法を民主化し、誰もが自分たちの好きな時に好きな方法で参画できるようにする活動の総体を指す。

２００９年に創設された、自治体の行政府に、応募してきたエンジニアやデザイナーを送り込むサービスを提供するアメリカのＮＰＯ「Code for America」が先鞭役。日本でも２０１３年にＮＰＯ「Code for Japan」が設立され、コロナ禍に際しては東京都の新型コロナウイルス感染症対策サイトを開発し、オープンソースソフトウェアとして公開した。地方においても、国内の80を超える地域で「Code for 地名」といった名前で活動しているコミュニティが存在している。

画像：Code for Japan ウェブサイトより

いました。

**井上** 国家が支配の手段として作った都道府県ではなく、生活共同体を構成する人々が全体最適を目指すための都道府県。生活の共同体と想像の共同体の中間を何と呼ぶべきかはわからないけれど、これは面白いのではないかと思います。

**宇野** 多分、一番簡単にいじれるサイズがこれなんだと思うんです。想像の共同体をキャンセルするためには歴史のキャンセルが必要だし、生活の共同体のキャンセルも人が暮らしていく以上難しい。ただ、この中間にある共同体は人間が再編できる唯一の単位であり、歴史的に見てもそれは明らかである。その認識に立つことが大事だと思っています。

**井上** この認識があると投票率も上がりますよね。自分たちでデザインできるという主体性が戻るので。

**宇野** 想像の共同体は抽象的なアイデンティティの問題に引きずられるし、生活の共同体は利害調整装置でしかない。その中間の共同体じゃないと担えないものがいっぱいあると思うので、そこを考えたいというのが、この再編計画だったわけです。

**井上** この前、兵庫県の西脇市にいたのですが、海側の神戸市と山側の西脇市の人はほとんど兵庫県というものを風景としては共有できていない印象を受けました。一方、最近尾道や今治に関わっている中で面白いと思ったのが、「瀬戸内王国を作りたい」という話がちょくちょく出てくることです。尾道も今治も同じような風景を共有できているのに、地域としては分断されている。でも、瀬戸内というくくりだと、小豆島あたりまで含めて同じ世界観を共有できるよねという。これは風景を結びつける要素にして、生活共同体の意識や既存の都道府県の枠組みを超え、でも日本国という想像の共同体とも違う、別の共同性を持てるということなのだと思います。

**田口** 瀬戸内というある種の幻想を持つことで、尾道や今治のアイデンティティは大事にしつつも、何か共同できることが出てくると。

**宇野** 風景だけなら、いわゆる「インスタ映え」する絶景スポットのようなものとして基礎自治体の中で完結するかもしれません。でも、そこを超えて風土というところまで拡大していくと、もう少し大きい範囲で考えないと難しいのだと思います。

**井上** また西脇の例でいえば、中国自動車道沿いに広大な平野があって、そこを通じてなら、兵庫県よりは狭いけれど、佐用や多河も含めてひとまとまりになっていく感じがあります。

**宇野** 震災のとき、福島県が縦に3つに分かれているという話が有名になりました。あれなんかは、現在の都道府県よりは小さいけれど、基礎自治体より大きな「風土」の共有で分かれた区分にあたるのですか？

**井上** 会津も西会津や南会津などいろいろありますが、まとまってはいません。だけど、ある種の会津というものを共有できている部分もある。浜通りもそうですね。風土をある程度共有できるようなものとして再編していくのは、一つの方向性かもしれません。

**宇野** 今回話したミドルサイズの共同性という議論が、意外に表立ってなされていないのが問題だと思います。既存の地方創生や地方行政の議論から、すっぽり抜け落ちてしまっている。

**田口** 身近な生活の共同体をより良くしていこうと考えたとき、そのすっぽり抜け落ちているところに、避けては通れない課題がたくさん詰まっている。そうした視点を持つことで、もっと豊かな暮らしを実現するアイデアが生まれるのだと思います。

エッセイ

# 現役アナウンサーがその目で見た＃ＴＯＫＹＯ２０２０

吉田尚記

２０２１年夏、私はニッポン放送というラジオ局の社員アナウンサーとして、いい意味でも悪い意味でも歴史に残るであろうオリンピックの取材に行かせていただきました。

放送に乗せるために17日間、のべ59会場を回らせていただきましたが、オンエアできた体験はごく一部。今回、新型コロナウイルス感染症拡大防止のために無観客になってしまった現場を、生で体験できた人間はごくわずかでしょう。

そこで、「現場に行った人間だけがわかる解像度でニュアンスを伝えることこそが、ジャーナリズムの本来の意義だと思う」という宇野常寛編集長のお言葉に動かされたこともあり、本稿では他のメディアでは角が立つようなことも含め、ごく私的なオリンピック取材の体験と雑感を記させていただこうと思います。

## 「東京オリンピック破壊計画」

かつて私は『PLANETS vol.9』誌上で編まれた「東京オリンピック破壊計画」という特集に参加しています。

もう今となっては記憶にも薄いと思いますが、開会式に携わったミュージシャンや演出家がその過去の言動を指弾され、その担当を外される、というのが今回のオリンピックのトレンドの一つでした。私はオリンピック運営からギャランティを受け取っている立場ではないからそもそも問題は無いのかもしれませんが、あのときのPLANETSの記事を誰か掘り返していたら、いわゆるアクレディという許可証はもらえなかった可能性があります（笑）。

ちなみに記事の内容は、もし仮にオリンピックをテロで破壊するとしたら、どんな方法があるかを考えるというもの。東京オリンピックのテロ計画を本当に立てたら、もうすでに公表されているテロ計画というのは必ず防がれるから、むしろテロ計画を真面目に考えることはセキュリティに資するという理屈が通ったセキュリティのシミュレーション企画でした。

これは真面目に大きい課題ですが、我々の本音としては、東京を舞台に架空の戦争を描いたアニメ映画、押井守の『機動警察パトレイバー2 the movie』がやりたかった、ということに尽きます。宇野さんや他の参加者の方と、夜明けの沿岸部をロケハンしたりしました。

しかし、実際のところは意図しないパンデミックに襲われ、1年の延期、延期後も開催がギリギリまで危ぶまれる、という皮肉な成り行きになるのですが……！

## オリンピック招致<br>パブリックビューイング

ただ、それ以外にも個人的に大きな動機がありました。その動機に出会ったのは２０１３年の駒沢オリンピック公園。東京オリンピック招致のパブリックビューイングの会場です。オリンピックの東京招致が決まった総会がありました。ロゲ会長が「TOKYO 2020」と出して、開催地が決まった会です。滝川クリステルさんが「お・も・て・な・し」とジェスチャーしたシーンを憶えている人も多いでしょう。東京へのオリンピック招致を目指す人たちがこの会議を見守るパブリックビューイングが、東京都主催で行われていました。私は、その会場で司会をさせていただいていました。もちろん、オリンピック招致に熱意があるから選ばれた、などということではなく、単にイベント司会者としての業務です。

もちろんですが、オリンピックの開催地の決定に、出来レースはありません。完全なガチ。そこにいる人たち全員が、東京になるか、もしくはイスタンブールになるかは本当にわからない状態で、最後の発表を見守っているのです。あのころは日本全体で「オリンピックなんて来なくていいんじゃね？」というような気分の人も少なからずいたはず。でもそんな中で、わざわざパブリックビューイングに来る人というのは、ほぼ全員がオリンピックをかなり熱狂的に支持している人たちです。そんな人たちが会場を埋め尽くす真ん中で、司会をしてるんですね。後に「東京オリンピック破壊計画」に参加する私は、オリンピック開催については、「やってもやらなくても受け入れるよ」というニュートラルな状態でした。ちなみに、これは実際に開催される直前も、会期中も、会期が終了した後も変わりません。ポジティブもネガティブもない。

突然ですが、ここで「司会」という仕事についてひとこと説明します。司会者は、なんとなくその場をまとめなくてはいけないのです。いわば風呂敷で包む、みたいな感覚でしょうか。本来、司会者が必要になるようなイベントは、何らかのポジティブな結末につながるように意図されています。最後、みんなが納得感を持っていなくてはいけないわけです。ただ、この場合は、完全なガチ。その現場の人たちが望むとおり、東京開催という結論になれば流れに乗ればいいだけなので問題はないんですが、イスタンブールになる可能性も、充分にあったわけです。そうなると、司会者として実に苦悩することになります。イスタンブールになった場合、この異常に高まった期待感をどうやってまとめればいいかということを、おそらく会場で私だけが考えていました。もしイスタンブールに決まっても、最終的にみんなが「まあしょうがないか。納得か」と思ってもらえるために、「本当に東洋と西洋の真ん中にある街で行われる初めてのオリンピック、価値ありますよね」みたいなことを言えばいいかな、とか一人で考えてるわけです。でも私以外の人間の99%は、「東京！ 東京！」ってシュプレヒコールを繰り返している。開催地の決定を迎えるのは明け方です。夜が深まってきて、だんだん、人の思考を深夜の勢いが支配していくのをひしひしと感じながら、一人のイベント進行者として東京に決まってくれたらこの場はいいなあと思っていました。

　そして、発表の瞬間。会場のスクリーンに映し出されたロゲ会長の手から出されたのが「TOKYO 2020」というカード。カードが出た瞬間、会場を埋め尽くす歓声、圧倒的な歓喜。涙を流しながら抱き合う観客。真面目な都の職員の方が、努力を重ねに重ね招致に成功したのですから気持ちはわかりますが、私に涙ぐみながら握手を求めてきたりするわけです。このとき、私は初めて全体主義を体で感じました。イベント運営者という客観的な立場としては安堵の気持ちがほとんどで、東京で開催することに関しては、「あ、東京になりましたね」ぐらいの感想しかなく、この瞬間の歓喜の爆発に、まったく乗れなかったからです。逆に、感じたものは、恐怖。外に一歩出ると、まったく喜んでいない人たちがいっぱいいるのがわかっているのに、この場で、喜びの感情以外が許されていない、ということの恐ろしさです。自分が集団の一部になっていたら、おそらくファシズムは自覚できない。自分がどっちでもないニュートラルな立場で、全員の思想性がそろったときの恐ろしさというものを感じるところから、今回の私の東京オリンピック体験はスタートしています。

## スポーツアナウンサーじゃないのにオリンピックのレポーターとして選ばれる

　その後、スポーツ報道の仕事に従事しているわけでもない私は、ロゴ騒動や国立競技場の問題など、報道を横目で見るだけで、オリンピックとは縁遠い深夜放送を毎日担当していました。ところが2020年の初頭のある日、「今年のオリンピック、担当はおまえだから」と告げられます。狐につままれたような気持ちでした。もちろん、このときは2020年に東京オリンピックは行われるはずでした。が、時期はすでにコロナの足音が聞こえ始めた頃。もう、オリンピックに対して懐疑的な空気が蔓延していましたが、2020年前半から、IOCに取材許可を得るための情報を登録し、諸々の事務的な情報がぽつりぽつりと共有されるようになっていました。

　実は、私は2008年の北京オリンピックをやはりニッポン放送の担当アナウンサーとして取材しており、その際は競技自体の取材準備はもちろん、5ヶ月ほど自腹で中国語の会話レッスンなども受け、入念な準備をして臨みました。オリンピック取材はマスコミ人最高の仕事と考える人もいるほどで、取材準備は驚異的に念入りにやるものです。が！ 今回の2020年大会は歴史上初めての延期となり、2021年に入っても本当にオリンピックをやるかどうか直前までわからないまま進行していたのはご存じの通り。やるかやらないかもわからない仕事に対して、そうそう準備に時間を割くモチベーションも周囲の理解も得られないわけで、今回の私は時間をかけた準備をまったくできないまま、なし崩し的に開催されることになったオリンピックに突入していくのです。

　なお、なぜ自分が選ばれたのか、ということを開催直前になって聞かさ

1

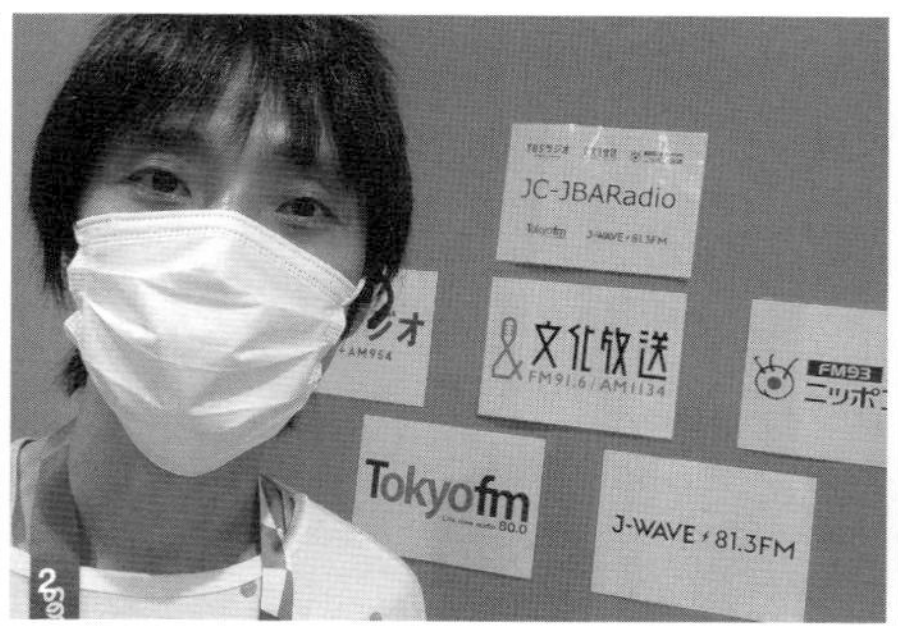


2

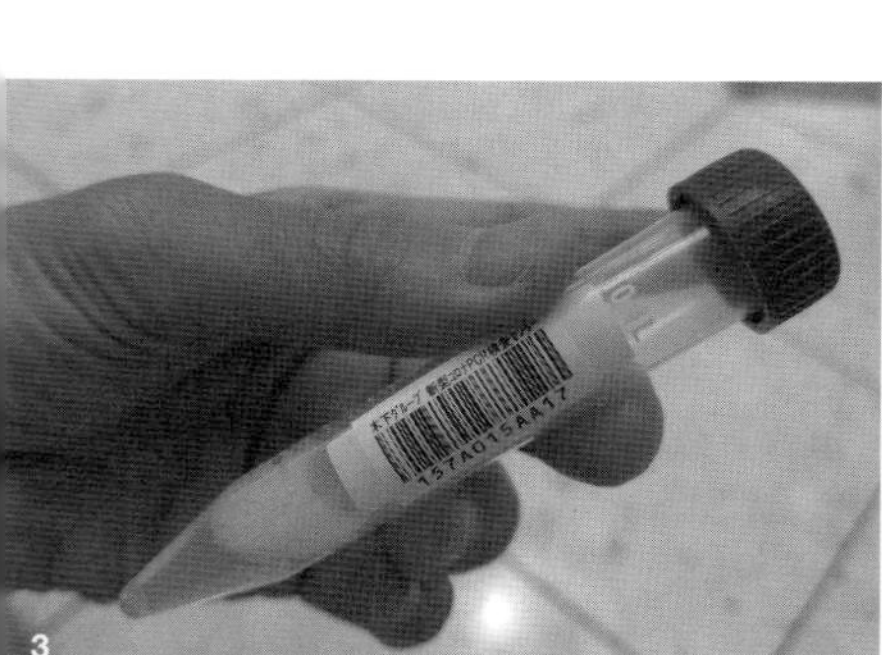

3

れたのですが、「東京出身のアナウンサーはおまえくらいしかいないから」。都市が主役になるオリンピックですから、45年東京に住み続けた人間が選ばれた、ということですね。あっけない理由です。

## 取材陣はオリンピックの現場で何をしているのか

ここで、取材陣が現場でどんなことをしているのか、一度ご説明した方がいいでしょう。まず、私は、実況などをするために派遣されたアナウンサーではありません。競技の実況そのものは、スポーツの専門の実況アナウンサーの人たちが、日本全体でJC（ジャパンコンソーシアム）というチームを作って、担当します。このJCには、NHKの人もいれば、ニッポン放送のアナウンサーもいます。そしてたとえば卓球をニッポン放送の洸川アナウンサーが実況した場合、それは、日本語の統一の実況音声として、NHKでもニッポン放送でもTBSでも流されることになります。これは、基本的に全世界的に同じやり方のはずです（他国のマスコミの事情は確認できていませんが、確実に同じでしょう）。同じ試合を日本語で10人のアナウンサーが実況するなんてことになったら、世界中からマスコミが殺到するオリンピック会場に取材陣が収まり切りません。ちなみにテレビ局もラジオ局と同様です。実況を行うのは1チーム。こちらがおそらく、皆さんが想像されるオリンピックにおけるマスコミの姿でしょう。なお、このJCに選ばれたスタッフたちは、期間中、決して自分の局のために仕事をしてはいけません。自局の放送に出ることも規制されています。

私が担当していたのは、それ以外の部分。こちらは、「ユニ」と呼ばれるチームです。ニッポン放送にオリンピックの情報を載せるための担当者です。一社のために動くので、一つという意味でユニという言われ方をします。といっても実際はラジオは各局ごく少人数の編成なので、「民放ラジオ」としてお互いがお互いをフォローし合い、どの局が取材してきた音声でも、他の局が使ってかまわない、という体制でした。もちろん、ニッポン放送以外の民放各社も同じ「各局ユニ」です。「ユニ」は競技以外のことすべて、たとえば試合が終わった後の選手へのインタビューや、当日深夜や翌日朝に行われるメダリストへの各局別のインタビュー、さらに「3×3バスケの会場ではFMのようなDJがしゃべっていて、BGMで『スラムダンク』の主題歌「君が好きだと叫びたい」がかかっていて、中国の選手が喜んでいます！」みたいなこぼれ情報を伝えるのが我々の役割です。

この「JC」に振り分けられるか「ユニ」に振り分けられるかで、取材の動きがまったく変わってきます。JCに派遣されているスポーツの専門のアナウンサーは、競技会場や、有明に設置された国際放送センター（IBC）からまったく出られません。日本の代表として歴史に残る一戦の実況を担当するわけですから、たとえば卓球の試合の担当者は卓球のことだけ、野球の担当者は野球のことだけ、あるいはボルダリングの担当者はボルダリングのことだけを調べている、というような状況になるわけです。後述するようにユニである私が60近くの会場を回ったのに対して、JCのアナウンサーに「今回何会場行ったの？」と聞いたら「わずか4会場」、というぐらい動きが違います。

## 個人的な取材活動について

では、私が会期中に行った活動について。まず、ニッポン放送ユニとして派遣されているスタッフは、アナウンサー2名のみ。アナウンサーが2名ではなく、全スタッフで2名です。さすがにテレビ局の人たちは、もっと大規模です。ユニでもアナウンサーだけで

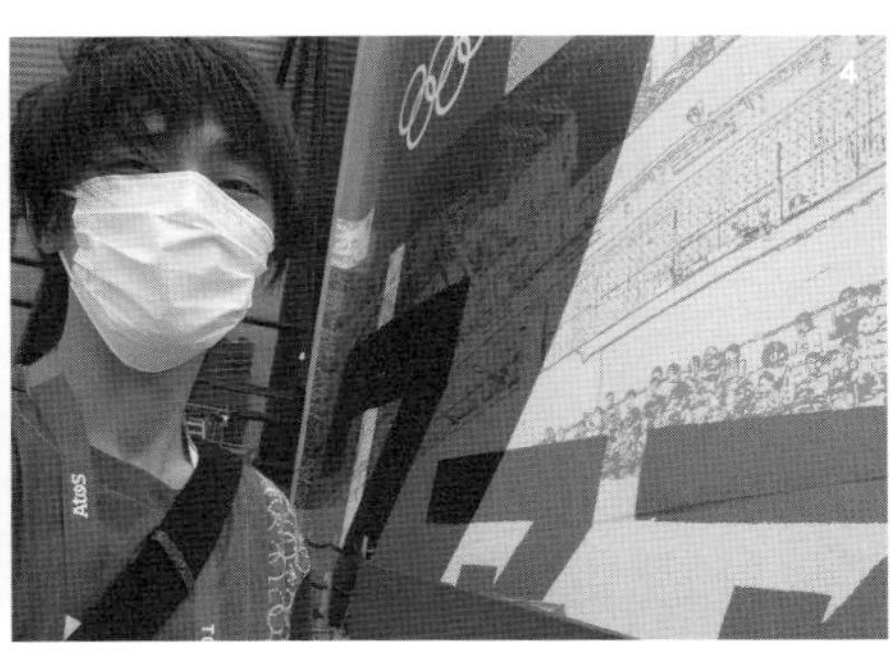

1 有明アリーナなどさまざまな競技場がある江東区の夕焼け空。　2 オリンピックの報道にはテレビ・ラジオあらゆる放送局がかかわります。私が所属したのは自局にオリンピックの情報を載せる「JBA-RADIO」というチーム。3 PCR検査キット。感染症対策は万全を期します。　4 国立代々木競技場付近にて。　5 自転車競技が行われた伊豆・三島駅にて。現地スタッフさんの対応は思い出深いです。

取材をすることはありません。カメラマンさんとディレクターさんがいるので、インタビュアーが自分でカメラを持って同時にしゃべるようなことはない。しかし、ラジオ局の取材陣である我々は、ディレクターもいなければ、ブッキングマネージメントなどをしてくれる人もいない、機材の調整やコントロールをしてくれる技術スタッフもいないというような状態で、全部の機材をアナウンサーが担いで、会場を駆け回ります。

ちなみに、ラジオでは「しゃべる」ことによって情報を放送に載せなければいけませんから、アナウンサー以外はこの仕事が基本、できません。やるとしても、ディレクターがしゃべる場面がまれに発生するくらいです。放送でほぼ24時間オリンピックの話題が出てきて、また速報性が求められることになるので、毎日、朝8時頃から夜23時頃まで、東京周辺のどこかの会場にいて、競技を見ては、選手へのインタビューを考え、録音を取って、サーバーに録音をアップし、取材の交渉をし、ほかのラジオユニチームとの情報の共有をし、試合の進行をにらみながら次の会場への移動の段取りをつけ、合間にTwitterを更新し、局の生放送担当ディレクターから進行表を受け取って打合せをし、生放送でレポートを入れる……という活動をしていました。なお、私は水曜日の日中のニュース番組と、日曜日の深夜の番組のパーソナリティをしていましたので、こちらも休まず担当していました。水曜日のニュース番組は、有明のＩＢＣのニッポン放送ブースから行っていました。ちなみに、ＩＢＣに設置されているラジオブースは、学校の部室ぐらいのスペースに、ニッポン放送も文化放送もTOKYO FMもＭＢＳも、各ラジオキー局すべてが、マイクを並べて設置している、という状態です。「あー、同じ東京ビッグサイトの東館で、自分でコミケの出展をしたことがあるなぁ」という感慨は、となりのスペースにいた中東の人などには、おそらく伝わらないでしょうねぇ。

### 17日間で59会場を巡る

そんな怒濤の17日間で、私はのべ59会場に足を運びました。もしかしたら、世界中のメディアでも一番多くの会場に足を運んでいる人間かもしれません。

それができたのは、東京の地理に明るく、なおかつ、私は普段からのユーザーとして、自転車で移動していたからです。もちろん、取材用のシャトルバスもありますし、通常の交通機関を使うこともできるのですが、多くの会場が設置されている湾岸部や東京都心は、自転車がとても有効です。

一緒に取材していた大泉アナウンサーに聞いて気がついたのですが、普段スポーツを担当している彼は、野球が開催されていた横浜スタジアムには何百回も行っていますが、バスケが行われていたさいたまスーパーアリーナには今回初めて行った、とのこと。一方、普段アニメやアイドルのイベント現場にばかり行っている私からすると、今回の会場は、武道館、東京体育館、幕張メッセ、有明コロシアム、東京国際フォーラム、武蔵野の森総合スポーツプラザ、そしてＩＢＣが設置された東京ビッグサイトはまさにコミケの会場、などなど、オタクがよく足を運ぶ会場ばかり……！

同じ日に、武道館で素根輝選手の金メダルを目撃してから、幕張メッセでフェンシング男子団体エペの金メダルを目撃したときに、他のメディアに「どうしてそんなことができたのか?!」と驚かれましたが、それは、武道館から東京駅の京葉線の改札までたどり着くには、自転車が圧倒的に早い、と知っていたからですね。

そして、局の代表として取材させていただいているので、局の意向、ひいては無邪気なリスナーのニーズに従って取材をすることになります。その場

6

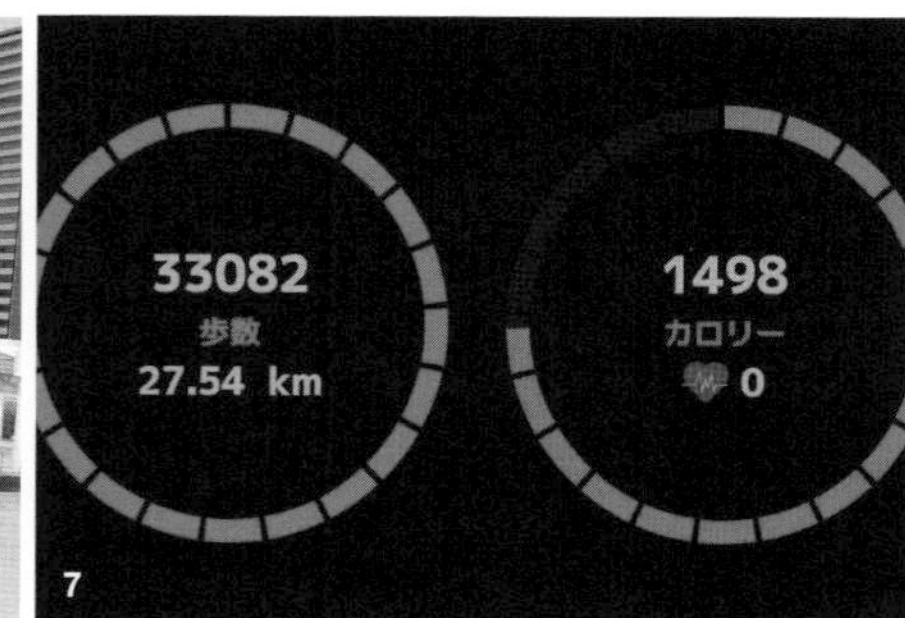

7

8

合の活動原理は、「日本人選手のメダル獲得シーンを見逃さない」。とてもシンプルで無邪気なルールです。前日までの競技の分析に基づいて、当日メダルを取れそうな競技会場に向かいます。予想外の競技で快進撃が始まれば、予定を変更して急行、とやっているうちに、気がつけば59会場を回っていました。金メダルの現地目撃数は17個です。

ただ、メダル獲得が期待される日程以外では、多少自分の裁量で動ける部分もありました。圧倒的に見る機会が少ない近代五種などは、まず今後一生見られないだろうと思い、自らの意志で取材に行っていました。初日の総当たりのフェンシングラウンド、1日で1260試合が行われる様は圧巻でした。

場内で行われていた競技の内容、そしてそれにまつわるドラマに関しての報道は他に数多あるので譲りますが、オリンピック、競技スポーツに対するシンプルな驚きは、たくさんありました。フェンシングの面白さ、BMX競技の迫力、アーチェリーの緊張感、スポーツとして進化していた柔道、などなど。メジャー・マイナーにかかわらず、スポーツの魅力は普段門外漢の私でも、ストレートに感じることは多々ありました。

## オリンピックはワンダーランド

では一方で、世界最大級のスポーツイベントとしてのオリンピックの特徴は、どんなところにあったか。私の体感で恐縮ですが、こんな、不思議なイベントはなかなかありません。最大の特徴は「みんな初めて」。選手も、運営に関わるスタッフも、取材するマスコミも、世界中から集まっている上に、「去年もやったのでわかってます」ということがないわけです。またオリンピックのために作られた本格的な運用が初めての会場も少なくなく、なおかつ屋外競技になると天候にも左右されます。今回は、スケートボードやBMXの会場は、記者席の気温が手元の温度計で48℃を超えている、なんてこともありました。こんな状況なので、なんだかわけのわからないことがいっぱい起きて、そこに人間的な隙間が生まれます。

たとえば、選手が出てくるミックスゾーンというところが、ユニの我々の重要な仕事場です。選手が試合を終えた後に、自分の控室に戻るまでの間に、必ず通らなければならない場所が、各会場に設置されています。大会期間中厳しく管理されている選手との、ほぼ唯一の接点であり、試合直後というもっともインタビューの価値の高まる場所でもあります。ここでの取材競争は当然熾烈なものになるのですが、ここのインタビューがどういうシステムになっているかというと、すべての会場でペン記者とテレビ記者に分かれています。ただ、ここで「ラジオ」というゾーニングは、会場には設定されていない場合がほとんど。ここで、ある会場では「カメラないの？　じゃあペン記者で！」と言われるし、「放送でしょ？　じゃあテレビと同じ扱い！」とされたり、逆に、「ペンでもテレビでもないじゃない、どっちもダメ！」とされる会場があったり、「ラジオ！　私ラジオ大好きなんだよ！　カメラの邪魔にもならないから、一番良い場所でどうぞ！」と言ってくれる会場のマスコミ担当者がいたりもする。この会場はこっちでいいって言われたのに、こっち行ったらダメと言われる。交渉して入れてもらえることもあるかと思えば、交渉しても結局ダメな場合もあります。初日は取材ができたところが、最終日になると取材ができなくなっていたり、またその逆もあったりしました。

そして、オリンピック取材には、「ハイデマンド」というシステムがあります。開会式や閉会式、さらに陸上競技や体操、水泳やバスケットボールなど、

10

9

6 選手村がある中央区の築地大橋。　7 のべ59会場を回り、移動距離もとんでもないことに。　8 トライアスロンやビーチバレーといった野外スポーツが行われたお台場。　9 1964年の東京オリンピックで初めて正式種目化した柔道の競技場・日本武道館。　10 自転車競技(BMX)を観戦しようと橋の上に集まる人々。

オリンピックでも特に注目を集める競技は、取材陣だけで会場が一杯になってしまうので、取材パスだけ持っていても会場には入れず、加えてチケットも持っていなくてはいけない、というルールがあるのです。これは、北京オリンピックの際も存在していたルールでした。

ただ、今回のオリンピックは、無観客。であれば取材に自由に入れるのかと思ったら、開会式のときには厳密にハイデマンドルールが運用されていたようなのですが、会期が進むにつれ、「ハイデマンド解除」という明白なアナウンスがないまま、いつのまにかどんな競技でも取材ができるようになっていました。私はほとんどの陸上競技の取材は国立競技場の最前列で見ていました。もしチケットが必要だったら20数万円ほどの値段になるはずだったのですが、そのシステムが途中で崩壊していて、しかも崩壊したという連絡がどこにもないんです。

ただでさえ、完全に前例を踏襲することができないという意味でオリンピックはワンダーランドであると言えますが、今回はさらに「無観客」という未曾有の状況が加わり、そのワンダーランドっぷりに拍車がかかっていました。正直、怒りのようなものはまったく感じず、多くの人が様々な意図をもってわさわさ運営している人の営みが、もう、愛おしくすらありました。

## 素のオリンピック

ここからが私が独自に感じ、考えたことです。今回は、看板こそ「TOKYO 2020」と銘打った大会で、場所としては東京という都市で開かれてはいましたが、ほとんど無観客であったことを鑑みると、事実上、日本のオリンピックではありませんでした。各会場に入ってしまうと、客席内は関係者しかおらず、行われている競技のレベルの高さを除けば、いわば部活の大会のような空気。運営側に目を向けても、ボランティアや運営スタッフこそ日本人が大半ですが、各会場を取り仕切るベニューマネージャーやマスコミ担当者は日本人ではありませんし、日本人の自己主張の奥ゆかしさと相まって、特定の国の色を感じない、ニュートラルな「素のオリンピック」でした。

なので、競技によって人気のある国が違うので、集まるマスコミの国もまったく変わってきます。たとえば、柔道の会場だとどこよりもフランスのマスコミが騒いでいるし（もちろんそもそも声を出すことは禁止されていましたが、そんなルールに従ってくれるほど世界各国の人はヤワではありません）ＢＭＸの会場ではブラジルの

「TOKYO 2020」の横断幕。街中がオリンピックムード一色……というわけにもいかず、独特な存在感です。

メディアのボリュームがすごい。アドバンテージ的な意味で言えば、柔道のホームはフランスでしょうし、ＢＭＸのホームはブラジルでした。ほかには、レスリングだと、たしかウクライナとドミニカ、キューバなど。意図せず、本格的に「素」だった今回のオリンピックで、強烈に私が感じさせられたのは、いま、よく言われる「多様性」というものの正体でした。

## 多様性は住みづらい

　多様性が実現された社会、とみんなお題目のように言うので、より良く暮らしやすくなった世界のことを想像している人が多いと思います。私がオリンピックで体感した多様性は、まったく逆。多様性に対する我々の経験値の低さと、多様性というものを想像することもできない人たちがいるという事実を、今回のオリンピックで突きつけられました。たぶん多様性が実現された世界というのは、現在多数派の人たちにとっては暮らしにくい世界のはずです。少なくともモヤモヤしまくる世界。多様性を実現するとは、今まで少数派の人たちに押しつけていた不都合を、このままマイノリティに背負わせていては不公平だから多数派も負担する、ということです。だから、多くの人にとっては、むしろ暮らしにくいはずなんです。

　たとえば国立競技場で陸上競技を取材していたときにこんなことがありました。陸上は中国が決勝進出していた競技なのですが、中国チームが活躍するときにだけ反応するメディアの人がいたんです。その人たちは最前列に陣取って、他の競技が行われている間は耳にAirPodsを入れてずっとノートパソコンだけを見ていました。我々も、次の日の取材申請とか、スタジオから来ているキューシートだとか、たしかに競技場内でも果てしなく仕事はあるので、競技の合間にパソコンを操作するのはわかります。しかも食事する時間もないのも同じですから、飲食禁止とはいえ、こっそり食事をするのもわからなくはないのですが、そこにバナナを持ち込んで、こっそりでもなくモリモリ食べて、そこでパソコンの画面を見ながら目の前のドリンクホルダーにバナナの皮を捨てていたりするんです。マナーが悪い。マナーの悪さの極みだったのは表彰式の最中でのことです。陸上競技は段取りが不思議で、他の種目をやっている合間合間に他の種目の表彰式をやるんです。表彰式の際には、金メダルの国の国旗が掲揚されて、国歌が流れます。その際、会場のアナウンスで、マスコミだろうと何だろうとご起立くださいと、必ず英語で

夜間にライトアップされる新国立競技場。

も言われます。という状態で、世界各国、ほぼすべての人が立ちあがります。立って、あのときはたしかケニアの国歌が流れる中、私はマナーだと思うから立つんですが、マナーの悪いメディアの人は一切無視して、耳にAirPodsをはめながらパソコンに向かい続けているんです。ここで、「これは良くないんじゃないの?」と思う自分はいるんですけど、ここで「お前もやれよ」と言うのが、多様性の世界では一番やっちゃいけないことなんだ! これか! このモヤモヤ感が多様性なんだ! という具体的な問題に、人生で初めて直面しました。

また、幕張メッセのレスリング会場で、あれはたぶんキューバかドミニカのメディアなんですが、さっきも述べたとおり、会場ではペン記者とカメラ記者で席が分けられています。私の目の前で、何回注意されてペン記者の席から追い出されても、何度でもペン記者の席に来てしまう人がいたんですよ。こういうルールを守らない行動は日本人からするとストレスでしかない。でもどうもそのペン記者の席にいる記者と友達らしくて。そういう自分の友達を大切にする気持ちのほうを、オリンピックのルールよりも優先してしまうメディアがこの世にはいるんです。でもそういう人たちに「ちょっと競技が見えないです」というようなことを伝えると、めちゃくちゃ丁寧に「ソーリー」みたいなことを言って、どいてくれるんですよ。悪い人ではないんです。だいたいそういうマナー違反をする人は、これまでの均一的な近代社会の感覚からすると、傍若無人な振る舞いをする悪い奴だとみなされがちでした。そして彼らを悪い人間として排除する、もしくは更生を促すべき、とされていたはずです。ところが、さほどの混乱をもたらさない程度のルール違反であれば、友達を大切にすることの方を優先して機転を利かせて当然。そこに悪気はない、という価値観もこの世に存在する、ということを目の当たりにしたわけです。

これを見て「イラッとしたが、言ってはいけなかったので、つらかった」という話を放送でしたところ、8割から9割の人は「イラっとするのにお前なんで何も言わないんだよ」という反応でした。「不正義に注意もできない軟弱もの」みたいなリアクションが来るわけです。このときに「不正義」というワードが出てきて改めて思ったのですが、「正義」が自明なものだと思い込むことこそが危ういという感覚が、どうやらまだ一般的ではないようです。絶対的な正義なんか、この世にない!

会場周辺、警備に派遣された警察たち。

コロナ禍でなければ東京のあちこちで同じようなことがきっと起こっていたはずです。飲食店やホテル、ゲームセンターなどそこかしこでいろんなトラブルが引き起こされていたのでしょうが、実は日本に必要なことだったのではないでしょうか。それを体感して、「この感覚の正体はなんだろう」とみんなが思うことが本来は必要だったと思います。市民レベルでは日本人はすごく大きい機会を逃してしまったのかもしれません。社会的なハンディキャップを解決するために、すでに人類が選択した多様性という概念は、「お前そんなことすんなよ」と言った時点で崩壊してしまう。その事実を、世界中のメディアが集まるオリンピックの現場で、肌で感じました。旧世代の人間からすると「うわ、こんな奴いる」と少しイラっとしてしまうんだけど、「これはイラっとするこっちが悪いんだ」と思い直すという、精神的なトレーニングをさせられた気がするんです。

## 日本人が逆にどう思われているか

さて、ことほど左様に、世界中には様々な価値観があふれています。中国人は傍若無人と感じる人もいるかと思いますが、ある意味合理的とも言えます。この多様性の観点から日本の価値観を国レベルで見たときに、日本がもっとも強く持っている特徴は、同調圧力でした。

金メダリストが、授賞式に向かうミックスゾーンで3分だけしゃべるといったときに、集まったマスコミのあうんの呼吸感が他の国とまったく違いました。「いまこの記者がこれだけしゃべったから、次の質問は別の記者が出るな」というような感覚を使いこなすのが、日本人はとてもうまい。空気を読むことを是としているわけではないんですけど、空気を読まない人間はマスコミの中で後々仲間に入れてもらえなくなるということもあり、この空気を読む同調圧力はとても強く、またある種の日本独自の強みとして機能しています。

このことと直接結びつくかどうかはわからないんですが、「一本締め」という習わしがありますよね。「よーっ、ポン」というやつです。これができるのは世界中で日本人だけなんです。ワンツースリーフォー、とカウントを取るなら世界中の人ができるんですけど、「よーっ」で合わせることができるのは、日本人だけ。我々はこの空気に基づいていろいろな集団活動を営んでいます。ただ、これが世界からどう見えているかというと、おそらく「あいつらめんどくさい」です。これはオ

有明の会場付近より、東京湾を展望。

リンピックとは別のところで聞いた話ですが、中国の人に言わせれば、日本人に対して一番思うのは、「そんなことをやって何になるの?」というようなことをずっとやっているように見えるのだそうです。日本に住んでいて「めんどくさい、意味ないだろそんな行動」と思ったことがない中国人はいないと言われました。だろうな、とは思います。ただ我々からすると、言語化されなくとも集団活動の円滑化に必要な調整が常に行われている。これは日本人はとてもうまいんです。この強みが、多様性を受け入れるときにとてつもなくコンフリクトします。ある種の同調圧力でものごとをうまくやる力を我々は放棄するのかということが、多様化が突きつけられている時代の、本質的な問いだと思います。

## 時代はとっくに変わっていたことの発表会

また、つくづく実感するのは、「時代はとっくに変わっている」ということの発表会が今回のオリンピックだったということです。時代が変わってることに本当に気づいていないのか、そう思いたくないのか。今回は気づいていない人たちに主導権がまだありました。ただ、時代はグラデーションをもって変わっていく。2割ぐらいが本当に気づいていなくて、8割は気づいてるんだけど、やり方がわからないので旧来のままだったのではないかと感じます。

その2割に属する意見としては、開会式や閉会式の入場行進を見て、「あんなにダラダラ入場してくるなよ」と。「何スマホで撮りながら入場してくるんだよ」というものでしょう。「まとまった行進をすべきだ」という意見は、一律のモノを提供できることが「豊かさ」を表現していた時代の価値観で、まさに前回の東京オリンピックの際に実現できた価値でしょう。ただ、現代は、みんながバラバラに好きなことをできるのが、「豊かさ」なんだと思います。

## 若いアスリートのスピーチが異常に優秀(と同時に画一的)

その一方で、若い世代は、とてつもなく優秀でした。今回のオリンピックで、アスリートにインタビューする場に何十件と居合わせましたし、かなりの数のアスリートとは、直接言葉も交わしました。当然ですが、競技スポーツの選手ですから、ほとんどが10代か20代なんです。実はこれだけ多くの10代・20代の人々がメディアで、もっと言うならテレビでしゃべっている機会というのは、近年あまり見かけなかったことだと思います。いまやテレビバラエティで20代の芸人を目にすることすら珍しい。そんな中、今回10代20代の人間がいっぱいしゃべるところに居合わせて思ったのが、みんな社会的状況をしっかりと肌で感じていて、聞かれている場所がパブリックスピーチをする場であることもわかっていて、今回、おそらくインタビューで反感を買ったり、炎上させたりしたアスリートはいなかったはずです。

全員が公共的に正しいことを抜け目なく言う。「こんな状況でオリンピックを開催してくれてありがとうございます」「私がこの競技をできたのは支えてくれた皆さんのおかげです」と。この要素に触れなかったアスリートはほぼゼロです。裏を返せば、この二つの要素を口にしなければ足下を掬ってやる、という意地悪でSNS的な悪いポリコレムードがあったということだと思うのですが、そんなことに引っかかるようなメディアリテラシーの低い選手はいませんでした。異常に優秀。自分がやっていることを通して感動してほしい、なんて、上滑りしたコメントすらほぼ観測できませんでした。ただ、「開催してくれてありがとうございます」という言葉の裏の意味を読めば、「余計なことしないでくれてありがとうございます」という意味にも感

じ、上の世代のダメさをうまいことやり過ごす若い世代の力の高さというものを、まざまざと見た気がします。

ただ一方で、判で押したように、傾向と対策ができすぎていて、パブリックな場所でのインタビューには、思想性としてはほぼ意味がなくなってしまった時代なのかもしれません。本音は、インスタに、メディアは入れない選手村の写真とともに、本人のコメントがアップされていたりしますから。

上の世代のダメさを若い世代が軽やかにやり過ごしていくのが、今回の基本構造だったのではないでしょうか。

## 女子ボクシング界の大器・入江聖奈選手について

その、「傾向と対策」を超えて、さらに時代の先を感じさせた大器が、女子ボクシングの入江聖奈選手でした。直接、ラジオの1対1のインタビューでもお話を聞きましたが、一言で言って、彼女はオリンピックで金メダルを取ることで、人生が変わると思っていないんです。カエルが好き、みたいなプロフィールはかなりメディアでも伝えられたかと思いますが、金メダルを取った直後に、「大学でスポーツ選手はやめます、これから就職活動します。カエル関係の仕事はありませんか？」なんてことを会見で述べていました。一言で言うなら、「やりたいことやりました、結果が出てうれしいです。以上。じゃあね！」という印象です。事実、今回もっともポジティブに受け入れられた選手の一人でしょう。先ほど言及した若い世代のアスリートの優秀なスピーチは、評価経済のゲーム内で得た、金メダリストという高い価値を毀損しないように、アナウンサー的な、守りに入った毒にも薬にもならないコメント、とも言えます。一方で、入江選手の場合は「もう評価経済のゲーム、マジどうでもよくないですか？」という問いを突きつけています。でありながら、まったく攻撃的ではない。評価経済の真ん中の真ん中、オリンピックの金メダリストから、評価経済から自由な人が現れたのは、とても痛快でした。

## 有観客会場の意味

そして最後に、この話をお伝えしたいです。

今回、ほとんどの会場は緊急事態宣言下の東京・千葉・神奈川・埼玉で、無観客開催だったのですが、静岡県は緊急事態宣言下ではなかったため、自転車競技の行われた伊豆ベロドロームは有観客での開催となりました。

そこへ取材に行ったときに、今回、全体的にもやもやさせることばかりだったオリンピックの印象ががらりと変わりました。会期もかなり終盤の14日目に行ったのですが、まず「おもてなしでなんとかしたい」という純粋な気持ちでオリンピックに臨んでいる人が本当に存在するのか、少なからず疑っている部分がありました。みんなうんざりしながらやってるんでしょ、と。

それが、有観客で行われた伊豆のオリンピック会場には、善意が満ち溢れていたんです。これにはちょっと胸を打たれました。まず新幹線で三島まで行って、その後伊豆箱根鉄道（伊豆鉄）に乗って、伊豆鉄駿豆線の修繕寺駅からバスで移動。新幹線で三島の駅を降りた瞬間に、炎天下にボランティアのあの青いポロシャツを着て帽子をかぶった人たち、老若男女、あらゆる世代が、1メートルごとに立っているんです。何かにつけて、一つ一つ細かく教えてくれます。新幹線を降りてそこから伊豆鉄に乗り換えるのですが、「すみませんどうやって行けば……」と尋ねると、「ここはSuica使えないので現金だけで申し訳ないんですけど」と言いながら「こちらでこれを買ってこうで……」と、手順を全部教えてくれる。伊豆鉄を降りると、今度は「会場内も暑いので保冷剤を持っていってく

**11** トライアスロンのコースを片付けるスタッフさん。沿道の人出はすごいことになっていました。　**12** バドミントン、近代五種などが行われた武蔵野の森総合スポーツプラザ。　**13** デモらしきものが行われている有明体操競技場付近。　**14** スケートボード・BMXなどが行われた、有明アーバンスポーツパークの駐輪場内。　**15** ビーチバレーが行われた潮風公園、関係者入口。ここからマスコミも関係者も入ります。

ださい。こちらペットボトルのお水も差し上げたいんですけど、中の会場に一本しか持っていけないので、もしお持ちだったら今のうちに空のやついただきますから。こちらにお乗り換えのバスがあります。すみません、ソーシャルディスタンスは2メートルぐらいとってくださいね」と、老舗旅館の従業員のような人たちが何十人もいるんです。「おもてなし」という言葉には、「滝川クリステルさん、ノリで言ってますよね～」なんて印象を抱いていましたけど、それを純粋にやれる人たちは、日本にはやっぱりまだかなりいる、というのを実感させられ、感動しました。

そして、会場に着いてみると、二人の子どもを連れたご家族が、もちろん自転車競技なんて一度も見たことないけど、おらが街でオリンピックをやると言うから、抽選に当たったので大喜びで見に来て、子どもたちは無邪気に「TOKYO 2020」と書かれたTシャツを着て、ぼんやりしていたりする。確実に、この子たちは一生このことを憶えているだろうな、と思うと、こういう意味でも、無観客開催であったことで失われたものは本当に大きかったな、と思わざるを得なかったのです。

今の資本主義社会は分厚い中産階級が解体されてしまったということがよく言われていますが、やはり世界の中では日本はまだ相当分厚いほうだと実感しました。そういう人たちが、オリンピックという古き良きものにポジティブなフィードバックをしたい、力を出したいという善良さが、間違いなく存在します。でも本当にこの善良な人たちは、サイレントマジョリティーです。表だって、自らの存在を誇示することはない。そんな局面もまずないからです。このサイレントマジョリティーが、もしかしたらコロナがなければ、このオリンピックというきっかけなら国民的なレベルで顕在化したかもしれない。そうなったら、いろいろと未来に対して希望を持つことができたかもしれない、と感じた点も、改めてもったいないと思わざるを得ないのです。

私は、冒頭で述べたとおり、はじめから一貫して、オリンピックに対してニュートラルですが、オリンピック反対派の人たちの本質的な失敗は、「せっかくオリンピックが来るんだからみんなで楽しくやろうよ」という善意の人たちに、「やめようよ」とみじんも思わせることができなかったことだと思います。

個人的に今回の体験を総括すると、多様性の時代、おそらく、正義は機能しないどころか害になり、善意が価値を持つ、のではないか、という実感を得ます。

「愛は世界を救わない、親切が世界を救う」という言葉を聞いたことがありますが、まさに。多様性、包摂、ダイバーシティ、インクルージョン、と、オリンピックの理念としてもよく言われる言葉ですが、シンプルに「善意と親切」こそが、大切で、機能する価値観なのではないでしょうか。

18

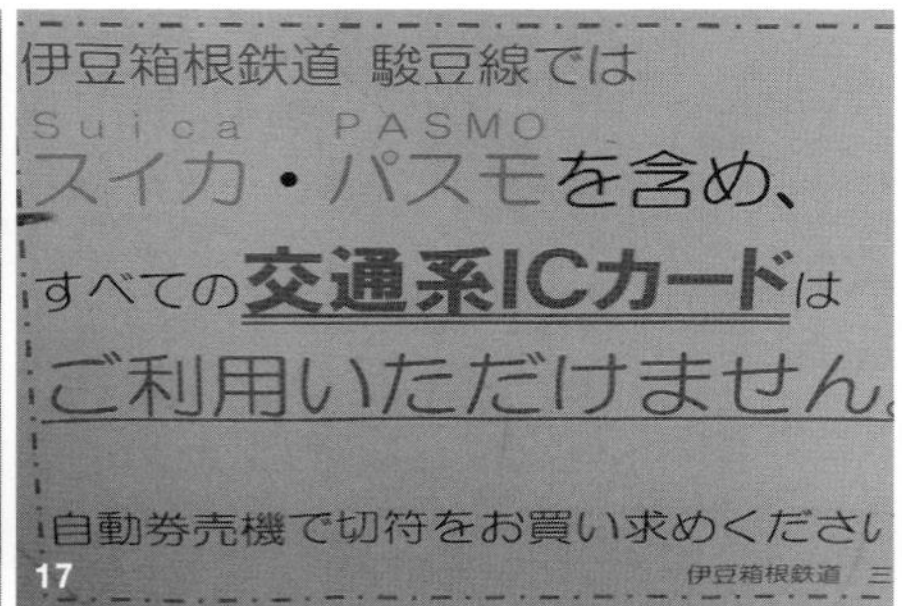

17

16

**吉田尚記（ニッポン放送アナウンサー）**
1975年、東京都生まれ。慶應義塾大学文学部卒業。ニッポン放送アナウンサー。ラジオ番組でのパーソナリティのほか、テレビ番組やイベントでの司会進行など幅広く活躍。また漫画、アニメ、アイドル、デジタル関係に精通し、「マンガ大賞」発起人となるなど、アナウンサーの枠にとらわれず活動を続けている。2012年に第49回ギャラクシー賞DJパーソナリティ賞受賞。著書に『なぜ、この人と話をすると楽になるのか』（太田出版）、『元コミュ障アナウンサーが考案した 会話がしんどい人のための話し方・聞き方の教科書』（アスコム）など。Twitterアカウント @yoshidahisanori

**16** セーリング競技が行われた江の島ヨットハーバー。 **17** 伊豆箱根鉄道駿豆線の注意書き。切符専用車両の乗り方も丁寧に教えてくれました。 **18** 伊豆箱根鉄道車両、某アイドルアニメのキャラクターとともに。 **19** 都心中の会場を回る際に乗っていた自転車。心なしかぐったりしているような……。

［連載］

# 世界文学の制作

## 第二章 指し示すこと、物語ること

福嶋亮大

### 1 心の同調

小説を主題とするとき、言語よりも心に注目するのは、いささか素朴に思える。虚構の登場人物に心的に共感できるとかできないとか、そのようなことばかりこだわる読み手は、いかにも素人くさい。しかし、登場人物の心をわがことのように感じる感情移入が、小説の根幹にあるのも否定できない。それが示唆するのは、小説が読者との心の同調を必要とするということである。

そもそも、心の同調は、コミュニケーション一般の成立する要件でもある。話者が指示する対象に、受け手がまったく同調の姿勢を示さなければ、会話は成立しない。コミュニケーションを続行するには、相手の意図を読み取ろうとする相互の協力が不可欠である。認知心理学者のマイケル・トマセロの仮説によれば、この協力に基づくコミュニケーションの起源にあるのは、幼児の身ぶりや指さしである。

トマセロは幼児の指さしについて「認知的に豊かで利他的な動機を持つ」と見なしている。指さしには大別して、外界の対象を共有しようとする「陳述的機能」と、何かを要求する「命令的機能」がある。幼児は言葉を話すようになる前から、手ぶりや身ぶりで外界を指示し、大人に対して共有や要求の意志を伝えながら、共通理解の基盤を築いてゆく。類人猿と比較しても、これはきわめて特徴的なコミュニケーションのスタイルである。[*1]

私も自分の息子が、誰に教わるまでもなく、指さしをしきりにやり始めたことには驚かされた。そして、そのジェスチュアには明らかに、自分のものの見方を大人に教え、共有しようとする意図がある。しかも、彼は現前する知覚可能なモノだけではなく、不在の祖母や音だけ聞こえる飛行機をも指示しようとする。ここに想像力（不在のものを現前させる能力）の萌芽を認めても、さほど的外れではないだろう。子どもは一歳の段階で、大人から教育されるだけではなく、指さしや身ぶりを通じて大人を教育しようとするのであり、その途上で現前しないもの――広く言えば「虚構」――を指定する術を身に着けてゆく。トマセロはそこに、人間のコミュニケーションの起源を認めたのである。

## 2 協力的なコミュニケーション

幼児の指さしは、大人の心的な同調を期待している。幼児は大人たちが指さしに何とか反応しようとすることを知っており、だからこそしきりに対象を指示し、大人とそれを分かち合おうとする。トマセロによれば、人間の共同生活の地盤にあるのは、他者の意図を推測し、かつ他者に利益を与えようとする利他的な心のあり方であり、言語的なコミュニケーションもそこから派生したものである。人類は協力的なコミュニケーションを土台に進化してきたからこそ、今のような言語を生み出せたのであり、その逆ではない。

では、他者にメッセージや注意を伝え、情報を共有しようとする協力的＝利他的なコミュニケーションの代わりに、競争的なコミュニケーションが人類を支配していたとしたら、どうなっただろうか。トマセロの考えでは、そのとき、言語の形式はわれわれの想像を絶したものになる。

> さらに注意を引くのは、もしも協力でなく競争というコンテクストで進化していたなら、人間の「言語」はどんな風になっていただろうか――それを「言語」と呼びたいなら、の話だが――と想像してみることである。この場合、共同注意も共通基盤もないことになるから、指示するための行為を人間のようなやり方では行えなくなる。とくに視点や、その場に存在しない指示対象に関してはまず無理である。お互いに協力的であるという想定の下での伝達意図は存在しないし、それゆえどうしてある人が自分とコミュニケーションをしようとしているのかを一生懸命に見つけようとする理由もない――またコミュニケーションの規範もない。慣習とは人々が協力に基づく理解と関心を共有している場合にしか生じないものだから、慣習もないことになる。[*2]

この「仮想上の競争的な『言語』」は、今の言語とは似ても似つかないものになるだろう。トマセロによれば、それはフィクションも生み出せないし、協働の道具にもならない。そこからは慣習も発生せず、他者の意図を読み取ろうとする動機も生じない。このような競争的な言語でもコミュニケーションは可能かもしれないが、それは協力的な言語によるコミュニケーションに比べれば、ひどく貧弱なものとなるに違いない。

トマセロが言うように、われわれの言語は進化的に獲得された「生活形式」（ヴィトゲンシュタイン）に深く依存している。言語は決して無軌道に進化したものではなく、協力的なコミュニケーションという古くからの生活形式によって、あらかじめレールが敷かれている。いわば肺がなけれ

**福嶋亮大**（ふくしま・りょうた）
1981年生。文芸からサブカルチャーまで、東アジアの近世からポストモダンを横断する多角的な批評を試みている。著書に『復興文化論』（サントリー学芸賞受賞作）『厄介な遺産』（やまなし文学賞受賞作）『辺境の思想』（共著）『神話が考える』『ウルトラマンと戦後サブカルチャーの風景』『百年の批評』がある。

＊1 マイケル・トマセロ『コミュニケーションの起源を探る』（松井智子＋岩田彩志訳、勁草書房、2013年）105頁

＊2 同右、306頁

ば呼吸できないように、利他的な振る舞いへの傾きがなければ言語も成立しない。意識的な選択以前に獲得されたプログラムが、われわれのコミュニケーションを条件づけているのである。

ブルガリア出身の思想家ツヴェタン・トドロフにも、似たような考え方がある。トドロフによれば、なぜ人間は社会を作るのか（ホッブズ）とか、社会への欲求はどこからやってくるのか（ショーペンハウアー）とかいう問いには、意味がない。なぜなら、人間は好むと好まざるとにかかわらず、社会なしでは生存できないように、進化してきたからである。

> 人間が社会をつくって生きるのは、利欲によって、美徳によって、あるいは——それが何であれ——別の何らかの理由の必然によってではない。人間が社会をかたちづくって生きるのは、彼らにはそれ以外に可能な実存形態がないからである。[*3]

トドロフが言うように、対他関係は自我に先立つ。これは、協力というコンテクストが言語に先立つというトマセロの見解と符合する。社会的な協働は生存上捨て去ることができない初期値として、人類に与えられた。この個々人の選択以前の規格化はある意味では理不尽であり、それゆえときに強いストレスをもたらす。人間がカントの言う非社交的社交性、すなわち「社会を求めかつ社会から逃れようとする、その矛盾した傾向」（トドロフ）に深く囚われているのも、この理不尽なデファクトスタンダードゆえである。

## 3　痕跡とドメイン——小説における指示

繰り返せば、小説は外界をしきりに指し示し、読者の心をそれに同調させる。これが、ここまで述べた協力的なコミュニケーションの派生物であるのは明らかである。子どもが指さしで大人にものを教えようとするように、小説もものごとを指示して読者と共有する。見返りを期待せずに、世界の一部をしきりに共有しようとする小説には、読者を無条件で歓待するプログラムがもともと備わっている。

ただ、小説が協力的なコミュニケーションに根ざすことは確かだとしても、その指示と共有はたんに「共同生活」に役立つだけではない。小説における指示には、たんなる利他的な振る舞いに還元できない余剰がある。ここでは二つのポイントを挙げておきたい。

### （α）痕跡

第一に、小説において指示されるのは、知覚できるモノではなく、あくまでその痕跡である。ちょうど水上の航跡が船のありさまを想像させるように、行為や言葉の記録は、人物や事物の存在の痕跡として、その主人のありさまを想像させる。小説の読者は、想像力（Einbildungskraft／像を作る技能）を活用して、痕跡の本体を思い描くように誘導される。ためしに、あるＳＦ作品の冒頭を引用してみよう。

> ライジ・ベイリは、デスクのそばまで来てはじめて、R（アール）・サミイが用ありげに彼を見まもっているのに気づいた。
> 面長なライジの、気むずかしい顔がこわばった。「なんの用だ？」[*4]

ベイリやサミイが何ものかは、この書き出しの時点では判然としない。サミイはロボットなのだが、それは後になって明かされる情報である。この場面では、ベイリやサミイのごく限られた痕跡――デスクのそばまで来る、見まもる、顔がこわばる――だけが読者に与えられている。「気むずかしい顔」という言葉は、無数にある顔のイメージをどのように絞り込めばよいか、その推論の手がかりを読者に示すが、顔を確定する情報ではない。

読書とは、言葉として残された痕跡をヒントにして、人物や事物のありさまを推論するプロセスである。しかも、どれだけ物語が進展しようと、この推論のプロセスには終わりがない。なぜなら、痕跡が知覚可能なモノとして確定されることは、小説では決して起こらないからである。読者は痕跡を集め、そのもとの姿を想像力によって復元しようとするが、それでもそこには必ず不確定なものが残る。登場人物とはいわば確率論的な揺らぎを含んだ雲であり、読者は推論を重ねて、この雲に一時的な輪郭線を与える。

### （β）ドメイン

第二のポイントは、小説による指示の手法はさまざまということである。小説には会話があり、独白があり、場面や心理の記述がある。小説は歴史的には新参者であるにもかかわらず、あっという間に文学の場をハイジャックし、ウイルスのように世界じゅうに広まっていった。この文化的なパンデミックの一因は、何よりもまず、小説における指示の性能が近代世界の複雑さに対応していたことにあるだろう。

明治の坪内逍遥は、日本人にはまだ見慣れなかった小説について、単純明快な診断を下している。「小説の主脳は人情なり、世態風俗これに次ぐ」（『小説神髄』）。逍遥が言うように、小説の核心は、主観的な心（人情）と社会的な事物（世態風俗）を横断できることにある。小説はもっぱら一人称（作中人物の視点）と三人称（世界を俯瞰する視点）の語りを用いて、心と事物、内的世界と環境世界を同等に扱う技術を蓄えてきた。この視差を含んだ語りによって、子どもの単純な指さしではうまく指定できないものにも、小説は一種のドメイン（領域／領土）を与えることができる。

その際、外界を認識＝消化することは、語りの中心的な仕事ではない。例えば、フォークナーの『八月の光』では凄惨な黒人差別のありさまが語られるが、フォークナー自身、この差別の正体が何かを十分に「認識」しているとは思えない。それは、作中で黒人への憎悪を憑かれたように語る

＊3 ツヴェタン・トドロフ『共同生活』（大谷尚文訳、法政大学出版局、１９９９年）12頁

＊4 アイザック・アシモフ『鋼鉄都市』（福島正実訳、ハヤカワ文庫、１９７９年）

老レイシスト――主人公ジョー・クリスマスの祖父――にしても同じである。彼は自分自身でその強烈なバイアスの由来を了解しているわけではないが、その長大な語りは黒人への憎悪に満ちたドメインを形成することになる。

大江健三郎は柄谷行人との対談のなかで、理解できないものでも物語る技術があれば書けてしまう、という趣旨のことを述べているが、[*5] それは疑いなく小説の核心である。フォークナーの小説にせよ大江の小説にせよ、何らかの特殊な感情を備えた語り手が、心や事物を横断的に指し示す。彼らの小説の本体は、それらの指示を貯蔵するドメインである。そして、そのドメインの内部を「理解」することは、あくまで読者に任されている。

## 4　フレーゲ再訪

私は前章で、意識（心）と小説はともに、自分以外の何ものかへの志向性をもつと述べた。サルトルのフッサール論におけるたとえ話を用いれば、意識はたえず渦巻いて「炸裂」した状態にある。サルトルがやろうとしたのは、外界の同化＝吸収という認識論的なモデルを破棄することである。意識は対象を同化＝吸収するのではなく、ひっきりなしに外界を志向する。これをもう一歩進めれば、意識は環境とともにあるというメルロ・ポンティ流のエコロジカルな哲学に到るだろう。

同じように、小説にも自己超越の衝動がある。小説は言語でできているが、常に言語以外の何かを指し示そうとする。小説の読者は、言葉を読みながら、たえず言葉の外に追い立てられる。それでいて、先ほど引用したSFの例からも分かるように、読者が言葉の外で出会うのは、知覚可能なモノではなく、ただ作中の人物や事物の痕跡だけである。小説はその語りの力によって、この不確定なものたちを収集したドメインを公開するのである。

このように考えていくと、小説のやっている仕事を厳密に把握するのは、決してたやすくないことが分かってくる。小説を何気なく読めてしまうことそのものが、実は異常であり、その異常さをつかまえるには理論の助けが要る。そもそも、指示や意味というテーマは、一九世紀末以来、哲学でも本格的な研究対象となってきた。その理論上のモデルは、われわれの考察にとっても有益である。

例えば、一八九二年の古典的な論文で、哲学者のゴットロープ・フレーゲは記号の「意味」（Bedeutung／指示対象）と「意義」（Sinn／提示様式）を区別した。平たく言えば、このモデルの骨子は、指示対象が一つであっても、そこに到るための記号のルートは複数あり得るということである。フレーゲの出す例で言えば、「宵の明星」と「明けの明星」は、金星という同じ一つの意味（指示対象）をもつが、その意義（提示の仕方）は異なっている。あるいは私の息子は今、自動車を指すのに「ぶー」と「くるま」を適宜用いているが、これもやはり意義が二つあるケースである。

一つの意味（金星や自動車）に付与される意義

は、一つとは限らず、複数あり得る。ただ、意義は個人が任意に増やせるものではない。現に「宵の明星」や「くるま」のような意義（提示の仕方）は、共同体の文化的伝承のなかである程度規定されている。意義は「多数の人の共有物」であり得るもの、つまり「世代から世代へと承け継いできた思想の共通の蓄積」（フレーゲ）に基づくものであり、共同体の意味論的プラットフォームと呼んで差し支えない。

その一方、明らかに意義をもっていても、意味をもつかは疑わしいケースもある。フレーゲによれば「オデュッセウスは深くねむったまま、イタカの砂浜におろし置かれた」（ホメロス）のような文は、まさにそのような疑問を引き起こす。なぜなら、オデュッセウスは架空の人物であり、オデュッセウスとして名指される存在は実在しないからである。フレーゲの考えでは、指示対象が存在しないならば、当然「意味」もない。このホメロスの文は確かに意義をもつ。しかし、それが実在の対象と紐づいていない以上、意味をもつと言えるだろうか。これはあいまいである。

## 5　意義から意味へ

そもそも、われわれはなぜオデュッセウスという架空の人物を、実在する対象のように扱ってしまうのだろうか。「オデュッセウス」という記号が意味（指示対象）をもつかどうかなど本来どうでもよく、ただホメロスの言葉の芸術的な美しさに身を委ねていれば、それで十分ではないだろうか。フレーゲはまさにそのことを問題にしている。

> しかし、そもそも我々が固有名の一つ一つに意義のみならず意味もあるということをなぜ期待するのであろうか。〔…〕例えば、叙事詩に耳を傾けるとき、我々を動かすものは、言語の心持よい響きを別にすれば、文の意義とそれによって惹き起こされる表象と感情だけである。それに対して、真理を問題にするならば、芸術の楽しみを去って学問的考察へと向かうのである。これゆえに、例のホメロスの韻文を芸術作品として理解している限りは、例えば「オデュッセウス」という名が意味をもつか否かということはどうでもよいことですらある。*6

ここでフレーゲは「なぜ人間は意義だけでは満足できずに、意味（指示対象）を求めてしまうのか」という問いを出しつつも、明示的な答えを避けている。そして、それは賢明である。それをあえて説明するならば、トマセロやトドロフを引用して述べたように、人間にはもともと協力的なコミュニケーションへの傾きがあるからとしか答えようがないだろう。共同生活を営まざるを得ないわれわれは、意味（指示対象）の共有という所与のプログラムから逃れられない。そのため、われわれは架空の固有名に対してすら、意味や真理、つまり世界との対応を期待してしまう。

私は先ほどから、小説の登場人物は知覚可能な

＊5　『大江健三郎　柄谷行人全対話』（講談社、２０１８年）

＊6　「意義と意味について」（土屋俊訳）『フレーゲ著作集』（第四巻、勁草書房、１９９９年）80頁。さらに、フレーゲの言語論をその同時代の文学の課題と結びつけたのがフランコ・モレッティである。『ドラキュラ・ホームズ・ジョイス』（植松みどり他訳、新評論、１９９２年）第七章参照。

モノとして確定できず、ただ「痕跡」を残すだけだと述べてきた。にもかかわらず、われわれはこの痕跡から、その本体らしきものを復元するように促される。フレーゲふうに言えば、意義から意味へと誘導される。ライジ・ベイリやオデュッセウスが「意味」をもつかは疑わしいが、しかし大方の読者は、これらのキャラクターはただの言葉の集まりではなく、言葉の向こう側にある存在と見なすだろう。そして、この無自覚な「見立て」こそが、小説の成立する条件なのである。

## 6　感情の染み込んだ表象

　ところで、フレーゲはもう一歩進んで「表象」(Vorstellung)というもう一つの区分を用意した。「意義」が共同体の共有財産であるのに対して、フレーゲの言う「表象」はあくまで主観的なものである。表象とは記号と結びついた私的な像である。

　例えば「ぶー」という記号に対して、私と私の息子とでは、異なる内的な像(イメージ)をもつだろう。表象は個人の魂のあり方に根ざしており、モノのように存在し、知覚できるわけではない。それゆえ、フレーゲによれば、表象には「しばしば感情が浸透しており、個々の部分の明瞭さは千差万別であり、かつ、うつろいやすい」。[*7] 息子にしても一年後に、今と同じような明瞭さ(?)で「ぶー」という記号のイメージをもつことはないはずである。

　こうして、フレーゲは指示対象としての「意味」と、その共同的な提示の仕方である「意義」、そして他人からはうかがい知れない私的で不安定な「表象」を区別した。このような区分は、文学の状況とも共鳴する。なぜなら、二〇世紀文学の大きな課題は、一見して公共性を帯びない私的な表象を、どのように小説に取り入れるかにあったからである。

　二〇世紀文学は総じて「語り」に強い負荷をかけたが、それは感情的なバイアスを広く許容することとつながっている。例えば、先述した『八月の光』のレイシストの語り手は、一九世紀的な全知全能の語り手とは似ても似つかないが、彼の偏見の染み込んだ「表象」は、強烈なインパクトを伴って、憎悪に満ちたドメインを形成してゆく。彼の負の感情は共同体の歴史が生み出したものだが、それでいて、彼の語りは他人にはうかがい知れない闇を強く感じさせる。

　何度でも繰り返すが、われわれはたとえ架空の人物であっても、その意義(文章や音声)だけでは満足できず、そこに意味(指示対象)を求めてしまう。では、老レイシストの偏見に満ちた表象の束は、果たして指示対象をもつだろうか。

　ここにこそ、フォークナーの仕掛けた罠がある。そもそも、『八月の光』の主人公ジョー・クリスマスは黒人の血を引く混血児だと祖父に決めつけられ、施設に送られる。しかし、この小説を読んでも、クリスマスが本当に黒人なのかどうかは、実は分からない。ただ、祖父の——あるいは過去を回顧し自問自答するクリスマス本人の——

異様なパッションが、黒人としてのクリスマスのイメージを強烈に「指示」するだけである。

　われわれはクリスマスの姿形を推論し、ある程度絞り込むことはできても、小説からそれを確定することはできない。オデュッセウスの場合、意義から意味への通路は比較的通りやすい。読者はあまり疑念も抱かず、砂浜で横たわっているオデュッセウスの姿を想像するだろう。しかし、ジョー・クリスマスの場合、読者は意義から意味への途上でつまずかざるを得ない。なぜなら、われわれに与えられるのは、あくまでレイシストの感情の染み込んだ「表象」だからである。それが指示対象をもつと考えるのは、彼の偏見に同調することになる。しかし、そのような偏頗な語り＝表象がなければ、クリスマスは亡霊のように消えてしまうだろう。

　クリスマスのアイデンティティの核心には、明らかに黒人性がある。しかし、その黒人性はまさに「痕跡」そのものであり、不確定性を免れることができない。われわれはつい、いつもの小説を読むときの癖でそれを「意味」として確定しようとするが、『八月の光』はその慣習を疑わせる。『アブサロム、アブサロム!』や『響きと怒り』もそうだが、フォークナーの語りは不在のものと実在のものをミックスさせる。それによって、小説のもつ本源的な不確定性が強調されるのである。

＊7　同右、75頁。むろん、純粋に私的（主観的）な言語があるかは、大いに疑問である。本稿における私的とか主観的とかいう言葉は、一種の近似値だと考えてもらいたい。

［論考］

# 社会構想のための哲学的思考

苫野一徳

## はじめに

この20年あまり、人類史や、人間存在そのものを根底から問い直すことへの関心が、年々、高まりつつあるように見える。

たとえば、宇宙開闢から現代までの歴史を、特定の専門分野を超えて探究する「ビッグ・ヒストリー」の勃興。ジャレド・ダイアモンドの『銃・病原菌・鉄』（１９９７年）に始まり、ユヴァル・ノア・ハラリの『サピエンス全史』（２０１１年）を一つの頂点とする、世界的なベストセラー現象。その間にも、あるいはそれ以後にも、人類史や人間存在そのものの問い直しという動機に貫かれた著作は、枚挙にいとまがない。

最近刊行された、オランダの若き歴史学者、ルトガー・ブレグマンの『Humankind ――希望の歴史』（２０２０年）は、人間は生来において利己的であり暴力的であるとする人間観を、ことごとく破壊した著作である。近代の経済学や心理学、歴史学をはじめとする学問において常識とされてきた、利己的な人間像、いや、もっと古くは、キリスト教の原罪説から連綿と続く悲観的な人間観を、ブレグマンは種々の論拠をもって反駁する。そして、人間は生来、じつは他者に対して友好的な存在なのではないかと問いかける。

日本に目を向ければ、国家と資本主義を揚棄し、「互酬性の原理」を――太古におけるそれをより高次にした形で――回復せよと訴える柄谷行人の『世界史の構造』（２０１０年）や、斎藤幸平のベストセラー『人新世の「資本論」』（２０２０年）などがすぐに思いつく。いずれも、来るべき社会のビジョンを提示しようとする試みである。

木島泰三の『自由意志の向こう側』（２０２０年）にその動向は詳しいが、人間に「自由意志」などあるのかという、いかにも古臭い問いに、いままた哲学的、科学的注目が集まっている背景にも、ブレグマンと同様、「利己的」な人間像を突き崩したいという動機があるのかもしれない。いや、むしろよりラディカルに、近代的な「主体性」の概念を脱構築したい動機と言うべきだろうか（「主体」の解体というテーマ自体は、いわゆるポストモダン思想の、すでに半世紀以上続いてきた一つの決まり文句ではあるが）。わたしたちは、自由意志を持ち、主体的にこの世界を開拓しうる存在ではなく、いわばもっと大きな〝自然〟の一部に

**苫野一徳**（とまの・いっとく）
1980年生まれ。哲学者・教育学者。早稲田大学大学院教育学研究科博士課程終了。博士（教育学）。熊本大学大学院教育学研究科准教授。著書に『どのような教育が「よい」教育か』（講談社）、『「自由」はいかに可能か』（NHK出版）、『はじめての哲学的思考』（筑摩書房）、『愛』（講談社）、『学問としての教育学』（日本評論社）などがある。

過ぎないのではないかという、人間存在の問い直しである。

## 1．有限性の時代

かつて見田宗介は、カール・ヤスパースの言う「軸の時代」になぞらえて、現代を「軸の時代Ⅱ」と呼んだ。[＊1]「軸の時代」——見田が「軸の時代Ⅰ」と呼び直すもの——とは、いまからおよそ2500年前、ソクラテスやプラトンをはじめとするギリシア哲学や、孔子や老子に代表される中国思想、そしてユダヤ教や仏教など、「普遍思想」が世界同時多発的に発展した時代のことである。

その特徴を、見田は「無限性」の発見に見る。この時代、とりわけ貨幣経済の開始と発展を背景に、人類は、それまでの限定的な部族生活からより広い世界へと飛び出していくことになった。そしてその結果、人びとは世界が「無限」であることを知るに至ったのである。それはある種の〝おののき〟を伴う発見でもあった。

しかしそれから2500年、人類は、この「無限」の世界をほぼ開拓し尽くした。そしてついに、新たな局面に到達した。すなわち、世界は「無限」などではなく、じつは「有限」であったことを知るに至ったのである。いま、わたしたちは新たな〝おののき〟の中にいる。人類史における新たな時代、すなわち「軸の時代Ⅱ」の始まりである。

「無限性の時代から有限性の時代へ」。10年以上前に見田が論じたこの人類史的転換は、当時においてもほとんど〝常識〟的な見方ではあったが、今日ではいっそうグローバルな〝常識〟となった。経済成長の限界や世界的な格差の問題、すなわち資本主義の限界もそうだが、とりわけ地球環境の限界は、いまや小中学校においてさえ日常的に議論されるテーマである。

だれも確かな先を見通すことのできない、このような時代においては、人類史の問い直しに加えて、人間存在そのものの問い直しもまた、喫緊の課題として認識される。いや、むしろ、人類史の問い直しを一つの方法として、人間存在そのものが問い直されることになる、と言った方が正確だろうか。「無限性」の時代において、人は己の欲望の赴くままに、世界を切り開いていけばよかったかもしれない。しかし「有限性」の時代において、わたしたちはもはやそのように生きることはできそうもない。ならば人間は、これから、自らの利己的な欲望をいっそう制御せねばならないのではないか？　いや、もしかしたら、人間は本当のところ、生来、利他的な存在なのではないか？　奪い合うのではなく、分かち合うことのできる存在なのではないか？　人類同胞に対しても、わたしたちを取り巻く自然に対しても。

## 2．「事実」から「当為」を直接導出する誤謬

しかしこうした問い直しのブームの中で、わたしは哲学者として、長らくある問題を感じてもいる。人類史や人間存在を根底から問い直そうとす

＊1　見田宗介『現代社会はどこに向かうか——高原の見晴らしを切り開くこと』岩波新書、2018年

る論者たちの多くは、ひょっとして、ある思考の罠に陥ってしまってはいないだろうか、と。少なくとも、より原理的で強靭な哲学的思考を、わたしたちはもっと十分に自覚し共有すべきなのではないか。人類の叡智がこれまで以上に問われるいまだからこそ、わたしは、これからの人間のあり方や社会を構想するための根底をなす思考の方法をこそ、問い直したいと思うのである。

　というのも、多くの論者が依拠、あるいは前提しているのは、かつてマックス・ヴェーバーが社会構想において禁じ手とした、「事実」から「当為」を直接的に導く思考法であるからだ。[*2] おそらくは、ほとんどの場合、無自覚に。

　ある「事実」（とされるもの）を根拠に、「当為」（〜すべし）を直接導出するこの思考法には、極端な例として次のようなものがある。「〇〇民族は劣等民族である。したがって、殲滅されるべきである」。「重大犯罪を犯す者の脳には、ある共通構造がある。したがって、そのような脳構造を持った者を子どものうちに見つけ出し、あらかじめ矯正教育を施すべきである」。「学業成績の個人差のうち、約50％が遺伝の個人差で説明される。したがって、優秀な遺伝子を持つ子どもを前もって選び出し、国家の教育予算の大半をその子たちの教育に充てるべきである」……。

　一見してこの思考法の危険性は明らかだが、単なる危険性だけでなく、この論法には三つの原理的な誤りがある。

　一つは、そもそもこの「事実」なるものを、絶対に正しい「事実」と主張することはできないという点である。あらゆる科学的言説が仮説である以上、その事実を絶対的に確証することは不可能である。「〇〇民族は劣等民族である」などと、わたしたちはいったい何を根拠に言い切ることができるだろうか。

　二つは、万が一この「事実」が正しいと言えたとしても――再び、それは原理的に不可能なことだが――だからと言って、その「事実」だけを根拠に、たとえば「〇〇民族」や「ある脳構造を持った子どもたち」の自由が抑圧されることを正当化する理由にはならないという点である。そもそも、「事実」なるものは無数に存在する。その中から、なぜある一つの「事実」だけが特権化され、しかも当の人びとの欲望や意志に反した当為を強要することが許されるのか。

　三つ目の誤りは、そもそも論理的に言って、このような「事実」と「当為」の関係そのものが、きわめて恣意的であるという点である。「〇〇民族は劣等民族である」から、なぜ、「したがって、殲滅されるべきである」が直接導出されるのか。なぜ、「したがって、守られるべきである」や、「したがって、教育の機会が保障されるべきである」ではないのか。両者の結びつきは、論者が何を主張したいかによって、いくらでも恣意的に操作できてしまうものなのだ。

　むろんわたしは、来るべき未来社会を構想する近年の論者たちが、ここまでナイーブな議論をしていると言いたいわけではない。しかし多くの場合、その論の立て方は、つきつめれば「事実」から「当為」を導出するものなのである。少なくとも、そのことに十分に自覚的でなければ、社会構想のための言説は説得力を持ち得ないし、時に大きな危険性さえはらみかねない。

いわく、「地球環境はもはや限界を迎えている。したがって、資本主義を揚棄せねばならない」。「人間は、そもそもにおいて互酬的な存在である。したがって、互酬性の論理で社会を作り直すべきである」。「人間は、生来、他者に友好的な存在である。したがって、そのことを前提に社会を構想すべきである」。「自由意志など存在しない。したがって、自己責任論は廃棄されなければならない」……。

これらの言説は、結論自体にはいくらかの妥当性がないわけではないかもしれない。しかし論理的には、先に見た脆弱性と危険性をどうしても免れない。

わたしの考えでは、これらの結論は、本来、次の問いに必ず支えられなければならない。すなわち、「わたしたちは本当にそのような生、社会を欲するのか？」。さらに、「もし欲するのであれば、それを可能にする条件は何か？」。

これらの問いをないがしろにした時、わたしたちは、ある「事実」（とされるもの）を前提としたいわば「全体主義」と、隣り合わせの思想を掲げてしまうことになりかねない。すでに、環境保護活動等に対する「環境ファシズム」との批判も見聞されるが、これは当の活動家たちにとっても不本意な批判と言うべきだろう。しかし「事実」から「当為」を導出する思考法に無自覚に依る限り、このような批判は残念ながらつねに妥当性を持つ。

他方、「わたしたちはどのような生、社会を欲するのか？」という問いは、「事実」から「当為」を直接導く思考法とは決定的に異なるものである。ここで言う「事実」が、その正しさを原理的に証明し得ないものであるのに対して、「わたしたちはどのような生、社会を欲するか」については、わたしたちが自らのうちで必ず確かめることができるものであるからだ。したがってわたしたちは、無自覚の独善に陥ることなく、自らの欲する社会のあり方を、互いに問い合い、確かめ合いながら、探究していくことができるようになるのである（この思考法の原理性については、後でさらに詳しく論証することにしたいと思う）。

そんな悠長なことが言ってられるか。そう、思われるかもしれない。確かに、わたしたちが欲する社会のあり方を、各々がゼロベースで対話するとなると、時間はいくらあっても足りないだろう。

しかしだからこそ、哲学が、長きにわたって叡智の数々を蓄積してきたのだとわたしは言いたい。しかも後述するように、その最も原理的な〝答え〟は、すでに哲学史において一定の水準で見出されているのだ。わたしたちはいったいどのような生、社会を欲するのか？　この問いについては、人類が血で血を洗う争いの果てにつかみ取った〝答え〟がすでに示されている。ならばその原理の上に乗り、わたしたちは今日的課題を力強く

＊2　マックス・ヴェーバー／富永祐治ほか訳『社会科学と社会政策にかかわる認識の「客観性」』岩波文庫、1998年

乗り越えていくべきなのではないか。むろん、この原理（答え）の妥当性それ自体もまた、たえず吟味し直しながら。

今日的課題。たとえば、地球環境の危機は、確かにすでに「待ったなし」なのかもしれない。利己的な人間を前提とした資本主義社会は、もはや限界なのかもしれない。しかしそれでもなお、わたしたちは、そのような「事実」（とされるもの）を特権化し、そこから「当為」を直接的に導いてはならない。むしろ、これら「事実」（とされるもの）を一つの思考の材料としつつ、より根源的には、「わたしたちは本当に資本主義の揚棄を望むのか？」「地球環境への配慮を最優先とした世界を望むのか？」「自己責任論を廃棄した社会を望むのか？」そして何より、「そもそもわたしたちはどのような社会を欲するのか？　それを可能にする条件は何か？」と問い合う必要があるのだ。

社会運動は、それとは異なる価値観の持ち主の目には、時に「独善的正義」の押し付けに映りかねない。19世紀の哲学者ヘーゲルは、『精神現象学』において、そうした正義の人を「徳の騎士」と呼んだ。確かに、正義の人ではある。しかし一歩間違えれば、それは異なる価値観の持ち主を正義の名の下に断罪し攻撃する、独善的な騎士に成り下がってしまうのだ。

事を動かすには、時にそのような運動力学も必要なのかもしれない。しかし少なくとも、学的言説においては、そのような力学は禁じ手とされなければならないとわたしは思う。いや、運動の論理においてさえ、それが真に共通了解可能なものであることを志すなら、わたしたちは次のような対話を重ねる必要があるのではないか。「わたしたちが欲するのは、このような生、社会ではありませんか？」「もしそうなら、それを可能にする条件を考え合いませんか？」。たとえ明示的ではなかったとしても、未来社会構想においては、このような思考法や対話法をこそ、根底に敷き続ける必要があるのだ。

## 3．条件解明型の思考

先述したブレグマンは、『Humankind ――希望の歴史』において、「トマス・ホッブズの性悪説VSジャン＝ジャック・ルソーの性善説」という問いを立てた上で、最終的にルソーに軍配を上げている。

ホッブズは、人間は生来、利己的で暴力的な存在であると考えた。それに対してルソーは、人間は生来、利他的で他者に対して友好的な存在であると考えた。ブレグマンに限らず、これは世間一般の通説であろう。

ブレグマンの狙いは、科学的に示された、利他的で友好的な人間という新たな人間像を提示することで、来るべき未来社会を、より利他的で寛大なものとして構想することにある。そのような社会構想のための対話へと、人びとを誘うことにある。

わたしたちは長らく、人類は生来において悪であるという思い込みのために、予言の自己成就よろしく、この社会を必要以上に利己的なものにしてしまったのではないか。そのようなノセボ効果――プラシーボ効果の反対の効果――を、働かせてしまったのではないか。そうブレグマンは言うのだ。

ブレグマンの目論見は、十分に成功しているようにわたしには思われる。スタンフォード監獄実験や、ミルグラムの電気ショック実験など、人間の生来的な利己性や暴力性を明らかにしたと称するさまざまな研究を、説得力ある論拠をもってことごとく破砕し、むしろその反対の結論を導いていく筆致は見事であるし、痛快ですらある。何より、とにかく刺激的な面白い本である。

しかしその一方で、ブレグマンが、ホッブズを性悪説、ルソーを性善説と単純化してしまった点に、わたしはある問題を見出さずにはいられない。ブレグマンの功績からすれば、それは些細な問題と言うべきかもしれない。しかし別の見方をすれば、きわめて重大な問題だとも言える。というのも、この問いの立て方は、ホッブズとルソーの哲学の、最も重要な本質を見誤らせてしまうものであるからだ。そしてその本質こそ、「事実」から「当為」を直接導く思考とはまるで異なる、真に鍛え抜かれた哲学的思考法なのである。

「わたしたちはどのような生、社会を欲するか？それを可能にする条件は何か？」

先述したこの思考法こそ、ホッブズやルソーにおいて貫かれているものなのである。

『エミール』（1762年）の有名な冒頭において、ルソーは、「万物をつくる者の手をはなれるときすべてはよいものであるが、人間の手にうつるとすべてが悪くなる」と、確かに一見、性善説らしきことを言っている。しかしこれは、作品の冒頭で「神」への敬意をルソーなりに表したというにすぎず、彼の諸著作をつぶさに読めば、その思想の本質が、この箇所にはほとんどないことは明らかである（言うまでもなく、当時のヨーロッパにおいて神の存在は大前提である。ただしルソーは、それをキリスト教の神とはいくらか違うものとして描き出したために、カトリック、プロテスタント双方から敵視され、『エミール』は発禁処分に、さらに彼自身にも逮捕状が出され、逃亡生活を余儀なくされることになるのだが）。

ルソーの思想の本質は、人間は生来、善か、悪か、などと問うところにはない。そうではなく、どのような条件を整えれば人は善（他者に対して友好的）となり、またどのような条件を整えれば悪（他者に対して攻撃的）となってしまうのかと問うものなのである。

同じく『エミール』において、ルソーは、人間は「自己愛」を持つ存在だが、そのこと自体は善でも悪でもないと言う。むしろ、どのような条件が整えばこれが過剰な「自尊心」となり、他者に対する攻撃性を生んでしまうのかと問うのである。それはたとえば、過度の比較や競争の中に投げ入れられ続けることで起こることであると彼は言う。

あるいはまた、人間は他者への「あわれみ」を持つ存在だが、やはりそのこと自体は善でも悪でもない。ルソー主義者のロベスピエールがフランス革命においてそうしたように、虐げられた者（貧者）への「あわれみ」が絶対化された時、それは支配する者たち（王侯貴族）の虐殺を正当化するだろう。その一方で、もしもわたしたちが、身分的、人種的、経済的格差を縮小し、「対等な人類」という感度をいっそう共有することができたなら、わたしたちの持つ「あわれみ」の感情は、多様な他者への「思いやり」として、より広範囲に広がっていくことになるだろう。

ホッブズも同様だ。彼が、人間は自然状態においては「万人の万人に対する戦争」状態に陥ってしまうと言ったのは、人間は生まれつき暴力的で利己的であることを主張したかったからではない。統治が十分でなく、人びとが生存や生活の不安を抱えるところにおいては、すなわち、全面的な不安競合という条件下においては、暴力原理が発動してしまうことを主張したのである。

これをわたしは、哲学的思考の初歩にして、また同時にきわめて重要な、「条件解明型の思考」と呼んでいる。[3] わたしの見るところ、ホッブズもルソーも、このことにきわめて自覚的である。

さらに重要なのは、ホッブズもルソーも、社会構想の土台に、「わたしたちはどのような生、社会を欲するのか」という問いを置き、そのような社会を実現するための条件を明らかにしようとした点である。ホッブズは、もしもわたしたちが「万人の万人に対する戦争」をなくしたいと欲するのであれば、どのような条件を整えればよいかと問うた。[4] ルソーは、もしも人間が「自由」に生きることを欲するのであれば、どのような条件を整えればよいかと問うたのである。[5]

このような「条件解明型の思考」に基づく彼らの理論について、わたしたちは、その理論を後追いして自ら〝確かめる〟ことができる。わたしたちは本当に、普遍戦争状態から脱したいと欲するのか？　本当に「自由」に生きることを欲するのか？　ならばそのための条件は何か？　このことを、わたしたちは自らにおいて〝確かめる〟ことができるのである。これは、同じく「社会契約説」の理論家の一人であったジョン・ロックが、人間はそもそも神から人権（所有権）を与えられているという前提——事実（と主張されるもの）——からその理論を説き起こしたのとは対照的である。

## 4.「自由の相互承認」の原理

ルソーや、また彼の批判的後継者でもあったヘーゲルが、上のような思考法を貫くことで導出したのは、「自由の相互承認」という社会原理であった。

「わたしたちはどのような生を欲するか？」。この問いに、ルソーやヘーゲルは答えて言う。それは「自由」に、つまり、自らが生きたいように生きられる生である、と。

むろん、人それぞれ望む生き方は異なっている。裕福になりたい、穏やかに生きたい、熱狂の中で生きたい、名声を得たい……。しかしそれがどのような欲望であったにせよ、つきつめれば、それは「自由」に、つまり生きたいように生きられることであることに違いはない。

繰り返すが、このことを、わたしたちはだれもが自らのうちで〝確かめる〟ことができる。わたしたちは本当に「自由」を欲するのか？「生きたいように生きたい」と願うのか？ 読者にも、ぜひ、自らに問うて確かめていただきたいと思う。

ならば、そのための本質的な条件は何か？

それは、他者の「自由」を侵害しない限り、だれもが「自由」に生きられることを承認し合う、「自由の相互承認」の原理に基づく社会を作ることのほかにない。彼らはそう考えた。とりわけ、人類の歴史が「自由」をめぐる命の奪い合いの歴史であったことを考えるなら、この原理の意義はどれだけ強調してもしすぎることはない。「わたしたちはどのような生、社会を欲するか」という問いに対する、最も原理的な答えであり、近代民主主義社会の正当性についての、最も強靭な論証と言えるであろう。

わたしの考えでは、社会構想においては、この「自由の相互承認」の原理がつねに土台に敷かれる必要がある。そして、この原理をより実質化するための条件は何かが問われる必要があるのである。

憲法や法はどのようなものであるべきか。教育制度や福祉行政はどうあればよいか。選挙制度を含め、市民一人ひとりの意志を響かせ合うための仕組みはどうすればより充実させていくことができるか……。理念的な問いからより具体的な方法論まで、あらゆることは、わたしたちはどうすれば「自由の相互承認」の原理をより実質化しうるかという観点から考えていく必要があるのである。それはつまり、資本主義の揚棄であれ何であれ、今日さまざまに提言されている社会構想もまた、果たして「自由の相互承認」の社会、世界を、より実質化しうるのかという観点から検討されなければならないということである。

「自由の相互承認」の原理については、紙幅の都合上、これ以上詳論することができない。詳細は、拙著『「自由」はいかに可能か』や、『別冊NHK100分de名著 読書の学校 苫野一徳特別授業「社会契約論」』等を参照いただければ幸いだ。

本稿で主に論じたいのは、社会構想のための思考の方法についてである。「事実」から「当為」を直接導く思考法は無効である。ではわたしたちは、いったいどのような思考法に依るべきなのか？

答えはシンプルである。先述したように、「わたしたちはどのような生、社会を欲するのか？」。続いて、もしこの問いに共通了解可能な答えが見つかったとするならば――わたしの考えでは、それが「自由」な生であり「自由の相互承認」の社会であるが――「ではそのような

＊3 苫野一徳『はじめての哲学的思考』ちくまプリマー新書、2017年

＊4 トマス・ホッブズ／水田洋訳『リヴァイアサン〈1〉』岩波文庫、1992年

＊5 ジャン＝ジャック・ルソー／桑原武夫、前川貞次郎訳『社会契約論』岩波文庫、1954年

生、社会を可能にする条件は何か？」。

これこそ、社会構想のためにわたしたちがつねに底に敷いておかなければならない哲学的思考なのである。

## 5．現象学的思考

なぜ、右のような思考が、社会構想における一番の底板であると言い切ることができるのか？以下では、いま少しそのことを論証したい。

まずは、次の点を改めて確認しておこう。社会構想の哲学を、わたしたちは自ら〝確かめる〟ことのできない、すなわち可疑性の高い〝思考の始発点〟から始めてはならない。地球環境の限界にせよ、資本主義の限界にせよ、あるいは人間の本性にせよ、いずれの「事実」（とされるもの）も、可疑性を払拭することのできない仮説である。したがって、もしもこれらの「事実」（とされる仮説）を〝思考の始発点〟とした場合、その仮説を信じるか信じないかをめぐる終わりのない議論が繰り広げられることになる。さらにそこから何らかの「当為」を直接導き出すとするなら、社会構想をめぐる議論のアリーナは、つまるところ「徳の騎士」同士の闘技場と化す。

だからこそ、社会構想に限らず、哲学はつねに疑いの余地のない〝思考の始発点〟を見定め、そこから議論・対話を始めなければならないのである。そしてわたしの考えでは、この疑いの余地のない強靭な〝思考の始発点〟を見事に解明した哲学こそ、20世紀の哲学者、エトムント・フッサールが創始した現象学なのである。

難解で知られる現象学だが、その要諦はじつはきわめて簡明である。以下では、この現象学の概要をまずは簡単に紹介した上で、続けて、これまで論じてきた社会構想のための哲学的思考の原理性を改めて明らかにすることにしたいと思う。

まず、現象学は次のことを第一の前提とする。すなわち、わたしたちが絶対的な「客観」（的事実）を認識することなど、あり得ない。

たとえば、カラスが本当に黒色なのか、わたしたちは絶対的に知ることはできない（ちなみに、カラスは人間には認識できない紫外線が認識できるために、お互いが黒色には見えていないのではないかと言われている）。同様に、目の前のグラスは、本当は存在していないのかもしれない（幻影かもしれない）。地球は本当は丸くないのかもしれない（全員が錯覚しているのかもしれない）。それればかりか、かつてデカルトが言ったように、わたしたちが見ているこの現実が、じつはすべて夢かもしれないという可能性さえ、原理的には否定できない。要するに、絶対的な「客観」（的事実）を、わたしたちが知ることなど決してできないのである。

いやいや、どう考えても、目の前のグラスは存在しているし、地球は丸いし、いま見ている現実が夢であるはずがない。そう思われるかもしれない。むろん、それがごく普通の考えだ。しかし究極的には、これらのことも疑おうと思えば疑える。

懐疑可能な〝思考の始発点〟を置かないこと。これが哲学の第一原則であることを、改めて言っておきたい。

さて、そうである以上、哲学は、何らかの「客観的事実」は言うまでもなく、客観的な世界が存在しているという考え方それ自体を前提するわけにはいかない。懐疑の余地ある思考の上に重ねた思考は、ますます懐疑可能なものにならざるを得ないからだ。その意味で、可疑性の高い「事実」(とされるもの)から「当為」を直接導く思考は、改めてその論拠を持たないと言うべきである。

では、どう考えればよいのか？

確かに、わたしたちは世界の絶対的な客観的事実を知ることはできない。目の前のグラスは本当は存在していないのかもしれないし、地球は本当は丸くないのかもしれない。

しかしそれでもなお、わたしたちには決して疑えないことがある。

目の前のグラスが、わたしには確かに「見えてしまっている」ということ。それゆえに、わたしがこのグラスの存在を「確信」していること。このことは、どう頑張っても疑えないのである。これはじつは幻影なのかもしれない。しかしともにかくにも、わたしにはこのグラスが「見えてしまっている」。そしてこの「見えてしまっている」という「疑いの余地のない明証」を根拠に、わたしはこのグラスの存在を「確信」しているのだ。

そこで現象学はこう考える。絶対的な「客観」など知り得ない。したがってわたしたちは、「客観」を前提とした思考をやめなければならない。これをエポケー（判断中止）と言う。しかしその一方で、わたしには何らかの「確信・信憑」が疑いの余地なく訪れている。このことを、わたしたちは疑うことができない。したがって、一切をこの「確信・信憑」へと還元せよ。

> 以上のようなわけで、存在ということが言われるときの普通の意味は、ひっくりかえるのである。普通われわれにとって第一のものであるような存在は、本当は自体的には、第二のものなのである。すなわち、そうした存在は、第一のものへの「関係」の中でのみ、それがそれであるものでありうるのである。*6

「客観」を知り得ない以上、わたしたちは、一切をわたしの「確信・信憑」(第一のもの)へと還元するほかにない(これを超越論的−現象学的還元という)。そしてその上で、わたしは、なぜ、どのように、このような「確信・信憑」を抱いているのかと考えるほかないのである。

つまり現象学はこう考えるのだ。「ここにグラスが客観的に存在しているから、わたしにはこのグラスが見えている」のではなく、「わたしにはこのグラスが存在しているという確信があるが、それはいったいなぜなのか？」と。この問いの答えは、まずは端的に「見えてしまっているから」と言えるであろう。したがって現象学は、

*6 エトムント・フッサール／渡辺二郎訳『イデーンⅠ-Ⅰ』みすず書房、１９７９年、２１４頁（Edmund Husserl, *Ideen zu Einer Reinen Phänomenologie und Phänomenologischen Philosophie. Erstes Buch.* Martinus Nijhoff, Den Haag, 1976, S. 106.）

「わたしにはこのグラスが疑いの余地なく見えてしまっているから、このグラスが存在しているという確信・信憑を持つ」と考えるのである。

わたしは、わたしの二人の子どもが自分の子どもであると信じている。しかし絶対にそう言い切れるかどうかは、懐疑可能である。にもかかわらず、わたしには二人が自分の子どもであるという「確信・信憑」がある。それはいったい、なぜなのか？　たとえば、わたしに似ているから。血液型にも矛盾がないようだから。あるいは、この子たちへの愛を、確かに感じずにはいられないから……。それが絶対的な事実であるかどうかはどこまでも可疑的だが、それでもわたしたちは、さまざまな条件を根拠に、何らかの「確信・信憑」を抱いているのだ。

## 6．最もラディカルな他者尊重の思想

一切はわたしの「確信・信憑」である。とすればわたしたちは、この「確信・信憑」を互いに問い合うことで、何らかの〝共通了解〟――グラスの存在から、「よい社会」のあり方まで――を見出し合うことができるようになる。「これがわたしの確信・信憑です。あなたはどうですか？」。現象学は、このように互いの「確信・信憑」を問い合うことで、一定の〝共通了解〟にたどり着くことを目指すものなのである。絶対の「真理」ではなく、〝共通了解〟を見出し合うこと。これが、現象学のきわめてシンプルな思考法なのだ。

しばしば現象学は、フッサールが言うところの「方法的独我論」――疑いの余地のない明証から思考を開始するために、一切をわたしの確信・信憑へと還元すること――の言葉尻を捉えて、結局のところ不遜な独我論そのものであるとして批判される。〝わたし〟の思考をつねに超え出るはずの「他者」を、〝わたし〟へと回収する暴力的な哲学である、と。

しかしこれは、現象学に対する典型的な誤解である。現象学は、「他者」を〝わたし〟の理解に暴力的に回収するようなものではまったくない。エマニュエル・レヴィナスは、フッサールを批判しつつ、わたしの理解を拒む「無限なもの」としての「他者」の姿を描き出したが、しかしじつのところ、そのような「他者」像も、認識論的にはわたしの確信・信憑であるほかないのだ。「他者」とはいったい何者なのか。その絶対的な真理を、わたしたちは知り得ない。「他者」がいったい何を考え、何を欲しているのか。それはどこまでも、わたしの確信・信憑であるほかないのである。フッサールの「他者」論は、つねにそのような認識論的な原理の次元において展開されているものであり、したがって、それが他者の他者性をないがしろにするものであるという倫理的次元の批判はまるで当たらない。

しかもそれゆえにこそ、現象学は、ある意味では最もラディカルな「他者」尊重の哲学であるとさえ言える。わたしは、自身の他者理解が、絶対に正しい理解ではなく、どこまでもこのわたしの確信・信憑にすぎないことを自覚している。そしてだからこそ、その確信・信憑を絶対化することなく、他者の確信・信憑との対話へと開くことができるのだ。「これがわたしの確信・信憑です。あなたはどうですか？」。わたしたちは、たえずそのようにして自らの確信・信憑を問い直す必要がある。そのようにして、共通了解が成立する条件を見出し合う必要があるのだ。

## 7．「自由意志」をめぐる擬似問題

先述したように、近年、「自由意志など本当にあるのか？」というテーマへの関心が高まっている。これまでの議論の応用問題として、ここで少し回り道をして、このテーマについてもしばし考えてみよう。

結論から言えば、この問いは、現象学的にはそもそも問いの立て方を誤った擬似問題である。

「自由意志」なるものが実体として存在しているのか否か、そんなことは決して分からない。科学がその仮説的な探究を続けることには価値があるが、この問いに絶対的な答えを与えることは決してできない。ましてや、その答え――「事実」（とされるもの）――から何らかの「当為」を導くようなことは許されない。たとえば、「自由意志など存在しない。したがって、自己責任の概念は廃棄されなければならない」といった。

実体としての「自由意志」を否定することで、昨今の過剰な「自己責任論」の向こうを張ろうと

する動機自体は健全なものだ。しかしこの論法は、二重の意味で間違っている。改めて言えば、まず「自由意志」があるかないかという、決して答えることのできない問いの設定をしている点において。もう一つは、「自由意志など存在しない」という仮説的「事実」から、自己責任概念を解体すべきであるという「当為」を導出している点において（その論調には、自己責任論をいくらか解体すべきであるというものから、全面的に解体すべきであるというものまで、さまざまなバリエーションがある）。

わたしたちが問うべきは、むしろ次のような問いである。「自由意志」などが実体として存在するのかどうか、そんなことは分からない。しかしそれでもなお、わたしたちには、自分や他者のある行為が「自由意志」によるものだと確信・信憑することがある。わたしはいま、自らの意志でこの原稿を書いていると確信している。もしかしたらだれかに操られているのかもしれないし、あるいは脳神経がわたしの意志とは無関係にわたしを動かしているのかもしれないが、そんなことはどうしたって分からない。わたしには、わたしがいま自分の意志でこの原稿を書いているという確信・信憑がある。

「自由意志」をめぐる現象学的な問いの立て方は、「自由意志」はあるかないか、ではなく、「自由意志」を共通に確信・信憑しうる条件は何か、なのだ。とするなら、わたしたちは、いついかなる時に、どのような責任を個人（の意志）に帰することができるのか、またできない（すべきでない）のか、その〝共通了解〟もまた――むろん絶対的な着地点などあり得ないにしても――見出し合い続けることができるようになるのである。

## 8．人間はアルゴリズムか？

「自由意志」をめぐっては、これを否定することで自己責任概念を解体しようとする思想とはまた別に、同じくこれを否定することで、人間の明確な意志による社会構想を否定しようとする思想もある。

ユヴァル・ノア・ハラリの『ホモ・デウス』は、現代の生命科学の「包括的な教義」を次のように述べている。「科学は一つの包括的な教義に収斂しつつある。それは、生き物はアルゴリズムであり、生命はデータ処理であるという教義だ」と。

わたしたちが何かを見、感じるのは、まるで機械のような生命アルゴリズムに従った行為であって、それゆえその認識のありようは、「遺伝子と環境圧によって形作られ、決定論的に、あるいはランダムに決定を下すが、自由に決定を下すことはない」。

もはや言うまでもなく、このような「教義」は、わたしたちには決して確かめることのできない仮説である。むろん、生命のアルゴリズム発見に向けた研究は、科学的な仮説の領域における重要な仕事ではある。しかし問題は、それが科学的な仮説探究の枠を超え出て、社会構想の土台を築こうとする時に生じる。

ハラリは、人間がアルゴリズムにすぎないのであれば、よりすぐれたアルゴリズム――端的にはAI――が社会を管理支配することには何の問題もないとする「データ至上主義」の思想を『ホモ・デウス』後半部において詳しく紹介しているが、これは典型的な「事実」（とされるもの）から「当為」を導出する思考法である。データ至上主義は、「わたしたちはそのような生、社会を欲するか？」（社会の大部分がAIに管理されることを欲するか？）という問いを顧みることなく、不確かな「事実」（とされるもの）を社会構想の根拠としてしまっているのだ。これもまた、先に見た通りの二重の誤りを犯した論法である。

データ至上主義は、「いやいや、わたしたちがどのような生、社会を欲するかというその欲望自体が、じつはアルゴリズムなのだ」と言うだろう。しかしそのことを、わたしたちが絶対的に証明することは決してできない。社会構想に限らず、哲学はつねに疑いの余地のない〝思考の始発点〟から始めなければならない。このテーゼを、改めて思い起こそう。

生命体アルゴリズム説は、科学の装いをまとった新しくて古い典型的な「本体」論――この世を統べる何らかの絶対的な真理（本体）があるとする説――である。どれだけ最先端科学の知見に彩られていようと、これは、すべてはじつは神によって決定づけられているのではないかという、はるか古代から続く思想の焼き直しにすぎないのだ。

そのような〝フィクション〟を、わたしたちが社会構想の一番の底板とすることなどできるだろうか？

## 9．〝思考の始発点〟としての欲望

以上のように考えた時、わたしたちは、これまでに見てきた「わたしたちはどのような生、社会を欲するか」という欲望の次元の問いこそが、社会構想における〝思考の始発点〟であることを改めて理解することができるはずである。

わたしたちが、何かを欲しているということ、何らかの欲望を持っているということ、このことを、わたしたちは決して疑うことができない。美味しいものを食べたいという欲望、愛されたいという欲望、幸せになりたいという欲望……。ここでいう欲望の概念は、喜怒哀楽を含む情動性一般にまで拡張してもよいだろう。嬉しい気持ち、悲しい気持ち、不安な気持ち……。こうした気分に襲われている時、わたしたちは、自分がそのような気分に浸されていることを疑うことができない。

自分の欲望や気分が、よく分からない、ということもむろんある。しかしそれも、つまりは正体のよく分からない欲望や気分に浸されているということである。そしてわたしたちは、もし自身が何らかの欲望や気分を感じているとするならば、そのことを疑いの余地なく〝確かめる〟ことができるのである。目の前のグラスが〝見えてしまっている〟ということとほとんど同じくらいの権利を持って、わたしが何らかの欲望や気分を〝感じてしまっている〟ことは「疑いの余地のない明証」なのだ。

他方、なぜわたしはそのような欲望や気分を持っているのかと、その絶対的な根拠を問うた時、わたしたちはこれに答えることが決してできない。遺伝子がそうさせているから？　アルゴリズム？　神の意志？　――自身の欲望の究極の根拠を、わたしたちは決して知ることができないのだ。

フッサールの弟子でもあったハイデガーは、人間は気分－関心存在であり、わたしたちはつねにすでに何らかの気分－関心に投げ入れられていると言った。そして言う。「なぜか、それはわからない。そして現存在はそのようなことを知ることはできない」と。[*7] 哲学者の竹田青嗣が言うように、「現象学的内省的洞察の意味は、〝決してオトギバナシを語ってはならない〟というマクシムとともに、〝決して現前意識の背後に遡行してはならない〟という命法に帰結するのである」。[*8]

〝決してオトギバナシを語ってはならない〟とは、『存在と時間』におけるハイデガーの言葉だが――ハイデガー自身がこの約束を最後まで守り通すことができたかどうかは大いに疑問だが――遺伝子にせよアルゴリズムにせよ神の意志にせよ、これまでに論じてきた通り、哲学は何らかの〝フィクション〟を前提にした思考を展開してはならないということである。

もう一方の、〝決して現前意識の背後に遡行してはならない〟とは、では何が〝思考の始発点〟たりうるかと問えば、それはわたしの現前意識において疑いの余地なく〝確かめられる〟ことのみであるということである。

可疑性のある〝思考の始発点〟の上に築かれた思考は、共通了解可能性を欠いた、ますます可疑性の高いものとならざるを得ないのだ。それはすなわち、終わりのない信念対立を招来してしまうということでもある。

では欲望はどうか？ 欲望は、わたしたちが自らの現前意識において必ず〝確かめる〟ことができるものである。たとえそれが十分にはっきりしない欲望であったとしても、まさにそのような不明瞭な欲望を持っているということそれ自体を、わたしたちは自らのうちで〝確かめる〟ことができるのだ。

同様に、「どのような生、社会を欲するのか？」という問いについても、わたしたちは、たとえそのことが言語化可能なほど十分に自覚的ではなかったとしても、やはり自らのうちで必ず〝確かめる〟ことができる。逆に言えば、哲学がそれを十分に言語化し得たなら、わたしたちはそれを自らのうちで〝確かめる〟ことができるのだ。

先述した通り、わたしの考えでは、それは最も根本的には「自由」な生であり、「自由の相互承認」の社会である。

しかし本当にそう言えるのか？

繰り返すが、このこともまた、わたしたちは自らの欲望を問うことで確かめる――確かめ合う――ことができるのである。「わたしたちが欲するのは、このような生、社会ではありませんか？」「もしそうなら、それを可能にする条件を考え合いませんか？」。社会構想のための最も根底的な哲学的思考は、この問いを問うことにこそあるのである。

## おわりに

フッサールは、科学を事実学、哲学を本質学と呼び、事実学は原理的に本質学に基礎づけられるべきものであると述べた。

たとえば、「よい社会」とは何か。その本質が解明されてはじめて、わたしたちは、ではそれを可能にする条件は何かを事実学的に問うていくことができるようになる。同様に、「愛」の本質が分からなければ「愛」にまつわる事実を研究することはできないし、「教育」とは何かについての共通了解がなければ、「教育」に関する事実を研究することもできない。

これはむろん、本質学（哲学）が事実学（科学）よりすぐれているという主張ではまったくない。本質学と事実学は、それぞれ異なる役割と、そして異なる方法を持ちながら、互いに支え合うものであるということである。

事実学の方法は、ハードサイエンスであれ、ソフトサイエンスであれ、近代科学の誕生以来、さまざまに整備されてきた。しかしもう一方の本質

＊7 マルティン・ハイデッガー／細谷貞雄訳『存在と時間〈上〉』ちくま学芸文庫、1994年

＊8 竹田青嗣『欲望論』講談社、2017年

＊9 苫野一徳『学問としての教育学』日本評論社、2022年

学は、哲学史におけるすぐれた思考法を現象学が十分に深化し洗練したにもかかわらず、いつしか忘れられてしまった。おそらくは、その難解さと、続いて隆盛をきわめたいわゆるポストモダン思想の影響によって。

ファシズムやマルクス主義の暴力等を大きな背景として登場したポストモダン思想の動機自体は、きわめて健全なものだった。何らかの絶対的真理を掲げ、それに人びとを従わせようとするファシズムやマルクス主義等の教義に対して、また、種々の近代的あるいは資本主義的価値等に対して、多くのポストモダン思想家たちは、それが絶対の真理などではないことを繰り返し主張した。

しかしそのために、哲学はかえって、社会構想のための思考を力強く打ち出すことができなくなってしまったのである。「よい社会」をどのように構想したところで、ポストモダン的思想状況においては、「それも絶対の真理などではない」と相対化されてしまうからである。

こうした哲学の衰退を尻目に――あるいは歯牙にもかけることなく、と言った方が正確かもしれないが――科学は変わらず発展を続けた。そのこと自体は、むろん、喜ばしいことである。しかし、おそらくはこのことが一つの要因となって、多くの人びとは、（科学的）「事実」から「当為」もまた導けるに違いないという素朴な信憑を抱くようになったのである。これは端的に、「当為」の導出方法を長らく見失ってきた、哲学の責任であるとわたしは考えている。

この問題は、単なる学的言説の世界のみならず、政策立案等の現場においても、すでに種々の実害をもたらしている。

たとえば、いわゆる「エビデンスに基づく政策立案」（ＥＢＰＭ：Evidence-Based Policy Making）は、本来、何をもって「よい社会」や「よい教育」と言いうるかについての哲学的探究を土台にしなければならないはずである。そうでなければ、何をどのように測定すべきか、そもそも決められるはずがない。

しかし今日のＥＢＰＭは、多くの場合、そのことにきわめて無頓着である。そしてそのために、「よい社会」や「よい教育」を構想するに当たってそもそも本当に意味があるのか疑わしいエビデンスさえ、エビデンスの名の下に重用する事態に陥ってしまっている。[*9]本質学なき社会構想の問題は、単なる学的言説の領域を超えて、すでに実際的な行政現場等においても表面化しているのである。

科学的な「事実」（ファクト／データ／エビデンス）は、社会構想においてむろん不可欠のものである。しかし繰り返し述べてきたように、それは〝思考の始発点〟ではあり得ない。わたしたちはどのような生、社会を欲するのか？　その共通の確信・信憑（共通了解）を見出し合うこと。これが社会構想における〝思考の始発点〟――社会構想のための哲学的思考――なのだ。

この問いに共通了解可能な答えを見出すことができたなら――繰り返し述べてきたように、わたしの考えではそれが「自由」な生であり「自由の相互承認」の社会原理となるが――ではそのような社会を可能にする条件は何か？　これが続く問いである。

さまざまな「事実」（ファクト／データ／エビデンス）は、この「条件解明型の思考」のステップにおいてこそ、一つの思考の材料として重要な役割を果たすことができる。別言すれば、「自由」な生や「自由の相互承認」の社会原理を実質化するために、一体どのような仮説的事実を明らかにすればよいのか、わたしたちはいっそう自覚的になることができるのである。哲学（本質学）と科学（事実学）は、今後、このような仕方で協働していく必要があるだろう。本稿は、そうした社会構想に資する哲学、そして現象学の復興のための、ささやかな挑戦でもある。

創作

# 眠い町

小川未明・作

久保田寛子・版画

**久保田寛子**（くぼた・ひろこ）
1971年生まれ。イラストレーター。セツモードセミナー卒業、MJイラストレーションズ卒業。2022年3月17日から4月3日まで、福岡市平尾のカフェ併設のギャラリーOther（福岡市中央区平尾5-4-33）で個展を予定しています。

# 一

この少年は、名を知られなかった。私は仮にケーと名づけておきます。

ケーがこの世界を旅行したことがありました。ある日、彼は不思議な町にきました。この町は「眠い町」という名がついておりました。見ると、なんとなく活気がない。また音ひとつ聞こえてこない寂然とした町であります。また建物といっては、いずれも古びていて、壊れたところも修繕するではなく、烟ひとつ上がっているのが見えません。それは工場などがひとつもないからでありました。

町はだらだらとして、平地の上に横たわっているばかりであります。しかるに、どうしてこの町を「眠い町」というかといいますと、だれでもこの町を通ったものは、不思議なことには、しぜんと体が疲れてきて眠くなるからでありました。それで日に幾人となくこの町を通る旅人が、みなこの町にきかかると、急に体に疲れを覚えて眠くなりますので、町はずれの木かげの下や、もしくは町の中にある石の上に腰を下ろして、しばらく休もうといたしますうちに、まるで深い深い穴の中にでも引き込まれるように眠くなって、つい知らず知らず眠ってしまいます。

ようやく目がさめた時分には、もういつしか日が暮れかかっているので、驚いて起ち上がって道を急ぐのでありました。この話がだれからだれに伝わるとなく広がって、旅する人々はこの町を通ることをおそれました。そして、わざわざこの町を通ることを避けて、ほかのほうを遠まわりをしてゆくものもありました。

ケーは、人々のおそれるこの「眠い町」が見たかったのです。人の恐ろしがる町へいってみたいものだ。己ばかりはけっして眠くなったとて、我慢をして眠りはしないと心に決めて、好奇心の誘うままに、その「眠い町」の方を指して歩いてきました。

# 二

なるほどこの町にきてみると、それは人々のいったように気味の悪い町でありました。音ひとつ聞こえるではなく、寂然として昼間も夜のようでありました。また烟ひとつ上がっているではなく、なにひとつ見るようなものはありません。どの家も戸を閉めきっています。まるで町全体が、ちょうど死んだもののように静かでありました。

ケーは壊れかかった黄色な土のへいについて歩いたり、破れた戸のすきまから中のようすをのぞいたりしました。けれど、家の中には人が住んでいるのか、それともだれも住んでいないのかわからないほど静かでありました。たまたまやせた犬が、どこからきたものか、ひょろひょろとした歩みつきで町の中をうろついているのを見ました。ケーは、この犬はきっと旅人が連れてきた犬であ

ろう、それがこの町の中で主人を見失って、こうしてうろついているのであろうと思いました。ケーはこうして、この町の中を探検していますうちに、いつともなしに体が疲れてきました。

「ははあ、なんだか疲れて、眠くなってきたぞ。ここで眠っちゃならない。我慢をしていなくちゃならない。」

と、ケーは独り言をして、自分で気を励ましました。

　けれど、それは、ちょうど麻酔薬をかがされたときのように、体がだんだんしびれてきました。そして、もうすこしでもこうしていることができなくなったほど、眠くなってきましたので、ケーはついに我慢がしきれなくなって、そこのへいの辺に倒れたまま、前後も忘れて高いいびきをかいて寝入ってしまいました。

# 三

よく眠ったと思いますと、だれか自分を揺り起こしているようでありましたから、ケーは驚いて目をみはって起き上がりますと、いつのまにやら日はまったく暮れていて、四辺には青い月の光が冷ややかに彩っていました。

「もう何時ごろだろう、これはしまったことをしてしまった。いくら眠くても、我慢をして眠るのではなかったが。」

と、ケーは大いに後悔しました。けれども、もはやしかたがありません。

彼は、そこに落ちていた自分の帽子を拾い上げて、それをかぶりました。

そして四辺を見まわしますと、すぐ自分のそばに一人のじいさんが、大きな袋をかついで立っていました。

ケーは、このじいさんを見ると、だれか自分を揺り起こしたように思ったが、このじいさんであったかと考えましたから、彼は臆する色なく、そのじいさんの方に歩いて近づきました。月の光で、よくそのじいさんの姿を見守ると、破れた洋服を着て、古くなったぼろぐつをはいていました。もうだいぶの年とみえて、白いひげが伸びていました。

「あなたはだれですか。」

と、少年は声に力を入れて問いました。

するとじいさんは、とぼとぼとした歩きつきをして、ケーの方に寄ってきて、

「私だ、おまえを起こしたのは！　私はおまえに頼みがある。じつは私がこの町の主である。けれど、おまえも見るように、私はもうだいぶ年を取っている。それで、おまえに頼みがあるのだが、ひとつ私の頼みを聞いてくれぬか。」

と、そのじいさんは、この少年に話しかけました。

ケーは、こういってじいさんから頼まれれば、男子として聞いてやらぬわけにはゆきません。

「僕の力でできることなら、なんでもしてあげよう。」

ケーは、このじいさんに誓いました。じいさんは、この少年の言葉を聞いて、ひじょうに喜びました。

「やっと私は安心した。そんならおまえに話すとしよう。私は、この世界に昔から住んでいた人間である。けれど、どこからか新しい人間がやってきて、私の領土をみんな奪ってしまった。そして私の持っていた土地の上に鉄道を敷いたり汽船を走らせたり、電信をかけたりしている。こうしてゆくと、いつかこの地球の上は、一本の木も一つの花も見られなくなってしまうだろう。私は昔から美しいこの山や、森林や、花の咲く野原を愛する。いまの人間はすこしの休息もなく、疲れということも感じなかったら、またたくまにこの地球の上は砂漠となってしまうのだ。私は疲労の砂漠から、袋にその疲労の砂を持ってきた。私は背中にその袋をしょっている。この砂をすこしばかり、どんなものの上にでも振りかけたなら、そのものは、すぐに腐れ、さび、もしくは疲れてしまう。で、おまえにこの袋の中の砂を分けてやるから、これからこの世界を歩くところは、どこにでもすこしずつ、この砂をまいていってくれい。」

と、じいさんは、ケーに頼んだのでありました。

# 四

少年は、じいさんから、不思議な頼みを受けて、袋を持って、この地球の上を歩きました。ある日、彼はアルプス山の中を歩いていますと、いうにいわれぬいい景色のところがありました。そこには幾百人の土方や工夫が入っていて、昔からの大木をきり倒し、みごとな石をダイナマイトで打ち砕いて、その後から鉄道を敷いておりました。そこで少年は、袋の中から砂を取り出して、せっかく敷いたレールの上に振りかけました。すると、見るまに白く光っていた鋼鉄のレールは真っ赤にさびたように見えたのでありました……。

　またある繁華な雑沓をきわめた都会をケーが歩いていましたときに、むこうから走ってきた自動車が、危うく殺すばかりに一人のでっち小僧をはねとばして、ふりむきもせずゆきすぎようとしましたから、彼は袋の砂をつかむが早いか、車輪に投げかけました。すると見るまに車の運転は止まってしまいました。で、群集は、この無礼な自動車を難なく押さえることができました。

　またあるとき、ケーは土木工事をしているそばを通りかかりますと、多くの人足が疲れて汗を流していました。それを見ると気の毒になりましたから、彼は、ごくすこしばかりの砂を監督人の体にまきかけました。と、監督は、たちまちの間に眠気をもよおし、

「さあ、みんなも、ちっと休むだ。」

といって、彼は、そこにある帽子を頭に当てて日の光をさえぎりながら、ぐうぐうと寝こんでしまいました。

　ケーは、汽車に乗ったり、汽船に乗ったり、また鉄工場にいったりして、この砂をいたるところでまきましたから、とうとう砂はなくなってしまいました。

「この砂がなくなったら、ふたたびこの眠い町に帰ってこい。すると、この国の皇子にしてやる。」

と、じいさんのいった言葉を思い出し、少年は、じいさんにあおうと思って、「眠い町」に旅出をしました。

　幾日かの後「眠い町」にきました。けれども、いつのまにか昔見たような灰色の建物は跡形もありませんでした。のみならず、そこには大きな建物が並んで、烟が空にみなぎっているばかりでなく、鉄工場からは響きが起こってきて、電線はくもの巣のように張られ、電車は市中を縦横に走っていました。

　この有り様を見ると、あまりの驚きに、少年は声をたてることもできず、驚きの眼をみはって、いっしょうけんめいにその光景を見守っていました。

底本：「本定小川未明童話全集 1」講談社
1976（昭和51）年11月10日第1刷発行
1982（昭和57）年9月10日第7刷発行
初出：「日本少年」1914（大正3）年5月
※表題は底本では、「眠い町」となっています。

入力：ぷろぼの青空工作員チーム入力班
校正：ぷろぼの青空工作員チーム校正班

2011年11月2日作成
このテキストは、インターネットの図書館、青空文庫（http://www.aozora.gr.jp/）で作られました。入力、校正、制作にあたったのは、ボランティアの皆さんです。

## 「眠い町」とわたし

作者の小川未明は明治15年（1882年）に新潟に生まれた児童文学の作家です。
『小川未明童話集』（新潮文庫）に載っている坪田譲治氏の解説によると、食事に誘われて一緒に出かけてもサッサと料理を注文してお酒を飲んで直ぐ席を立つという、とてもせっかちな人だったそうで、気に入ったものを手に入れたいと思うと一刻の猶予もなく欲しくなり、飽きるとどんな高価なものでもあっさり人にあげたり骨董屋に渡したりと、未明の作品で短編の作品が多いのも童話発表の場が雑誌であることもありますが、この熱しやすく気短な未明の性格があるのでは……と書かれてあり、生涯書いた童話の数はおよそ1000編と言われているようです。
その中のひとつ「眠い町」はわたしが大人になってから出会ったお話でした。

2011年3月11日に東日本大震災が起こり、いまも継続中なことではありますが、とくにその後数年はあまり積極的に絵を描く気持ちにもなれずに過ごしていました。あるとき小川未明の「眠い町」を読み返す機会があり、そのころの世の中の鬱屈した雰囲気と重なるように感じて（それまで、ほとんど版画で制作したことはなかったのですが）、挿絵ではないこのお話の世界観を描いてみたいと思い版画で制作しました。せっかくならどこか知らない町で展示をしてみたいと探し、きさら堂（京都市左京区）というカフェとギャラリーが併設されているお店で2018年頃に展示をさせてもらいました。そのときに作った版画のzineの一部を今回「眠い町」のお話と一緒に掲載していただいています。

このお話の救いのない（とわたしからは見える）結末は、とても印象的で人間の弱さや愚かさなどを表現しているようにも思えますが、淡々としたラストの描写はそれに対しての作者の評価はなく、ただ「人間とはそんなものだ」と言っているようにも思えました。2018年頃に自主制作したコママンガのzine「タコのくに」（一部書店や雑貨屋さんで販売中）があるのですが、『茶色の朝』（フランク・パヴロフ著／フランスで100万部突破のベストセラー）のような話を描きたくて趣味で作りました。そのときは、おかしいと思いつつも物事が進んでいくのを止めることができない虚しさ、立ち止まって考えることをできなくしている仕組みに対する腹立たしさなどを折り込んで描いていたのですが、いま振り返ると「眠い町」を読んだときに自分が感じた人間とはそんなものだという心境がどこかに折り込まれているのかもしれないなと思いました。
それぞれの立場や影響を受けてきた背景によって考え方なども変わってくるので、正解のようなものはないのかもしれません。ただ、「人間は間違うかもしれない」ということを心のどこかに意識して生きて行くことも大切なのかもしれないなと思っています。

久保田寛子

ものものがたり

#2

# 自在鉤／唐津焼の器

丸若裕俊×沖本ゆか

「モノ」よりも「コト」のほうが人を惹きつける時代だと言われています。
でもだからこそ、人と「モノ」の関係を考え直してみたい。そう考えてはじまった連載「もののものがたり」。
日本の伝統工芸のアップデートに取り組む丸若裕俊さん（EN TEA代表）と、
日本国内の陶磁器の魅力を世界に発信するプロジェクト「CERANIS」を手がける沖本ゆかさん。
骨董の域に達しそうな工芸品からジャンクな日用品まで、
さまざまな「モノ」の魅力を語り尽くす対談をお届けします。
第2回は2021年10月にリニューアルしたばかりの渋谷・GEN GEN AN幻にて、
丸若さんが自在鉤、沖本さんが唐津焼の器を紹介してくれました。

構成＝小池真幸　写真＝蛯川新　協力＝GEN GEN AN幻

## 手を加える気が起こらない、完成されたシンプルさ

**丸若**　ぼくが今日持ってきたのは、「自在鉤」というものです。一見とてもモダンですが、これの原型は囲炉裏にあるんですよ。田舎の家を思い浮かべるとき、囲炉裏があって、その中心には天井から何かがぶら下がっている光景をイメージしますよね。たとえば、鉄瓶が吊るされていたり。

**沖本**　鍋が吊るされていて、みんなで囲んでいるイメージもありますね。

**丸若**　あのぶら下がっている仕組みはそのままに、サイズ感が繊細に美しくデザインされた品が、この自在鉤なんです。

**矢野**　へぇー！　全国各地のあの仕掛けは、全部この仕組みなんですか？

**丸若**　はい。テコの原理で長さの調整ができる、シンプルな仕組み。古来より親しまれた道具が見事にアップデートされた、美しい一品です。

　使い方は自由です。今はキャンドルホルダーとして使っていますが、灰皿を置くこともできますし、古い蕎麦猪口を置いて水を張れば、花器としても使えます。この器自体に水を張って葉っぱを一枚置くだけでも、美しい鏡面になりますしね。ちょっと布でくるっと巻けば、どこにでも持っていける便利さもありますし、まさに名前通り「自由自在」に使えるんです。

**沖本**　名が体を表していて素敵ですね。

**丸若**　この連載の第1回では箸置きを紹介しましたが、あれはある程度使うシーンが特定されており、何種類も保

**丸若裕俊（まるわか・ひろとし）**
東京生まれ横浜育ち。多種多様な文化が交わる港町で幼少期を過ごした後に、日本各地を旅する中で職人との交流が深まり、日本文化をプロデュースする丸若屋を設立。
自身の集大成として茶の可能性を世界に伝えることを目的にEN TEAを設立。

**沖本ゆか（おきもと・ゆか）**
外資IT会社に勤務。その一方で、世界中を旅して日本のものづくり文化のすばらしさを再認識し、同じデザインの陶磁器を国内各地の作家・職人の方に制作していただく「CERANIS」プロジェクトを実施。各地の技法を統一的に並べることで、各窯元の作風や風合いの違いや地域の景色を国内外に発信している。

有してその日の気分で選ぶものですよね。でも、自在鉤は一つでいろいろな表情を楽しむことができます。「何に使うの?」ではなく、「どう使ってみようかな」と楽しんでほしいです。今は何につけてもマニュアルや導線が求められますが、少し前の時代まで当たり前にあった「生活の知恵」を思い起こさせてくれる品ですね。

それからぼくは美しいプロダクトに出会えたとき、素直にモノを楽しめるんです。仕事柄、ふだんはモノができるまでのプロセスばかり意識してしまっていますが、この自在鉤はそのことを忘れさせてくれ、純粋にモノの美しさを味わわせてくれます。さらには、気付きも与えてくれる。長く愛用させていただいていますが、今でも、多くのヒントを与えてくれます。

## 和洋兼ね備え、ほぼ絶対に「ほしい」と言われるデザイン

**丸若**　今日持ってきた自在鉤は、猿山修さんのデザインによるもの。初めて名前を聞かれたかもしれませんが、日本が誇るべき、素晴らしいデザインを生み出せる方だとぼくは思っています。西洋、東洋を問わず古物の見識が深く、そこから生まれるデザインは、和洋の両側面の美しさを見事に融合し表現しているものばかり。縁あって昔から大変お世話になっていて、このGEN GEN AN幻のリニューアルの際は、空間のディレクションもご一緒しました。

**沖本**　ここのデザインもされた方なんですね。どうりで馴染んでらっしゃる。

**丸若**　ありがとうございます。猿山さんには、国内だけでなく世界中のデザイナーや、モノに精通する人をはじめ、多くの愛好家がいます。海外のクリエイターにこの自在鉤を見せると、ほぼ絶対に「ほしい」と言われますね。海外に限らず、センスがいい人の家や料理屋などに行くと「ここにもある」「この人も持っていたんだ」と気付かされることも少なくありません。こういうモノが好きな人にとっては唯一無比で、「どうしても手に入れたい」と思える一品ですね。そんな品を同時代を過ごしている人が生み出してくれていることも、とても嬉しいです。

**沖本**　すごいですね。本当にいいモノが、西と東とを超越する瞬間がわたしもすごく好きです。モノってその土地の文化や個人の嗜好で成り立つところが大きいはずなのに、同じところにたどり着くのは素敵だなと思います。人類共通の美意識があるんだなぁって。

**丸若**　価格もインテリアとして考えたら安価ではないかもしれませんが、「作品」と言っても過言ではない品として

は、モノの対価として良心的。鍛冶職人が一つひとつを丁寧に手仕事で生み出していることも含めて、買って使うぼくたちにとって魅力的な品ですね。

## 空間を縦に切り、タイムレスな時間を生み出す

**丸若**　それから、こうして空間を縦に切るモノって、意外とないんです。そもそも現代では、日本の美意識を感じさせてくれるモノには小さいものが多い。本来は畳や文机、掛け軸など素晴らしい道具がありますが、今の生活環境に取り入れるにはハードルが高い。さらに、こうして縦の結界を生むものは稀です。

　また自在鉤は縦の美しさに加えて、床との距離感など、空間自体を演出してくれます。日本間はもちろん、洋間でも一本吊るすことで心地よい緊張感が生まれ、空間自体の質を高めてくれます。これからの時代を作る若い人々にもこの感覚を体験してもらいたいと思い、GEN GEN AN幻のリニューアルを猿山さんにお願いする際、ぜひ使用したいとお願いしたんです。「空間全体を一つの道具として捉えてディレクションしてほしい」と依頼させていただいた結果、オープン以来、ずっとイメージしていたような空間に生まれ変わりました。連なる棚の

引き出しや照明をはじめ、店内に存在するものたちが、どの角度からもタテヨコが心地よく整えられています。

**沖本**　レトロな感じで、空間が切られていますよね。ここだけ、空気の流れが止まっているような。

**丸若**　はい。念頭に置いていたのが、ぼくが数年前から仕事の中での共通するテーマとしている、「タイムレス」という概念です。時間を西洋的な〈時間〉として捉えるという固定観念からいったん離れて、東洋的な〈間〉のあり方に注目することで、前も後ろもなく、すべてをつながっているものとして捉えるという考え方です。

　まさにこの空間の存在自体が、ぼくが大切にしているメッセージを体感させてくれるんです。長時間をかけて再現された繊細なお茶の味わいや、整えられた光と影のバランスが積み重なっている。そうして、細かいことはさておき、訪れるみなさんが日々の目の前のことから一時心が開放され、時の大切さを感じられる空間になっています。

**沖本**　たしかに、ここは渋谷のど真ん中にありながら、それとは違う時間が流れている感じがします。

**丸若**　みなさん言ってくれるのですが、渋谷の喧騒の中にある店なのに、一歩入った瞬間に「時間」から開放さ

れて、「時」と「間」になる。その心持ちで窓からカオスな渋谷の街並みを覗くと、何とも言えない感覚になるんです。

**沖本**　かなり感覚がリフレッシュされます。瞑想しているかのような気分でお茶を飲んでいて、ふと外を見ると、すごいカオスがあるというギャップ。瞑想したり坐禅を組んだりした後って、自分の中のセンサーがクリアになって、なぜか紅葉が鮮やかに見えたりするじゃないですか。ここから渋谷の街を眺めていて、その感覚をふと思い出しました。静かさと慌ただしさのコントラストがすごい鮮やかだから、より一層、五感が増幅させられる。

## 感覚を取り戻すための準備運動を

**丸若**　もちろん、ここが坐禅の代わりになるなんておこがましいことは決して思っていません。ただ、日々の中ですぐに坐禅を始められない人は多いと思います。そもそも坐禅は昔から、さまざまな経験や思いを重ねた、いい意味で限られた人が、ことの本質を知り身を投ずる行為。そうではない、ぼくのような体たらくで生活をしている現代人にとっては、準備運動やストレッチのような経験が大切だと考えています。そうしてご自身の生活の中で、自

由な感覚でかまわないので、お茶を飲んだり道具を楽しんだりしてもらえたら嬉しいです。

**沖本**　なるほど。感覚を取り戻すきっかけ作りをしてくれているんですね。

**丸若**　これはお茶や飲食店に限った話ではありません。極端ですが、こういうことを都市、特に東京で暮らす人たちが本気で考えないと、まともな人は耐えられなくなっていってもおかしくない。外から帰ったら手を洗いうがいをするように、習慣として時間を見つめ直すことの大切さを、みんなで考えたいんです。最近耳にする「火を見ているとリラックスできる」といった話も、そうした無意識の中にある欲求の表れだと思います。

## 土地としての完成度が きわめて高い街、唐津

**丸若**　そろそろ、選手交代しましょうか。沖本さんが今回持ってきたのは、唐津焼の器？

**沖本**　そうです。健太郎窯と鳥巣窯、二つの窯元さんのものを持ってきました。

　まずは健太郎窯の筒杯と豆皿のほうから。うちは器がたくさんあって置き場がなくなってきているので、何かシーンを想像できないと買わないことにしているのですが、この筒杯は基本、水出し山椒茶を飲むときに使っています。嬉野のお茶をいれたらぴったりだなって、イメージできたんです。これは健太郎さんの中でもスタンダードな商品で、使い方をよく考えて練られたプロダクトなので、自然とあまり外れた使い方はしないです。飲み物プラスお茶菓子くらい。唐津でいろいろな方にお茶菓子を出してもらって、その大事さ、温かさを感じたので、人が来て少し休んでいただくときなどに、豆皿にお茶菓子を乗せて出したりはしていますね。

**丸若**　沖本さんらしい器ですね。唐津に対して、どんなイメージがありますか？

**沖本**　強い思い入れがありまして、そもそも最初に器を好きになった街が唐津だったんです。7年前くらいに知人から「唐津に行くけど一緒に来る？」と誘われて、特に見たいものや行きたいところがあったわけではないのですが、「食事が美味しそうだな」くらいの軽い気持ちでついていきました。正直、関東の人間からすると、佐賀って遠いこともあって、あんまり観光地としての強いイメージはないじゃないですか。でも、実際に訪れてみると、すごい素敵なギャラリーはあるし、街は栄えているし、虹の松原は美しいしで、衝撃を受けました。大陸とつながる重要な貿易港であり、江戸時代は幕府の直轄領である天領だったんですよね。

**丸若**　本当に魅力的な土地ですよね。

**沖本**　唐津焼ともすごくいいかたちで出会えました。商店街の中に川島豆腐店というお豆腐屋さんがあり、そこでは中里隆さんという人間国宝の方が作った器を使って食べられるんです。いいモノからはやはり、何も前提知識がなくても、風合いだったりとか、いろいろなことが伝わってくる。夜は夜で、お寿司屋さんの大将が「唐津の魚と唐津のお酒を、この唐津焼で食べるのが唐津の本質なんだよ」と、すごい楽しそうにもてなしてくれまして。「これが土地を味わうということなんだなぁ」と、今までのどんな旅行よりもその土地らしさを感じられて楽しく、それで器に興味を持ちはじめるようになりました。

**丸若**　ぼくにも似たような経験があります。唐津は「これがいいよね」という感覚が、地域的に同じ方向を向いていますよね。料理屋さんに行くと、まず料理がおいしい。それだけじゃなくて器も綺麗だなと思って「誰が作ったものですか？」と聞くと、「○○さんです、ここからすぐに訪ねられますよ」という話ができる。訪ねたら訪ねたでまた違う出会いがあってと、ぐるぐる回っていく。最初にいいところに入る

と、自動的に品質の高いところに連れて行ってもらえる、信頼感の高さが唐津にはあります。

**沖本**　そうですよね！　唐津焼の器を見たり使ったりすると、そのバランス感の良さを思い出します。風景は持ち帰れないし、食べ物も長くは保存できないけれど、唯一その土地で培われたモノなら持ち帰れる。

　ちなみに後から知ったんですが、わたしが今日持ってきた健太郎窯と鳥巣窯の窯元さんは、師匠が一緒だそうなんです。すると自然に、その師匠のことも気になってきて「次回はここに行こう」と思いますよね。

**丸若**　とにかく土地としての完成度が高くて、地場できちんとサイクルができている。

**沖本**　人づてに次々と紹介いただけるので、宝探しみたいな感じで、すごい楽しいですよね！

**丸若**　モノだけじゃなくて、コトや空間、食にまで拡張性がある。何度訪れても都度、土地に魅了されています。

## 職人は夢見るリアリスト

**沖本**　健太郎窯も、とても素敵な工房でした。小高い山の頂にあるのですが、入って扉を開けた瞬間、山の中にいたはずなのに、綺麗な海と虹の松原が見えるんです。その時点ですごい心がリフレッシュされて、そのうえで一つひとつお話を聞きながら、器を選ばせていただきました。

　伝統的な斑唐津の器ではあるのですが、同時にモダンな感覚もあるところに強く惹かれまして。お話をうかがっていると、健太郎さんはもともと美大出身で、その後器の道に入られたそう。だからこそ伝統というものに対して、どこは残してどこは現代風にアレンジするのかということを、熱心に考えていらっしゃる。特に、「伝統を名乗るなら少なくとも材料はその地のものを使わなきゃいけない」とおっしゃっていたのが、とても印象的で。たとえば土作りにすごいこだわっていて、石を削るところから始められているんです。さすがにそこまでしている方は初めて見たので驚きました。

**丸若**　あの工房を若くして作り上げたと聞いたときは驚きました。

**沖本**　海の見える素敵な縁側で一緒にお酒も飲ませていただいたのですが、そのときにこんなお話もされていました。石から土を作るのはやはり大変で、お弟子さんや若手の方がよく挫折してしまうそうです。どうにかできないかということで、今度は福祉のプロジェクトを立ち上げようとしていらっしゃるとのこと。障害を持っている人のための施設を作り、石を砕いて土を作るプロセスを手伝ってもらうために、補助金の申請などにトライしているのだと。

　わたしが職人さんに惹かれてしまう理由が、ここにあると思いました。アーティストの方も社会の中での葛藤を表しているのだとは思いますが、職人さんは一個人としての表現はもちろん、それ以上に工芸や伝統をどう守っていくのかというパブリックな視点を深く持っていらっしゃる気がします。

**丸若**　別の言い方をすれば、アーティストもイノベーションのきっかけとインスピレーションを与えることはできるけれど、職人はイノベーションを起こすところまでできる。次のスタンダードを作っていけるんです。

**沖本**　温故知新を体現している、と言えるかもしれません。脈々と受け継がれる伝統をリスペクトしつつ、時代の流れを見てちゃんと変えながらモノを作っている。

## 工芸は決して高価ではない

**丸若**　もう一つの鳥巣窯の板皿についても、お話しいただけますか？

**沖本**　はい。同じ唐津焼でも、こちらはもう少し自由に使っています。ちょっとしたお料理や和え物、お菓子などをのせることもありますね。グラデーションがとても綺麗なところが大好きで。しまっておくのがもったいないので玄関口に置いて、中にピアスや指輪を入れる使い方もしています。

**丸若**　その使い方も、自然体でいいですね。必需品というわけじゃありませんし、楽しんで見立てることが大事だと思うんです。ヨーロッパの蚤の市で「これ何に使うんですか？」と聞いたところで、「お好きなように」と言われて終わりでしょう。一つ新しい使い方に気づくだけで「あ、そうだよね」と嬉しくなりますよね。

**沖本**　ピタッとはまると嬉しいですよね。見立ての楽しさを味わっている感覚があります。鳥巣窯は、出会った過程も印象に残っていまして。きっかけは、草伝社という唐津焼のギャラリーを訪れたことです。そこは所狭しといろいろな作家さんのモノが置いてある素敵な古民家なのですが、ギャラリストではなく和菓子の販売やお茶の先生をされている方が、「場所があるから、作家さんは好きなものを置いていっていいですよ」という思いで運営されています。そして、一つひとつの作品に「斑唐津」「朝鮮唐津」「八寸皿」といった札がついていて、裏を見るまで作家さんの名前や値段がわからないんです。

**丸若**　ブラインドなんですね。いいですねー（笑）。

**沖本**　そうなんです。真剣にじっと見て、神経衰弱みたいな感じで「誰のかな」とめくっていかざるを得ない。それを続けていると、「どうも私は鳥巣窯をやっている岸田匡啓さんという人が好きらしい」とわかってくる。それで、鳥巣窯にお邪魔してみることにしたんです。

その名前の通り、本当にすごい山奥にあって（笑）、地元の人も滅多に行かないそうです。このお皿に関しては使い方の前に、とにかく見た目が好きで、「白い宇宙があったら、こんな感じだろうな」といったことなどを思って選びました。見ていると吸い込まれそうですよね。

**丸若**　素敵な選び方ですね。そうしたお金の使い方があるべき姿ですよね。あくまでお金も人生を豊かにする潤滑剤であり道具ですから。人によっては、「割れるモノなのに何千円も出すのは高い」と思われるかもしれませんが、相当おっちょこちょいじゃない限り、まず1年で割れないですよ。そもそも1年数千円って、Tシャツとあんまり変わらないじゃないですか。もちろん茶道具などは際限がないですが、単純に満足度を考えると、この唐津焼の器は100円ショップやファストブランドのモノと比べても、決して高い買い物ではないと思います。

**沖本**　見立ても楽しめますしね。器八割、盛り付け・料理二割みたいなことを言いますが、最後に自分が参加して完成するというのが、すごい楽しいんです。そうした楽しさを多くの人に見つけてもらうためにも、工芸品を自然に知ることができるきっかけと、地元の方たちと触れ合える産地が、もっと増えていくといいですよね。知れば知るほど楽しくなっていく、そんな行き先作りがしたいですね。

おいしいものには
わけがある

#2

# 「ジャンボ」の お好み焼きと焼きそば

文＝宇野常寛　写真＝蜷川新

**ジャンボ**
京都・等持院駅から徒歩 3 分、1974 年創業のお好み焼き専門店。看板メニューはその名の通り「ジャンボ ミックス」。2018 年 7 月より、持ち帰り専門店として営業中。
【営業時間】11:00 ～ 14:00 /17:00 ～ 21:00
【定休日】月曜・火曜・第 4 日曜
Tel:075-462-2934

京都市北区等持院——足利家の菩提寺として知られる古寺——の門前、一条通に一軒のお好み焼き屋がある。その名も「ジャンボ」。その筋では、かなり有名なお店だ。僕が若いころ京都に暮らしていたことは、度々書いているので知っている人も多いと思う。そして僕はこのお店に、もう20年以上通い続けているのだ。

このお店はその名の通り、安価で圧倒的なボリュームのお好み焼きと焼きそばを提供することで知られている。どれくらい大きいかと言うと「ジャンボ」サイズのお好み焼きまたは焼きそば（750円）を注文すると、成人男性二人がそれだけでお腹いっぱいになる。ただ、当時からこのサイズだったわけではなくて、人気店になっていくにつれてだんだん大きくなっていったのだと取材に応じてくれた店長の江島万植さんは言う。

「徐々に大きくなっていってるね。どっちかって言うと数さばけば仕入れも安うなるし。そうするとおのずと大きくなる。そういうふうな状態で。せやけども倍も大きくはなってないね。最初から大きかったし。そやからびっくりさせるのが一番の目的でこの大きさにしたんやね」

この店のお好み焼きと焼きそばは僕が暮らしていた当時、既にこの「ご近所」の人々——東は西大路通、西は双ヶ丘、南は新丸太町通、北は衣笠山が囲むエリア——の人々のソウルフード的な存在になっていた。

「創業はぼくが14のころやから……昭和49年かな。足掛け50年近うなってるのかな。うちの母親が創業者で、大阪出やったさかいに、お好み焼きが頭にあって。もう足腰悪くて立ててへんけど、これ（口）は立ちます。最初の1年は西京区の物集女街道のほうにいたんやけども、1年後にここに移転して、そこからずっとここ。京都ってお好み焼きでおなかを膨らます風習がなくて、どっちかって言うと小腹がすいたときのおやつみたいな感覚。それでたまたまここは学生が多い街で……。50年前やったらこのあたりの学生さんみんな、お腹すかせてピーピー言ってたん。冬もはだしで下駄履いてボロボロのジーパンにスウェットとかちゃんちゃんこ着ていう感じで。そんな、おなか空いてる子におなかいっぱい食べさせてやろっていうのがスタートやと思う」

僕が通い始めた20年前に「ジャンボ」には既に夕食の時間帯や週末には行列ができていた（たしかに当時は奥の調理場を仕切るおばあちゃんが店長さんだった）。だから当時からこの付近の住人は、この店の中でお好み焼きや焼きそばを食べることはあまりなかった。ほとんどの家庭はこれらをテイクアウトして自宅で食べていた。それも、焼き上がったものを持って帰って食べているのではなく、「生」と呼ばれる、ある程度調理された材料のセットを持ち帰り、自宅のホットプレートで焼いて食べるのだ。昔も今もひっきりなしに近所のおじちゃんやおばちゃんがやってきて、「生のミックスジャンボと、ジャンボのそばひとつずつ」といった専門用語を駆使してスピーディーな注文を行い、10秒くらいで店員さんから慣れた感じで白いビニール袋と現金を交換して去っていく、という光景に出くわす。これはなにをやっているのか

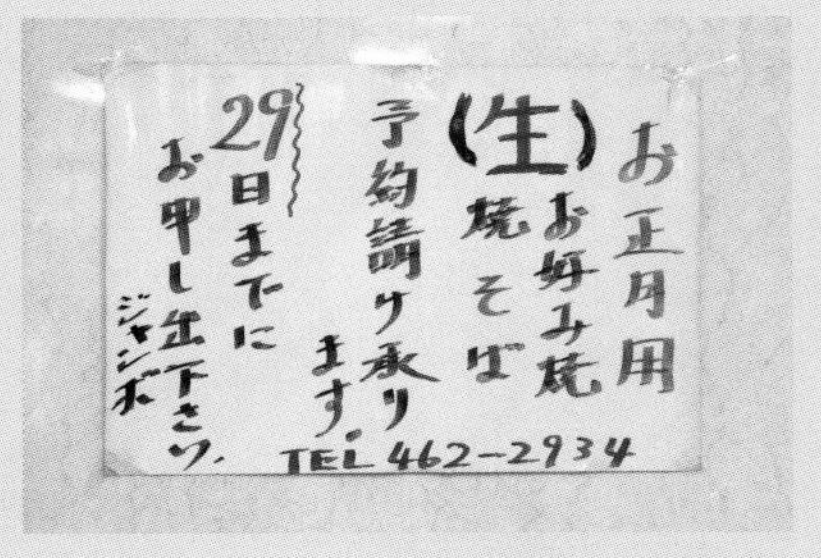

恐るべきことに、この付近の住民はこの「生」の特に焼きそばを年越しそばの代わりに（？）年末に自宅で焼いて食べている。そのため、年内最後の営業日はこの「年越しジャンボ（と僕は勝手に呼んでいた）」を求める客がひっきりなしに訪れていた。

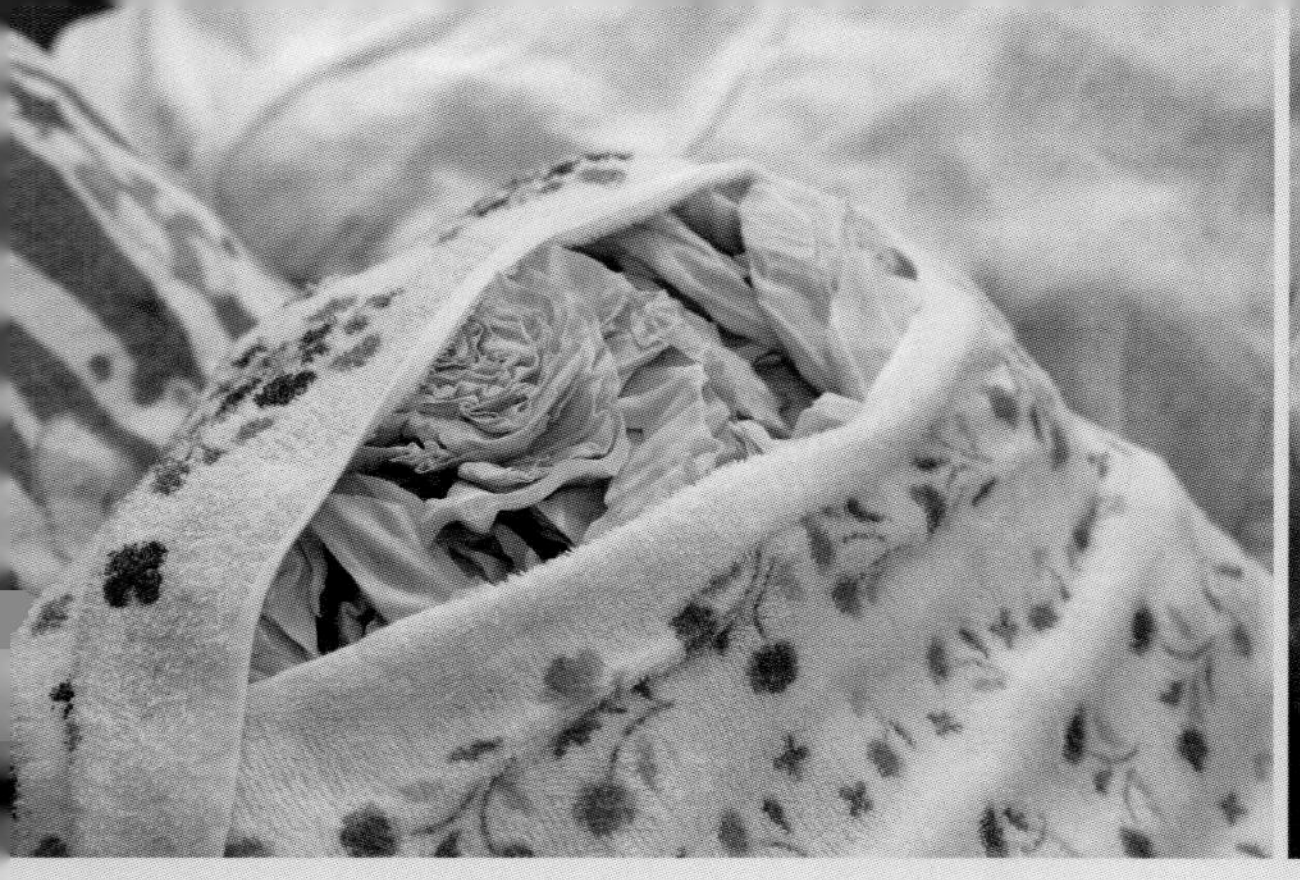

というと、お好み焼きや焼きそばの材料を買って帰っているのだ。

「まず初めてうちに来はったお客さん、量が多くて半分しか食べられへん。もったいないしパックにつめましょうか、言うたのがはじまり。それで持って帰って食べても大丈夫やし、焼いたやつも持って帰れるようにしよかって、そういう流れになっていったと思いますね」

そして人気店となり、毎日の行列の緩和策として追加導入されたのが、「生」の持ち帰りだ。

「生の持ち帰りを売るのは先駆けやと思う。お客さんぎょうさん来てくれるさかいに、手前みそやけども家で焼いたら楽ですよ、待たんでもいけますよって言うて。生やったら店で食べるよりも一回り大きゅうしてるさかいに、お家で焼かれはるほうがお得ですよって」

僕は京都に暮らしていたころ、この店のお好み焼きか焼きそばの「ジャンボ」サイズを（面倒なので、焼き上がったものを）テイクアウトして持ち帰り、それを3回に分けて一日分の食事にしていた。それが、当時の僕にとってもっとも安価に美味しいものを食べて、お腹いっぱいになる方法だった。そうして一日下宿に引きこもり、日がな一日好きな本を読んだり、アニメを見たりしていた。それは一点の曇りもない、完璧な一日だった。

あれから、20年。僕は30歳も近くなってからようやくまともに働き始め、京都を離れた。しかし、京都を訪れるたびに、必ずこの街外れにあるお好み焼き屋さんを訪ねた。ある時期から仕事の関係で京都に頻繁に出張するようになり、その頻度は上がった。既に一日の食費を７５０円の巨大お好み焼き一枚で賄わなければならないわけではなかったけれど、その2倍の値段を払って円町駅からのタクシーに乗ってこの店に足を運ぶこともあった。こうして通っている間に、いつの間にか、お店の人に顔と名前を覚えてもらった。今では、注文の電話をかけると、最初に仲良くなった徳山さんに声だけで「宇野君やな」と言われる。店長の娘さんがやっているお店のTwitterアカウントが近所の寺社観光施設に混じってフォローする唯一のアカウントが僕だ。

一体何が、僕をここまでこの店に執着させたのか。理由は単純だ。「味」がいいのだ。はっきり言って、この「ジャンボ」のお好み焼きは京都で食べられるものの中でもトップクラスにおいしい。それはお前の舌が肥えていないだけだと言う人は、一度食べに来ればいい。少なくともミシュラン掲載の祇園の料亭の類だけが、京都の味覚でない

ことを思い知らされるはずだ。

まずお好み焼き。「ジャンボ」のお好み焼きは信じられないくらい、柔らかくて、軽い。まるで綿飴のように口に入れるとそのまま溶けてしまいそうな生地なのだが、しっかりとだしの味が効いていて一口かじるとその旨味が削り節の香りと一緒に口の中いっぱいに広がる。そして僕たちはその中に混じった絶妙に火が通った豚肉、合い挽きミンチ、いかなどをほくほく言わせながら口に運ぶことになる。ソースは甘め、マヨネーズ増量が僕の定番の注文だ。このソースがまた絶品で、いわゆるウスターソースにありがちな粘りつくような後味がまったくなく、とてもすっきりしている。それでいて甘みと塩味と酸味のバランスが絶妙で、どれだけ食べても飽きない。このソースとふんわりとした生地のおかげで、鉄板いっぱいに広がるジャンボお好み焼きも気がついたらペロッと平らげてしまうのだ。

「今の形に落ち着いて30年ぐらいになるかな。それまでは試行錯誤して、小麦粉は何がいいとかその組み合わせを考えたんやけども。焼き上がりふっくらする粉が良いかもとか考えたんやけど、冷めたら固くなるんよ。でも、うちのは冷めてもあんまり固くならへん。箸で切れるし。ポイントは山芋。つくね芋が多いんですわ。メリケン粉よりも卵ぎょうさんいれたほうがふっくらなる。最初は一番大きいＬＬの卵を二つ入れたりとかしてたんやけども、やっぱりバランスを見ると結局ふつうの卵を四つ入れたほうがいいね。何の粉使うてるとかは企業秘密（笑）」

そして忘れてはいけないのが焼きそばだ。この「ジャンボ」ではほとんどのお客さんがお好み焼きと焼きそばをセットで注文する。この焼きそばもお好み焼きと同じソースを使っているのだけど、味はまったく違う。この焼きそばはラードの甘みが主役の焼きそばで、ソースはほんの「調味料」に過ぎない。このラードと一緒に麺の水分が蒸発していくときの匂いだけで、もうたまらなくなる。

「とりあえず太麺でもちもちして、冷めてものびない。よそではこの店みたいな太いそば麺はないと思います。そのかわり焼くのに時間かかると思うけど」

そして極めつけがたっぷりとしたキャベツだ。それは一見何の変哲もないただのキャベツに見えるが、職人さんたちの手にかかるとびっくりするくらい柔らかくて、そして甘い焼きキャベツに変貌する。僕は最初にこれを食べたとき、本当に自分が今まで食べていたキャベツってなんだったんだろう

と思ったものだった。

　どうすればこんなに上手にキャベツが焼けるのか。僕は長年このお店に通いながらその秘密を探ったが、なかなか正解にたどり着かなかった。徳山さんに頼み込んで、焼いているところを録画させてもらったこともあるのだけど、「火加減とタイミングやな」的な一般論以上の回答はもらえなかった。たぶん、身体で覚えるタイプの「こつ」なんだと思う。唯一「そうなのか」と思ったのは麺と具材（キャベツと豚肉）はバラバラに炒めてあとで混ぜないといけないということだった。

　しかし、2022年の今日、職人さんたちの美しい技を目にすることはできない。現在このお店は「持ち帰り」専門店になっているからだ。原因はコロナ禍……ではない。スタッフの高齢化と、人手不足だ。

「みんな全体的に高齢化してきて、彼（徳山さん）が一番若い部類で。パートのおばちゃんにしてもみんな30年以上やっている人ばっかり。4年前に一人一番年いってた人が辞めはったんやけども、本当ならこれから維持していこう思うたら新たに若いスタッフでってなるんやろね。せやけどぼくたちは縁があってこうやって家族みたいな形でやってるから。時代には逆行してるかわからんけれども、おばちゃんたちにはできる範囲でやってもらって、もうええわって言うまでは来てもらおうかな思てる。それでみんながまっとうできたら、静かにたたもうかっていう形で来てます」

　この国の経済がまだ上り調子だったころに、ジャンボには出店の誘いが絶えなかった。しかし、その手の話はことごとく断ってきたのだという。

「バブルのときやったら全国のほうからレシピがほしいということがありましたよ。海外からもあったしね。アメリカ、アラスカ、韓国。バリもあったな。旅行に京都に来たひとや、ホームステイとかしてはった人が。ただ、僕は『お前は身の程のことしかしたらあかん』とずっと言われてきたし。石橋叩くわけではないけど、自分のできる範囲、手先が届く範囲しかやらん。それが一番やと思って、地道にやってます」

　開店から50年……支え続けてきた人たちと一緒に、静かに、ゆっくりと続けられる範囲で続けていく、そして時が来たら終わっていく。それがこのお店の人たちの選択なのだ。僕はいつか、このお好み焼きと焼きそばが食べられなくなることを、とても残念に思っていた。けれど、思った。この味は、この人たちのつながりがあってはじめて50年間維持されてきたものなのだ。こ

取材に応じてくれたのは店長の江島さん（後列左）とスタッフの徳山就さん（後列右）。いつもバックヤードでおいしいお好み焼きと焼きそばを焼いてくれているお姉さんたちにも、感謝！

のチームがなければ、この味もないのだ。「人を大切にしているんですね」と僕が言うと、店長さんは笑った。「大切にしてると思てへんからな」と隣の徳山さんをどつく。「思うてますよ」と徳山さんが笑った。つられて、僕も笑った。

　取材のあとにホテルに戻って、発泡スチロールの容器いっぱいのお好み焼きと焼きそばを、思いっきり貪った。

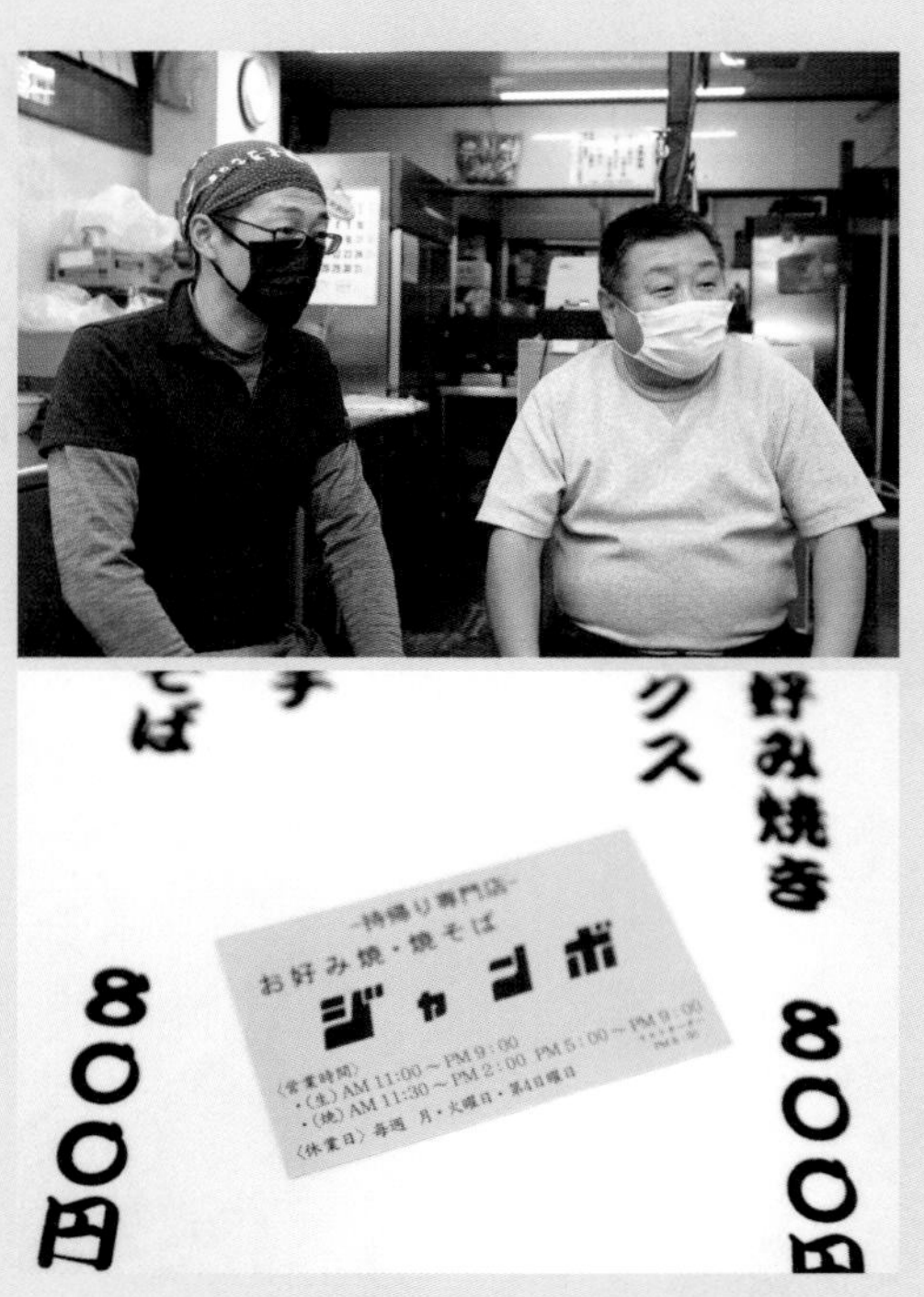


記憶に刻みつけるためにじっくり味わおうと思ったけれど、一口食べると止まらなかった。夢中で頬張って、半分ほど食べると満腹になった。残りは夜に食べることにして、次の取材に出る時間までそのまま少し寝た。僕の手元にはまだたっぷり「ジャンボ」のお好み焼きと焼きそばがある。それだけで、とても、とても幸福だった。

# 絵本のはなしはながくなる

#2

# 近藤那央さんの選ぶ、不思議ないきものたちに出会える絵本

この連載は毎回いろいろな人に好きな絵本を紹介してもらう、ただそれだけの企画です。今回来てもらったのはロボットクリエイターの近藤那央さん。取り上げるのは『おばけ びょうきになる』『ウアモウとふしぎのわくせい』の2冊です。

聞き手＝宇野常寛・石堂実花　構成＝石堂実花　写真＝原田浩明

今回のお題

『ウアモウとふしぎのわくせい』
作／高木綾子、絵／高木綾子、宮野隆

宇宙人の男の子・ウアモウは旅の途中で宇宙船が故障してしまい、不時着してしまう。そこはふしぎな生き物が生息する、ふしぎな惑星だった――。
YAMAVICO HAUS　1800円　2019年

『おばけ びょうきになる』
作・絵／ジャック・デュケノワ、
訳／大澤晶

おばけのアンリは、よく病気になったり、怪我をする。ある日、動けなくなってしまったアンリはそのまま手術室へ運ばれて……。世界各国で翻訳出版されている「おばけシリーズ」の中の1作。
ほるぷ出版　1400円　1999年

**近藤那央（こんどう・なお）**
1995年生まれ。慶應義塾大学環境情報学部卒。2013年よりペンギン型水中ロボット開発チームTRYBOTSを主催し、国際ロボット展や玉川高島屋S・Cなど展示会や科学館へ出展。また、幼い頃からAIBOと暮らしてきた経験からいきものらしいロボットをテーマに“ネオアニマ”というロボットを開発している。2018年夏よりシリコンバレーに移住し、ロボットと暮らせる社会を目指し活動中。

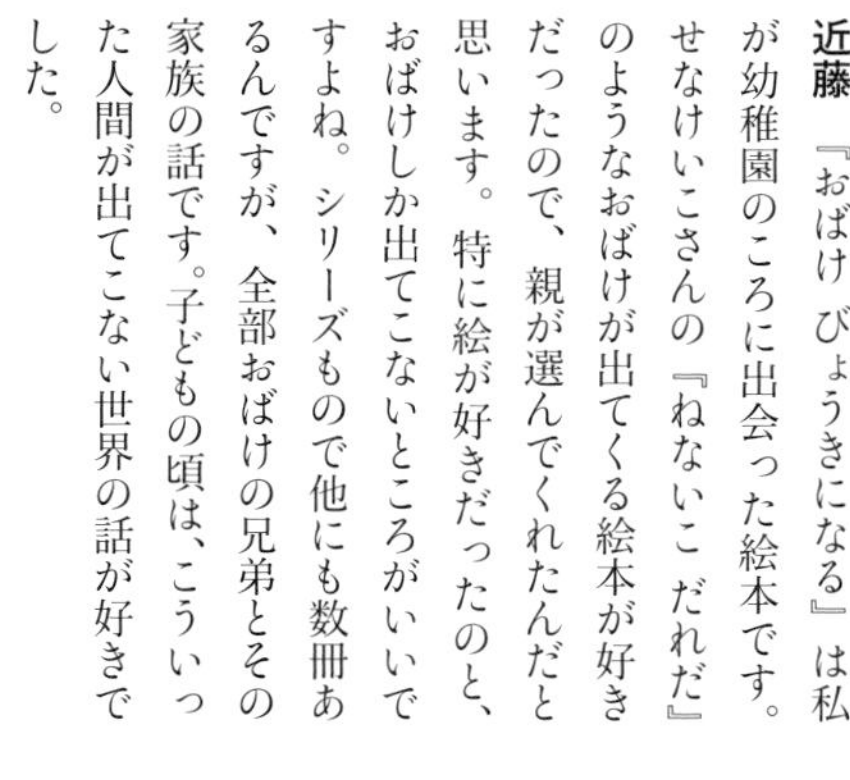


## 「タブー」からの開放感

**近藤**　『おばけ びょうきになる』は私が幼稚園のころに出会った絵本です。せなけいこさんの『ねないこ だれだ』のようなおばけが出てくる絵本が好きだったので、親が選んでくれたんだと思います。特に絵が好きだったのと、おばけしか出てこないところがいいですよね。シリーズもので他にも数冊あるんですが、全部おばけの兄弟とその家族の話です。子どもの頃は、こういった人間が出てこない世界の話が好きでした。

特に気に入っていたのはアンリが病気になって手術するシーンです。子どもの頃って残酷なことが好きだったりしませんか。特に私は幼稚園くらいの年齢の頃に、シルバニアファミリーの赤ちゃんをプラレールで轢いて遊んだりしていた時期があるんです（笑）。あとは『きかんしゃトーマス』のアニメをよく見ていたんですが、なかでも擦り切れるほど見ていたのが、トーマスが石炭の代わりに魚をたくさん入れられてしまってエンジンが壊れて、池に突っ込んじゃうお話で……（笑）。他にも自分が病気になった設定のごっこ遊びをしたりと、とにかく「病気」とか「死」に意味もなく惹かれている時期がありました。いま思うとちょっと怖いんですが（笑）。

――体の中にモノを入れたり出したりするのって、ちょっとタブーというか「やっちゃいけないこと」って感じがあると思うのですが、それをカジュアルに超えていくところに奇妙な開放感がありますよね。すごく簡単にお腹をジョキジョキ切って、出し入れして、ねじを巻いて、戻すという……。

**近藤**　そうですね。子ども心にタブーを感じ始めていて、それに触れることに対して秘密の扉を開けるような背徳感のようなものがあったんだと思います。中毒性があって何回も読んでいた理由はそれかもしれません。

絵本って、基本的にケガしても「痛かったね」「かさぶたができちゃったね」というお話でも結局はハッピーエンドで終わるストーリーが多いと思うんですが、この絵本は本当にぶつぶつになっちゃったり、気が狂って手術して治すところまで描かれているんですよ。しかも、こんなにやばい話なのに、雰囲気がまったくシリアスじゃない。こういうところが好きだったんじゃないかなと思います。

今回読み返して、「こんなにとんでもない話だったんだ！」と思いました（笑）。でも大人になってくると社会常識で価値観が固定されてきてしまうので、こういう絵本を改めて読むと、常

識にとらわれている自分の思考を顧みることができるような気がします。自分の創作活動をするときに「これぐらいまでぶっ飛んでいいんだ」と思えます。

――絵的にも大胆なものが多いですよね。最初の主人公のアンリにできものができてぶつぶつになってしまうシーンからもう、かなりシュールで……。

**近藤**　昔からシュールなものも大好きだったので、そういったところにも惹かれていたんじゃないかな。私は長女なんですが、なぜか親から人形ではなくトミカを200台くらい買い与えられていたんです。だから、車で人形遊びをしていたんですよね（笑）。いわゆる「かわいい」ものに囲まれて育っていなかったのも、こういったものに惹かれる理由かもしれません。

特に好きなのが医者4人がアンリを取り囲んでのぞき込んでいる絵で、初めて自分が手術されたときについ「これだ」って思い出しましたね（笑）。

このカットは、この絵本のなかで唯一アンリの視点から描かれていて、没入感があるところが惹かれるポイントかなと思います。それまでちょっと不思議な世界観に浸っていたのが、このページでぐっと世界に引き込まれるみたいな感じで好きです。

あとは、アンリがお腹を切られているシーンも好きです。描きこみも多いし、世界観がわかります。縫われてうれしそうにしているアンリ、すごくかわいいし、友だちがみんな心配しているところもいいですよね。

――そもそもとして、近藤さんがつくったロボット「にゅう」はかなりこの絵本に出てくるおばけたちに似ていると思うのですが……。

**近藤**　私はソリッドな形が好きじゃないんです。変形しないものに対して、変に人工的な感じを感じてしまうというか。おばけは白くてふにゃふにゃしているようなイメージがありますが、フレキシブルに形や色を変えたりできる存在だと思うんです。そういう自由があるところが、モチーフとして魅力的だと感じます。

## 世界観を提示するための「絵本」感

**近藤**　もう一冊紹介したいのが、『ウアモウとふしぎのわくせい』です。

以前東京の御徒町に住んでいたことがあって、毎日通る場所にとてもかわいいお店があるのが気になっていました。それが「STUDIO UAMOU」です。お店に入ってみたらキャラクターも空間もとても素敵で、そこからよく行くようになりました。『ウアモウとふしぎのわくせい』は日本に一時帰国

したときに発売されたもので、「買わなきゃ！」と思って手に入れました。

キャラクターのかわいさはもちろん、個人のアーティストがアトリエ兼ショップ兼カフェを運営しているという、そのこと自体がすばらしいなと思っています。作品と世界観と、作者のファンです。

――絵本で印象に残っているシーンはありますか？

**近藤**　絵本を開くと、とにかくカラフルなところが素敵ですよね。特にこの異世界の風景が描かれているページが好きです。「この世界をもっと見たい」とぐいぐい引き込まれます。

ウアモウが海中に潜るシーンもお気に入りです。このページには変なクリーチャーがたくさんいますよね。そもそも私は海の生物が大好きなので、このページがすごく好きです。海の生き物は形が面白くて、人間の想像する範囲を超えたデザインが多くて、棲み方や動きもとても面白い。この絵本でもここまで鮮やかに描かれていますが、どんな絵よりも本物のほうがカラフルでユニークだったりするんですよ。私は最近海に潜るようになって、さらにそれを感じました。

――ウアモウも「にゅう」も、口が描かれていることが少なくて顔の造形が目に集中してるところも特徴的だと思います。「起こっていることは残酷だけれど、世界観は幸福に満ち溢れている」とか、「かわいいけど、どこか物悲しい」といったイメージに結びつくというか……。

**近藤**　実は私、口が苦手なんです。特に絵を描いているときに思うんですが、口を描くといろんなことが決まってしまいますよね。口の位置の上下によって、かわいらしいか、大人っぽいかが変わってしまうし、口角が上がっているか下がっているかで、表情が決まってしまう。それは読者目線でいうと、そのキャラクターに想像を膨らませられないということだと思うんです。私は生き物らしいロボットを作りたいと思っているんですが、もし表情を作ってしまったら、感情が動かないロボットみたいになってしまって不自然になると思うので、口はつけないことにしています。もしくは逆に、とことん口に凝ったネオアニマも面白いかもしれません。

――この作家さんの活動自体ももとから興味があったとお話をされていましたが、近藤さんも今後こういうことがしたいという思いがありますか。

**近藤**　アーティストとしてインディペンデントに生きていきたい気持ちはあります。ネオアニマプロジェクトでは「いきものらしいロボットをつくる」

というコンセプトでロボットを創作していますが、見てくれた人が買ってくれたりというインタラクションがまだありません。最近アートマーケットに出展して絵を描いて売ったりしているんですが、自分の作品を好きになってくれる人や買ってくれる人がいると喜びを感じることが多いんです。また、そうやって売ることにより、作品が自分の手を離れて他人を幸せにできることも素敵です。実際に、私はウアモウの作家である高木さんとは面識がありませんが、影響を受けています。自分の世界観を突き詰めて作品を生み出せば、作者が亡くなったとしても人を幸せにしつづけるだろうな、と思います。

ウアモウは完全にオリジナルのキャラクターであるところも魅力だなと思います。日本でもアメリカでも、作家さんの画風はあれど、描いてるモチーフは動物や人間の女の子だったり、版権ものの二次創作が多い。もちろん私も大好きなんですが、必ず「なにか」の二次創作になってしまいます。対してウアモウは、オリジナルのキャラクターと世界観を持っていて、かつ作家さんがアーティストとしてお店を持っていて、憧れる生き方だなと思っています。

——近藤さんはどちらかと言えば三次元の立体物を作る作家だと思いますが、ウアモウもまさに、造形物から始まって印刷物にイメージを拡大していったプロジェクトだと思います。

**近藤**　私はやはり、造形物への憧れが強いんです。ウアモウも、お店の窓辺に置かれていたたくさんのフィギュアと、お店の入り口に置いてあった巨大なぬいぐるみがめちゃくちゃかわいくて、そこに心奪われました。

「ネオアニマプロジェクト」でも、そのロボットが立体として存在感があることが一番の強みだと思っていますが、三次元だからこそできないこともたくさんあります。それこそ自由自在に動いたり、ごはん食べたり、旅行に行ったり……。そういうストーリーや世界観は三次元の作品では実現が難しいので、二次元の世界で脚色していきたいです。

この絵本のいいところは、読むことによって、ウアモウの世界観や、ウアモウが見ている景色がわかるところです。私もウアモウのキーチェーンを持っているんですが、絵本を読んだあとに見ると、その子が違う見方で見えたりしますよね。自分もそういうアプローチで創作していきたいなと思っています。

ひとりあそびの（おとなの）教科書

#2

# 東映レトロソフビコレクションと戦後サブカルチャー的身体

毎回ひとつ「おとなのひとりあそび」を取り上げるフォトエッセイの2回目は、宇野が長年収集する「東映レトロソフビコレクション」を取り上げます。かつて石ノ森章太郎と東映が児童文化の中に作り上げた「奇妙な身体」の魅力とは——？現代の技術を用い「あえて」70年代のテイストを再現したソフビシリーズを手がかりに迫ります。

文＝宇野常寛　写真＝蜷川新

## 古くてあたらしい1970年代

もう10年ほど前のことだ。はじめて雑誌で見たときは、自分にはあまり縁のないものだと思っていた。それは昭和の特撮ヒーロー番組に登場するヒーローや怪人たちのソフトビニール人形(ソフビ)だった。それも、約半世紀前の勃興期に怪獣ブームとして類似した番組がやや濫発気味に放送されていた当時の「レトロな」テイストを再現した、ちょっと変わった商品だった。それは明らかに当時子供だった大人のファンたちを対象にしたものだった。しかし、当時の商品を「そのまま」復刻したのではなく、現代の技術を用いて当時の「ような」造形とカラーリングを実現したまったくあたらしいソフビだった。変わったことをやっているなと少し気になったけれど、そのときはそれ以上の感想は持たなかった。1978年に生まれた僕は、この時代に10年ほど間に合わなかった世代だ。だから、この手の商品は当時の記憶を有する昭和の子供だった世代のためのものだ、そう思い込んでいた。しかし、それは大きな間違いだった。

それから少し経ったある日、僕は中野の専門店でたまたまそのシリーズ——東映レトロソフビコレクション——のソフビに遭遇した。具体的には

**東映レトロソフビコレクション**

「BE@RBRICK」などで知られるトイメーカー「メディコム・トイ」のソフビシリーズ。「仮面ライダー」シリーズをはじめ、東映制作のヒーロー番組に登場するヒーローや怪人が70年代のテイストと現代の造形技術で立体化されている。

「ドクガンダー」の「ワンフェス2012（冬）開催記念モデル」だ。そして僕は一目見てたちまち、その立体物としての魅力に取り憑かれていた。それが現代の技術を用いて1970年代のテイストを再現したシリーズのものであることは知っていた。しかしその技術の素晴らしさと、70年代テイストの活かし方に、僕は圧倒されていた。当時のソフビの怪人たちは、造形技術の限界で、四等身にディフォルメされてしまっていた。若いファンには、それを単に不格好だと遠ざけている人も多い。しかし、このとき僕の目の前にあるドクガンダーは四等身にディフォルメされたからこそ、そのデザインの魅力が引き出されていた。当時の彩色技術の限界のもたらしたテレビの中とは似ても似つかない奇抜な彩色は、現代においては極めて意図的に、70年代のサイケなテイストの演出として取り入れられていた。そして、ソフトビニールならではの滑らかで、艶めかしい質感……。僕は、たちまち魅了された。70年代の技術力の限界がもたらしたディフォルメが、結果的に元のデザインが内包していた良さを最大限に引き出して、再構築に資する。これは単にノスタルジーを満たしてくれるグッズの類などでは断じて、ない。約半世紀前の石ノ森章太郎と東映の仕事を、現代のクリエイターが全力で打ち返している想像力と想像力の激しいぶつかり合いの結晶なのだ。そう、僕は確信した。

## 町工場からよみがえる怪人たち

こうして、僕は（おそらくは最年少級の）東映レトロソフビコレクションのコレクターになった。東映レトロソフビコレクションは、国内を代表するアクションフィギュアやアートトイのメーカーであるメディコム・トイが2011年に立ち上げたシリーズで、「仮面ライダー」シリーズをはじめとする東映の特撮ヒーロー番組に登場する

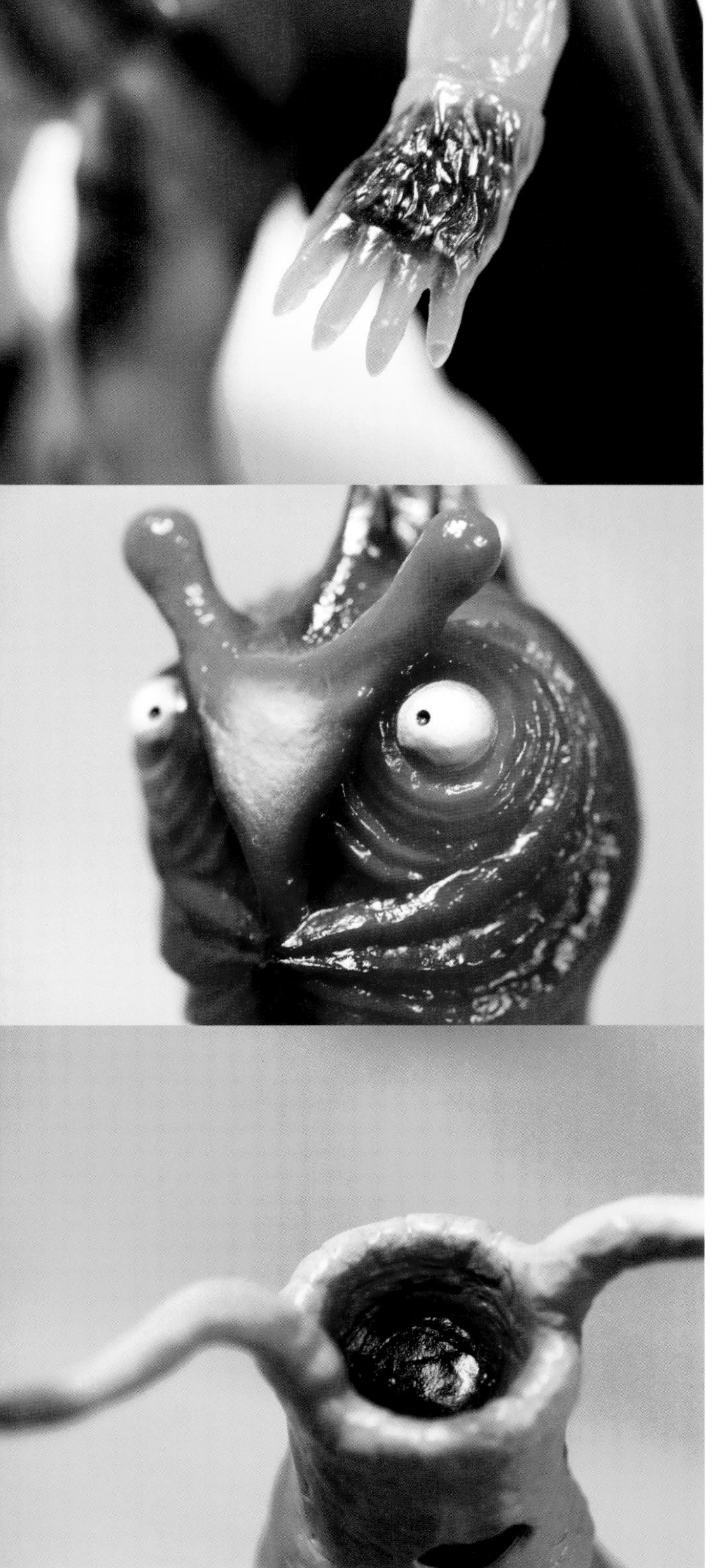

ヒーローや怪人たちを、現代の最高の技術と70年代のテイストでソフビにしていることは先に述べたとおりだ。

僕がコレクションをはじめた数年後には、シリーズのプロデューサーでありメディコム・トイの代表である赤司竜彦さんにインタビューをした（好きなものは仕事に結びつけて、とことん追求するのが僕の生き方だ）。

東映レトロソフビコレクションの企画が動き出したころ、大手メーカーのほとんどのソフビは中国で生産されていた（2010年前後）。そしてそのために、この種のソフビに欠かせないスラッシュ成型の技術を持つ日本国内の町工場は中小メーカーの散発的な仕事に終始していた。メディコム・トイも当時はほとんど国内生産はしていなかったが、赤司代表はこの灯火を絶やしてはいけないと考えた。そして、今こそ以前から温めていた東映ヒーロー番組のレトロテイストのソフビシリーズを立ち上げるべきだと決意した。そう、このシリーズは70年代の児童文化が生み出した想像力を批評的に再構築したアートトイであると同時に、かつて輝いていた日本の「ものづくり」の希少な遺産でもあるのだ。

## 成熟から変身へ

それにしてもなぜ、僕はここまでこのソフビたちに心を惹かれるのだろうか。ここで、少し戦後のサブカルチャーの歴史を参照してみたい。なぜならば、戦後のマンガ、アニメ、ゲームといったサブカルチャー群にとって、身体の問題は常にその中核にあり、石ノ森章太郎と東映が70年代に生み出したヒーローと怪人たちは、そのなかで大きな役割を果たしていたからだ。

ここでは「とりあえず」ディズニーと手塚治虫から話をはじめることにしよう。ディズニーのアニメーションで、ミッキーマウスはどれだけ傷を負っても次のシーンでは何事もなかったかのように回復して登場する。その記号的な身体は傷つくことを、知らない。しかし手塚治虫はこの記号的な身体に死を与えた。「鉄腕アトム」は、ある科学者の亡き息子の姿に似せてつくられたロボットだった。しかし、その科学者はいつまでたっても成長しないアトムに失望して、彼を捨ててしまう。そして物語は、機械の、偽りの、成長しない身体をもつはずのアトムの人間的な内面や、自己犠牲的な死を描くことになった。本来は大人になることもなければ死を迎えることもない記号的な身体を用いて成熟や死、そしてそれらを認識する内面を描くこと。この矛盾を大塚英志は「アトムの命題」と呼ぶ。そしてこの「アトムの命題」は、戦後民主主義下の日本人の成熟をめぐる問いでもあった。それは「12歳の（身体のまま大人になれない永遠の）少年がいかに成熟すべきか＝国家として事実上独立していない日本がいかに市民社会を形成するか」という問題でもあったのだ。

　そして手塚の薫陶を受けた作家たちのなかで、この「アトムの命題」をもっとも強く引き受けたのが石ノ森章太郎だった。手塚的「記号的（であるにもかかわらず老い、死ぬ）身体」を、石ノ森章太郎はサイボーグというモチーフを用いて「記号的な身体という『呪い』を受けたために老い／死なない存在」に進化させた（『サイボーグ009』）。しかしこのサイボーグという老いない、死なない、そして成熟しない身体は世界の外側にあるものとの対峙ができずに、迷走していった（「天使編」「神々との戦い編」）。

　そして石ノ森のサイボーグ的身体は戦後的な「12歳の少年」の未成熟な身体に耽美性を発見したものでもあった（島村ジョー）。萩尾望都／竹宮恵子は、石ノ森的な美少年を援用して、性的な身体の社会化に抗う行為としての少年愛の世界を展開した。彼女たちにとって、SFやファンタジーは性的な抑圧から身体を解放するための武器でもあった。エドガーとアランの少年愛が不死の存在（ヴァンパネラ）になることを受け入れることとして描かれた必然がここにある。不死と少年愛は当時の少女たちが成熟として押し付けられていたものの否定という一点で、強く結びついていた。

　そして石ノ森自身は、このサイボーグというモチーフをさらに発展させる。それが東映レトロソフビコレクションが立体化する「ショッカー的な身体」とも言うべきものだ。『仮面ライダー』に登場する改造人間たちは人間が、科学の力で自然物（動植物、鉱物）と融合した存在に「変身」する。

　永井豪はこのショッカー的な身体を戦後的な零落したマチズモの擬似的な回復に用いた。ショッカー的身体のもつ身体拡張の快楽をマチズモの回復のために応用したのが『デビルマン』だった。そしてさらには少年が鋼鉄の身体を「操縦」することでマチズモを得るのが『マジンガーZ』であり、以降の児童文化を牽引するロボットアニメの快楽原則がここに成立した。こうして時代は特撮ヒーローからロボットアニメに移行していく。

　だが僕がもっとも、いま可能性を感じるのがこのショッカー的身体だ。人間の身体に、科学の力で自然物（動植物、あるいは鉱物など）が一体化する。そのことで、人間は別の存在に「変身」する。

偽りの機械の身体を操縦し、性的にその身体を強化するのではなく、人間外の存在からのコミュニケーションを受け入れ、その身体をまったく異質な存在に「変身」させるのだ。00ナンバーのサイボーグたちも、「変身」することができれば（たとえ「成熟」できなくても）天使に対抗できたのかもしれない。なぜならば、人間とは異なる環世界を持つショッカー的な身体は、大きく、強く縦に伸びることはなくとも、異質な存在を取り込むことで横に広がることができるからだ。その人間の自意識が脱臭された顔、つまり仮面を得た者たちは既に人間の世界から、歴史からも相互評価のネットワークからも逸脱した存在なのだ。

## 「かっこかわいい」身体について

そして、このショッカー的身体をもっとも活かすアプローチが、東映レトロソフビの「古くてあたらしい」アプローチなのではないかと僕は思う。熊之森恵をはじめとする原型師たちの手によってよみがえった怪人たちの「かっこかわいい」ショッカー的身体は等身の低い（子供のような）身体でありながら、戦い得る身体だ。

「週刊少年ジャンプ」の少年主人公から、SDガンダム、ポケットモンスターまで、その戦後日本のネオテニー性——政治的に成熟することなく経済大国化した——を体現した「かっこかわいい」身体は戦後日本の児童文化の中で大きな存在を占めてきた。そしておそらく、70年代のソフビはこ

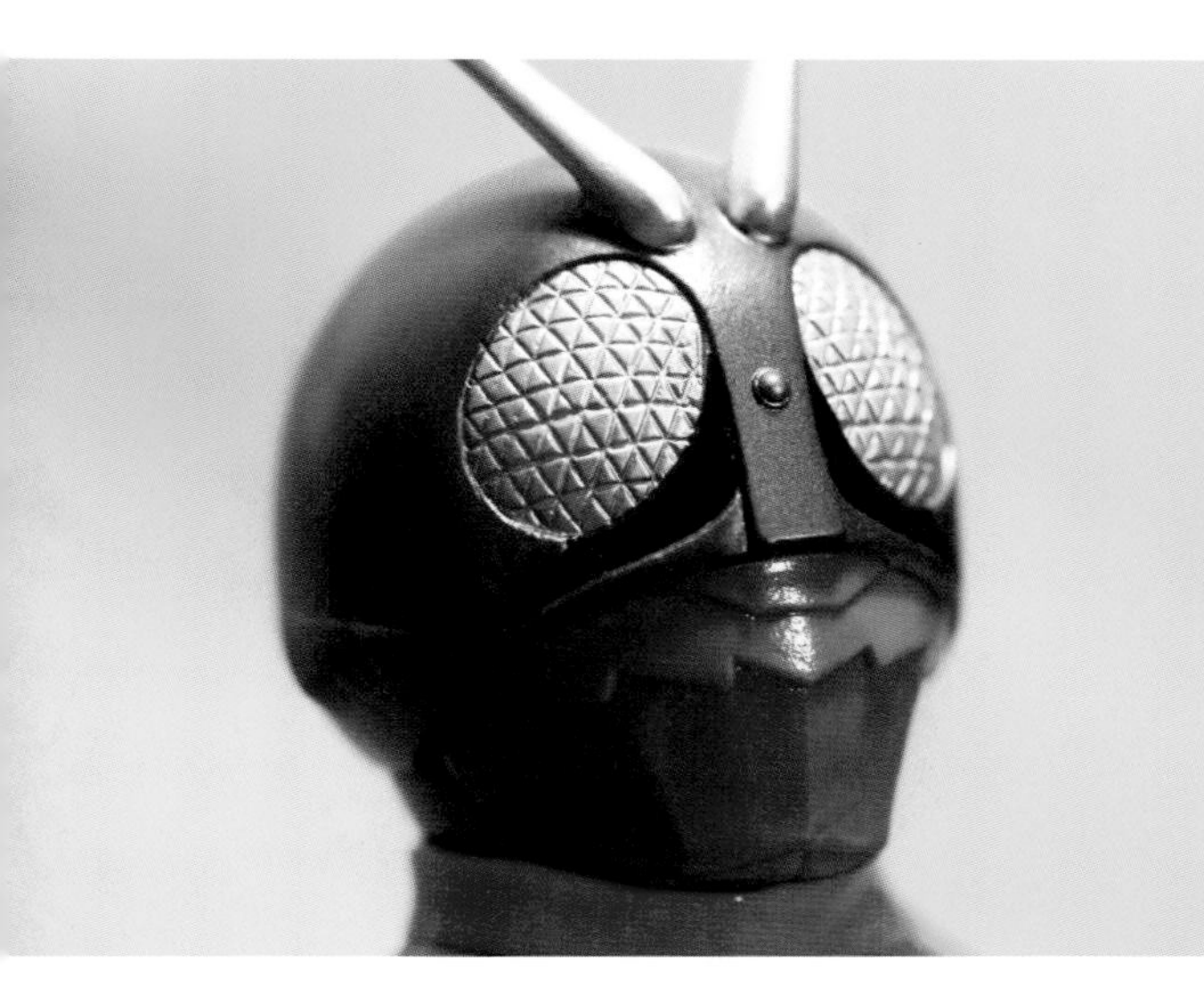

れらの「かっこかわいい」身体の源流にある。その出自を考えれば必然的なことだが、戦後日本的な「かっこかわいさ」と、石ノ森章太郎がたどり着いたショッカー的な身体とは、その誕生の時点から深く結びついていたのだ。それ（ショッカー的な身体）が戦後日本的なネオテニー性を出発点にしたからこそ、たどり着けたユニークな想像力であることを、70年代のソフビたちほど体現しているものはないはずだ。

こうして考えたとき、ショッカー的な身体のアップデートは、かっこかわいいものとして再構築されるのがもっとも相応しい。そう、この「かっこかわいい」身体を、半世紀守られ続けてきた町工場の技術と現代的な感性のミックスで再構築している東映レトロソフビコレクションとは、戦後日本のネオテニー性に対する、石ノ森章太郎らクリエイターたちの遺したいくつかの応答の最良の部分を創造的に引き継いだものなのだ。

半世紀前のあのころ、それは偶然の産物だった。ショッカー的身体が「かっこかわいく」造形されたのは、技術の限界によるものだったからだ。しかし、そこに必然を見出していた子供たちがいた。いや、彼らは大人になってからそこに必然を、それも無意識のうちに見出したのではないか。そして彼らは現代の技術で、今度は意図的に「かっこかわいい」ショッカー的身体を生み出しているのだ。

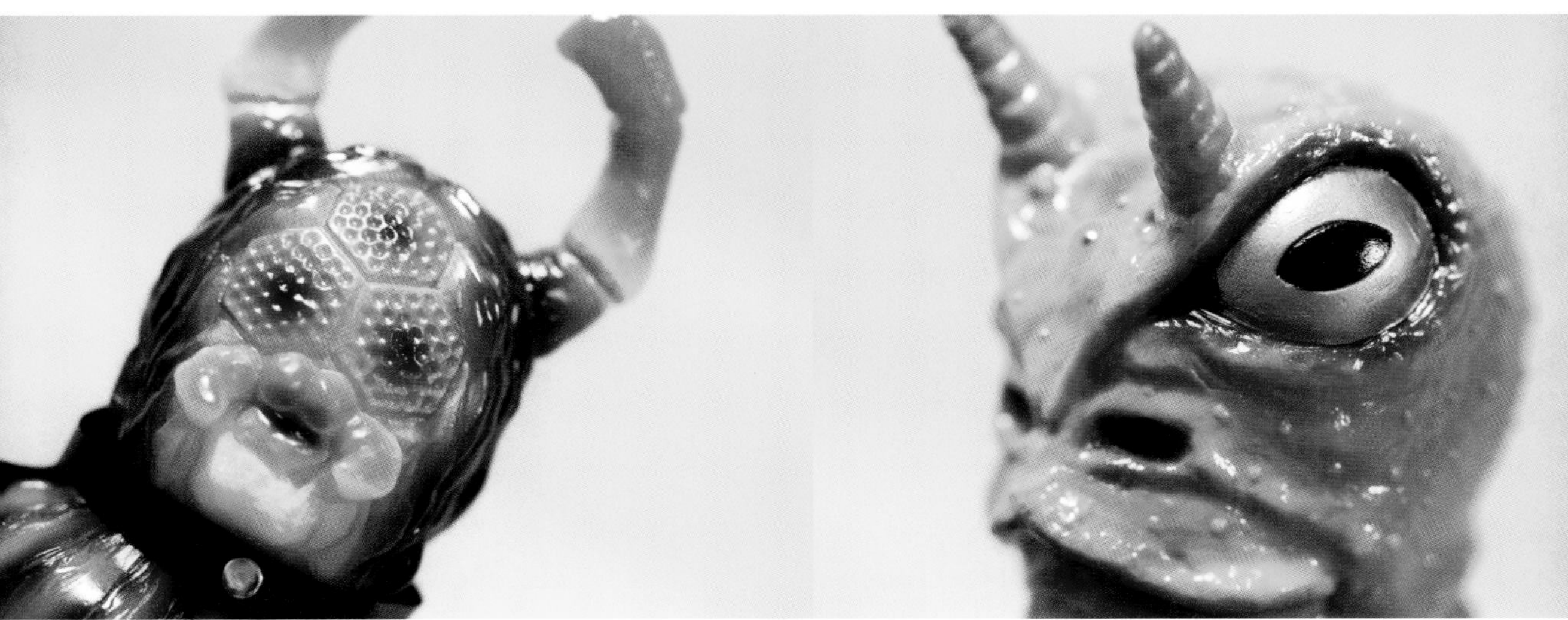

# 走るひとたち

## 上田唯人 × 宇野常寛 × 高山都

写真＝久富健太郎（SPUTNIK）

企画・文＝上田唯人（走るひと）

早起きして車に乗り、走って、ランチして、帰ってくる。もともと興味のあった場所に、走ることを共通項にした友人を誘い出して走りにいった、とある一日の記録です。

今回の企画では、日常生活の一部を彩るライフスタイルスポーツとしてのランニングの可能性を、あえて程よい「非日常」の中に求めました。ともすれば「日常」に深く固定化してしまうランニングをいま一度解きほぐし、走ることで街に触れることの意義を再確認しようという試みです。

前号、高山都さんの綴る文章を通じて、「走る」というごく日常的な体験を内面から表現することに挑みました。 今回はその続編でもあります。内面から外面、ひとりから数人、日常から非日常へと徐々に軸足をずらし、 多面体の先に広がるランニングの地平を見通します。

東京での日常から少し離れて、 いつもより少しだけ足を伸ばしてみます。旅行まではいかない、非日常的な楽しみを求めて向かった先は、東京渋谷から70km離れた三浦。

新しい「大人のあそび」としてのランニングのあり方を探ります。

**上田唯人（うえだ・ゆいと）**
雑誌「走るひと」編集長。日本陸上競技連盟「JAAF RunLink」クリエイティブディレクター。hashiruhito productions 主宰。早稲田大学卒業後、野村総合研究所に入社し企業再生・マーケティングの戦略コンサルティングに従事。その後、1milegroup 株式会社を設立。2014 年 5 月、雑誌『走るひと』創刊。独特の誌面が〝異色のカルチャー誌〟として注目され、発売直後に売り切れ状態となるなど反響を得ている。

高山都（たかやま・みやこ）
1982 年生まれ。モデル、女優、ラジオパーソナリティーなど幅広く活動。趣味は料理とマラソン。「# みやれゴハン」として料理やうつわなどを紹介するインスタグラム（@miyare38）が人気。横浜マラソン 2016 を 3 時間 41 分で完走の記録を持っている。著書『高山都の美食姿』（双葉社刊）シリーズ 1 ～ 4 も好評発売中。

**宇野常寛（うの・つねひろ）**
296 ページ参照

なんとなくスタート地点に決めた三浦海岸。京急線の駅もほど近い国道134号線沿いに車を停め、目前に広がる海を見ながら、ひとまず砂浜を走ってみようということに。

THE NORTH FACE

「タクワンづくりのために、地域の地形や気候を活かして行われる大根の乾燥作業（市のＨＰ）」は、12月から2ヶ月間だけ見られる風物詩。甘みが凝縮した切れ端も頂き、運が良かった。マラソン大会の発着点にもなる。

三浦海岸の南、半島の内陸部に位置する大根畑。隆起のある肥沃な大地は、作物の生育状況によって様々な色彩がある。三方を海に囲まれた見通しの良い丘を、走ったり休んだり歩いたりしながら進む。

Yamazaki Shop
ランチパック
ランチパック

細く入り組んだ路地の移動は、散歩とランニングのちょうど間くらいが適している。階段が沢山あるので、サイクリングでもない。本瑞寺の階段を駆け上がり、小高い丘の上から三崎の町並みを一望する。

Welcome

定番で締めくくる。友人に聞いていた名店でまぐろ丼を食べ、産直品売り場うらりで中ぶくれ形の三浦大根を買う。ランと同じ、日常のなかで少しだけ非日常を感じられたら、長く楽しめそうだ。

こはゴルフ場の開発計画がバブルの崩壊でおじゃんになった森が、有志の団体によって整備されたもので、小さな川の源流から河口までがまるごと残っている奇跡的な場所だ。ざっと1.5キロ歩くと、山頂から河口の干潟まで下るうちに、じつに多様な動植物を目にすることができる。ホタルの季節を逃しても、春夏に足を向ければかならず驚かされることになるはずだ。

一般的に、三浦半島はバブル期のリゾート開発に失敗し、軍事的な拠点であることの触りづらさも手伝ってぱっとしないエリアとして、放置されてきた土地だと考えられている。実際そうなのだろうが、僕はその「手つかずの」エリアだからこその魅力を強く感じている。比較するなら湘南につきまとうテーマパークのようないやらしさがなく、三浦は土地そのものに触れることのできる場所だと僕は感じている。時折、ロードサイドに出現するまるで世界の果てに佇むようなコンビニエンスストアやコインランドリーの、色あせた感じもたまらない。ここには記号を消費する文化に対応するものが一つもない（失敗して、滅んでしまった）。東京から1時間半で、海と山とを同時に触れることのできる土地はそう多くないはずだ。日帰りで遊べる、少しだけ離れた身近な世界の果て。そんな場所を、いつでも行けるところに見つけたことは、僕のちょっとした財産だと思っている。

# 三浦のこと

文＝宇野常寛

三浦半島が好きで、もう10年近くときどき遊びにでかけている。最初のきっかけは友人に誘われて――10名以上の大所帯で――夜通し半島を歩いて横断する、という夜のピクニックに参加したことだ。終電で横須賀駅に集まって歩き始めた僕たちは明け方までにたくさんの物事に出会った。コンビニエンスストアの袋から焼酎の紙パックと浅漬けをのぞかせた筋骨隆々の黒人兵、山中の道路を素早く横断するタヌキの親子、明け方にせわしなく船上で働く漁師のおじさん。山と海との間にほとんど距離がない半島の地形は、僕たちを飽きさせなかった。トトロの出てきそうな深い夜の森、朝露に濡れた瑞々しい野菜畑、そして朝日に光る海。

このときから、僕はこの土地を気に入って、度々足を運ぶようになった。年に一度は、和田長浜で海鮮バーベキューをして、カワハギの肝醤油和えとか、焼きサザエとか、ナマと釜揚げのシラス二色丼とか、そういったものを思いっきり食べた。京急の三崎口駅から、少し離れたところにある小網代の森には毎年ホタルを見に出かけている。こ

# 乙ノノメ

## クラウドファンディングCAMPFIREを通じて刊行をご支援いただいた皆さま（敬称略・順不同）

Chihiro.M.Parfums
中野聡
障害者ドットコム株式会社
藤井洋介／藤井明香
清水千佳
たちかわつよし
白川敬裕
秋保ちなみ
Kumiko Kojima
野田あゆみ
有坂汀
イワモトユウ
中川富紀子
京都ワイン研究所
佐藤玄
トネリライナーノーツ
中島祐樹
シアターキノ
まう
space opera nami
根津孝太｜znug design, inc.
三浦知子
藤原健司
坂直樹
福田勝樹
堀潤
南宏樹
タケウチマキ
écru hair&gallery (hanakanmuri)
石下和哉
西裏康正
はくさい
古川祥子
水野清文
宮内隆治
青木裕一
佐藤雅哉
平野裕人
たなかまろ
yuumi3
白石裕一朗（AZZURRO）
青木かずむ
KEITA MAKINO（DE）
俺の日本舞踊
内藤雅文
諸田勝
寺田幸子
尾崎祐一
麻生翼
kai kamiya
松林建
岩佐文夫
千代さやか
三国正人
長谷川裕
宮崎達也
山口純平
小川弘法

今回は計912名の方に支援していただき、本誌を出版することができました。
たくさんのご支援、本当にありがとうございます。

責任編集
宇野常寛

副編集長
中川大地

編集
石堂実花
小池真幸
徳田要太

アートディレクター
館森則之

デザイン
香村真紀
坂巻治子
須納瀬純
前田理菜

デザイン協力
上里心平

表紙撮影
久富健太郎（SPUTNIK）

制作
阿部恵美子

広報
岡庭正利

制作協力
カーマインワークス合同会社
株式会社CAMPFIRE
コクヨ株式会社
TGオクトパスエナジー株式会社
三菱地所株式会社

SPECIAL THANKS
PLANETS CLUB

発行・販売
株式会社PLANETS／
第二次惑星開発委員会
http://wakusei2nd.com
https://slowinternet.jp
info@wakusei2nd.com

製本・印刷・組版
凸版印刷株式会社

2022年3月31日
初版発行

モノノメ

#2

## 編集後記

「モノノメ」の第２号をお届けします。創刊号から半年……ちょっと待たせすぎだという人も、急ぎすぎだという人もいるのではないかと思います。２号、３号と、タイミングを図りながら、自分たちとそして読者のみなさんにとって、一番いいリズムを発見していければと思っています。しかし、大切なのは続けることです（これがものすごく大変です）。とりあえず既に話題になっていることについて立派なことを述べて人々の関心を集めて、そしてまたすぐに次の別のことをはじめるほうが、お金を集めるには効果的なのかもしれないですが、だからこそこの時代に「続ける」ことで抵抗してみたい、と考えました。

今回も、他の雑誌ではとてもできないような記事を集めてみました。ちょっと変わった切り口からの「身体」特集からはじまって、僕の大好きな京都と、三浦半島のことまで詰め込んでいます。「いま」考えるために本当に必要なことを取り上げているつもりですが、その「いま」というのは少なくとも僕たち現役世代が生きているあいだ、くらいの範囲を指しています。だから、一見、これが何の役に立つのかとか、いま、なぜこの話題が扱われているのか分からないといったものこそ、本当に、そして少し長い範囲での「いま」必要なものだと僕たちが考えていると思ってくれたら嬉しいです。

もし、この号がしっかり売れたら次号（３号）は、10月発売を考えています。特集は今のところ「食」にしたいと考えています。創刊号とこの #2 でできなかったこともどんどん詰め込んで、にぎやかな、いい意味でもっと「雑」な誌面にしたいと思っています。

また、この号に限らず、僕たちのクリエイションはPLANETS CLUBのメンバーに資金的にも、そしてモチベーション的にも支えられています。こんな反時代的で、流行り物のアジテーションで注目を集める行為に真っ向から背を向けているメディアを続けていけるのは、このコミュニティがあるからです。もし、僕たちの試みに価値を感じてくれている人がいたら、PLANETS CLUBに入会してください。

それでは、第３号でお会いしましょう。

2022年3月　宇野常寛

**宇野常寛**（うの・つねひろ）
1978年生まれ。評論家として活動する傍ら、批評誌「PLANETS」「モノノメ」などを発行。主な著書に『ゼロ年代の想像力』（早川書房）、『リトル・ピープルの時代』（幻冬舎）、『日本文化の論点』（筑摩書房）、『母性のディストピア』（集英社）、『遅いインターネット』（幻冬舎）ほか多数。